D1248297

100 DATAS

QUE FIZERAM A
HISTÓRIA DE PORTUGAL

Tudo o que precisa saber

PEDRO RABAÇAL

100 DATAS
QUE FIZERAM A
HISTÓRIA DE PORTUGAL

Tudo o que precisa saber

PEDRO RABAÇAL

MARCADOR

A presente edição segue a grafia do novo Acordo Ortográfico da Língua Portuguesa.

info@marcador.pt
www.marcador.pt
facebook.com/marcadoreditora

© 2012, Direitos reservados para Marcador Editora
uma empresa Editorial Presença
Estrada das Palmeiras, 59
Queluz de Baixo
2730-132 Barcarena

Título: *100 Datas Que Fizeram a História de Portugal*
Autor: Pedro Rabaçal
Revisão: Silvina de Sousa
Paginação: Maria João Gomes
Capa: Bruno Rodrigues/Marcador
Impressão e acabamento: Multitipo – Artes Gráficas, Lda.

ISBN: 978-989-8470-60-7
Depósito legal: 349618/12

1.ª edição: outubro de 2012

ÍNDICE

INTRODUÇÃO

Para algumas pessoas a história é aborrecida e desprovida de valor. «Coisas velhas que aconteceram há muito tempo», dizem. Mas conhecer e compreender a história pode ser de grande utilidade.

Este livro foi escrito com o objetivo de tentar despertar interesse pela história de Portugal através da desconstrução de mitos históricos e da revelação de diferentes versões do mesmo acontecimento.

Em cada data, é descrito o ambiente histórico e socioeconómico dos respetivos acontecimentos, assim como os dados biográficos mais relevantes das personagens envolvidas, para se visar uma melhor compreensão por parte do leitor do contexto e ambiente em que se enquadram.

A verdade por detrás de cada acontecimento costuma ser mais complicada do que a primeira impressão dá a entender, e descobri-la é sempre um desafio árduo, pois nem sempre é fácil desvendá-la e relatá-la com imparcialidade.

Várias crenças populares são, na realidade, mitos. Por exemplo, a maioria dos homens pré-históricos não viviam em cavernas, não eram mais brutos nem simiescos do que o homem moderno e foram, por exemplo, os inventores da agricultura. Cleópatra era uma grega de aspeto normal, e não uma egípcia de corpo escultural, além de não haver provas de que tenha tido um comportamento ninfomaníaco, exceto por acusação de inimigos. Lucrécia Bórgia nunca envenenou ninguém, nem era uma intriguista política de grande vileza, sendo antes um peão da família e uma grande patrocinadora das artes, cuja morte natural foi muito sentida. No caso de Portugal, os jesuítas não eram tão retrógrados, nem tão repressivos, como se julga e a Hispânia islâmica era menos tolerante e pacífica do que tentam fazer crer.

A história pode ser também um meio de propaganda o que gerou o famoso adágio «a história é feita pelos vencedores», uma referência ao facto de muitos relatos históricos terem sido escritos pelos vencedores de conflitos e só mostrarem a sua versão. No entanto, muitos foram os que se esforçaram por relatar os factos tal como aconteceram ou como os viram. Suetónio, o célebre historiador romano, não dá uma imagem agradável dos imperadores de Roma na sua obra *As Vidas dos Doze Césares*, mas mostra as diversas versões de cada acontecimento e esforça-se por fazer um relato credível e imparcial.

Tentamos demonstrar que é possível aprender com o passado, ao serem descritas as suas semelhanças com o presente, pois «quem esquece o passado, está condenado a repeti-lo».

Se o leitor, ao ler este livro, der um passo no sentido de aprender a não subestimar aquilo que conhece vagamente, ou não conhece de todo, então já terá aproveitado bem o seu tempo.

༺ 139 A. C. ༻

VIRIATO É ASSASSINADO

A resistência lusitana sofre o seu maior golpe.

Embora os lusitanos sejam considerados os antepassados dos portugueses, a Lusitânia abrangia uma parte de Espanha e, no atual território português, somente a região entre os rios Douro e Tejo, havendo discordância quanto às descrições da sua extensão exata por parte dos historiadores greco-romanos. No entanto, há unanimidade sobre o facto de os lusitanos serem considerados o povo mais aguerrido da Hispânia. Estrabão afirmava que recorriam a sacrifícios humanos e de animais. De notar que semelhantes práticas eram atribuídas aos gauleses, germanos e fenícios (como os habitantes de Cartago), tendo Roma recorrido a imolações em tempos de desespero, até serem proibidas em 97 a. C., quando as mentalidades progrediram.

Viriato não foi o único líder lusitano que enfrentou Roma, houve outros, como Púnico e Cesaro, mas era o mais famoso e bem-sucedido. Uma das muitas lendas sobre Viriato é a do seu nascimento na serra da Estrela; no entanto não há nada que confirme que esta corresponda aos famosos montes Hermínios. Uma das teorias sobre a origem da palavra «Viriato» sugere que esta provém do celta *viria*, que significa «bracelete» ou «pulseira», adornos guerreiros célticos, sendo mais credível do que a que defende a sua origem na palavra *vir*, do latim (!) para «viril». O latim e as línguas celtas são de raiz indo-europeia, pelo que não deve ser casual a semelhança entre essas palavras – a habitual associação de guerreiros a virilidade torna a coincidência ainda menos provável. Sabendo que tribos celtas migraram para a Península Ibérica, onde a sua miscigenação com os locais gerou povos como os celtiberos e os célticos, é natural que os lusitanos fossem influenciados pela cultura celta. A própria palavra Lusitânia é de origem celta e significa «tribo dos lusos».

Curiosamente, Viriato também é considerado um herói nacional espanhol! O que é mais compreensível quando se sabe que as suas vitórias levaram outras tribos ibéricas a juntar-se a ele (vetões, arevacos, vaceus) ou a rebelar-se por iniciativa própria, como os celtiberos.

Até os mais famosos historiadores romanos (Tito Lívio, por exemplo) e gregos (como Dion Cássio) elogiavam Viriato e os lusos, mostrando que respeitavam inimigos valorosos, à semelhança do gaulês Vercingetórix, do germano Armínio e do bretão Caractaco. Viriato era descrito como austero, nobre e estoico: resistente ao frio, à fome, à sede e ao cansaço. Outra virtude dele era a partilha justa do espólio de guerra com os seus homens. O líder luso utilizava parábolas e alegorias nos seus discursos para conquistar o apoio do público.

Outro método a que Viriato recorreu para obter o apoio de famílias poderosas foi ao matrimónio, sem nunca esquecer que as fortunas são inúteis sem uma mão forte a protegê-las. Na festa do seu casamento, questionou o seu abastado sogro, Astolpas, acerca do motivo pelo qual as suas riquezas nunca tinham sido roubadas, ao que este respondeu que ninguém o tentara fazer. Viriato retorquiu, perguntando: «Então diz-me porque é que – se as autoridades te concederam a imunidade e o usufruto seguro dessas coisas – as abandonaste e escolheste aliar-te à minha vida nómada e à minha humilde companhia?» Viriato desprezava claramente o sogro «amolecido» por uma vida de conforto: e a posterior aliança de Astolpas com Roma levou o genro a ordenar a sua morte.

A maneira ibérica de lutar, cuja eficácia foi bem explorada por Viriato, consistia em técnicas de guerrilha: ataques seguidos de fuga, fugas simuladas para atrair o inimigo a emboscadas. Os romanos não tinham uma palavra para «guerrilha» e chamavam a esse modo de combate *Latrocinium*, banditismo. É verdade que os lusitanos atacavam os territórios romanos para os pilhar, mas a falta de terras para agricultura e pastorícia contribuía para isso. Como os exércitos da época, incluindo o de Roma, pilhavam os territórios que invadiam, vê-se bem que a diferença entre um bando de ladrões e um exército é apenas o tamanho...

Cerca de 150 a. C., Sérvio Sulpício Galba derrota os lusitanos e propõe-lhes dar-lhes terras em troca da rendição e da entrega das armas. Eles aceitam e instalam-se nesse território, mas Galba ataca-os, escravizando vinte mil e matando nove mil. Só um milhar consegue escapar, sendo Viriato um dos fugitivos. Não esquecer que os historiadores costumavam exagerar nos números.

Massacrar o inimigo e trazer vitórias para o país era aceitável ou até louvável entre os cidadãos romanos, mas quando o massacre violava um acordo de paz ou de aliança, passava a ser traição e, logo, desonroso. Por isso, Galba foi levado a julgamento, sendo o acusador o seu rival, o célebre estadista Márcio Pórcio Catão, *o Censor*. O acusado defende-se afirmando que os lusos queriam violar o acordo. Catão responde-lhe que, como eles entregaram as armas, «o que importa são as ações e não as intenções». Galba recorre ao sentimentalismo, exibindo os seus filhos a chorar perante o público. No entanto, o Senado ficou mais comovido, ao ponto de o declarar inocente, quando Galba ofereceu uma grande parte do seu saque ao Estado...

Em 147 a. C., Vetílio derrota cerca de dez mil lusitanos e estes pensam render-se em troca de terras, mas um deles relembra-lhes as muitas ocasiões em que os romanos faltaram à sua palavra: Viriato, que não tinha memória curta, é eleito chefe e consegue que os seus escapem ao cerco, dividindo-os por vários grupos. Vetílio persegue o grupo liderado por Viriato até à cidade de Tribola, onde este o espera, bem como aos outros grupos de fugitivos com os quais combinara encontrar-se para a batalha. Vetílio é derrotado e morto. Começam oito anos de numerosas vitórias e poucas derrotas para Viriato, que aumentam a sua influência entre os povos lusitanos e outras tribos ibéricas.

Em Erisane, Viriato encurrala o exército de Serviliano, mas em vez de obter outra vitória prefere negociar com ele. É feito um acordo de paz, no qual o líder luso é reconhecido como *amicus populi romani* (amigo do povo romano) pelo Senado de Roma. Porém, essa expressão teve para ele o mesmo significado que o nosso «amigos de Peniche», e o dito Senado anula o tratado, que descreve como «vergonhoso». No entanto, Viriato volta a tentar a paz e manda três emissários ao substituto de Serviliano, Quinto Servílio Cipião. Estes, chamados Audalo, Didax e Minuro, regressam ao acampamento luso, onde aproveitam a noite para apunhalar o seu líder no pescoço.

Porque é que Viriato esqueceu a sua experiência com a falta de honra dos romanos? Sem dúvida porque o seu povo estava cansado de tantos combates, e um bom estrategista como ele deveria saber que não conseguiria resistir eternamente ao colosso romano. O trio de assassinos acreditava que ele estava a ficar «mole» e que era melhor aliarem-se aos vencedores, de acordo com o grego Diodoro. É sabido que não receberam a recompensa prometida, pois o traiçoeiro Cipião disse-lhes que os soldados não devem matar os seus comandantes (a célebre expressão «Roma não paga a traidores» é uma invenção literária posterior).

O funeral de Viriato é uma comovente mistura de respeito e dor: é cremado numa enorme pira, são feitas danças e interpretadas canções fúnebres, realizam-se sacrifícios de animais, bem como combates rituais de duzentos pares de combatentes. Os próprios historiadores gregos e romanos sentem-se comovidos e escandalizados com o traiçoeiro fim do chefe guerreiro. Um belo exemplo de como os atos que parecem cruéis à nossa mentalidade moderna, e que eram frequentes em épocas passadas, também desagradavam a muita gente nessa altura.

Cipião derrota facilmente, perto da atual Cartagena (Espanha), o sucessor eleito de Viriato, Tautalo. Curiosamente, dá terras aos lusitanos em troca da sua rendição. As contraditórias combinações de clemência e de mentiras de Cipião podem ser faces da mesma moeda: a renúncia da força bruta como ineficaz para acabar com o conflito. Aliás, os romanos eram um povo pragmático, e, quem sabe?, é possível que Cipião quisesse melhorar a sua péssima reputação.

Foi em 133 a. C. que acabaram as guerras lusitanas, com a vitória de Décimo Júnio Bruto, que também subjuga outros povos, como os galaicos (atuais galegos). Os relatos das suas campanhas descrevem como havia mulheres combatentes entre os lusitanos e como algumas preferiam o suicídio à captura e escravidão. Bruto foi mais clemente do que a maioria dos seus antecessores: tirou-lhes o trigo, cavalos e dinheiro, mas não a vida nem as povoações, além de não os escravizar. Terá havido um certo respeito por esse povo, em que até as mulheres combatiam, que terá influenciado a relativa clemência de Bruto? O pragmatismo foi determinante.

ഏ 82 A. C. ഏ

A GUERRA CIVIL ROMANA ESTENDE-SE
À LUSITÂNIA

*Sertório alia-se às tribos locais para continuar a luta contra
o ditador Sila e a República.*

Quinto Sertório era um «homem novo», designação dada, na
antiga República Romana, ao primeiro membro da família de
origens humildes a adquirir cargos políticos importantes, numa
sociedade em que enveredar pela carreira política era tradição
das famílias poderosas.

Orgulhava-se de ser «zarolho», resultado de um ferimento de
guerra, e dizia que era uma condecoração que ninguém poderia
ignorar nem esquecer (uma censura aos membros da alta sociedade habituados ao conforto, que o desprezavam pelas suas origens
humildes).

As suas primeiras campanhas militares realizou-as na Hispânia, onde derrotou a tribo dos oretanos com as tradicionais astúcia e crueldade romanas: massacrou toda a população masculina
adulta que pudesse pegar em armas, e massacrou ou escravizou
os restantes habitantes.

Tornou-se apoiante de um homem novo, Caio Mário, um ótimo estrategista militar e um comandante duro, mas justo, que
aplicava a disciplina até aos oficiais, incluindo os próprios parentes (por exemplo, a homossexualidade era condenada na época e
quando o seu próprio sobrinho, um oficial, tentou abusar de um
soldado e foi morto por este, Mário recompensou o soldado por
defender a sua honra).

Mário entra em conflito com patrícios igualmente ambiciosos,
como Lúcio Cornélio Sula, e que desdenham, invejosos, as suas

origens humildes. Mário toma o poder em Roma e, doente de corpo e de mente, ordena o massacre dos seus rivais, durante a sua última quinzena de vida, tarefa desempenhada por uma milícia de libertos (antigos escravos alforriados), que abusaram das mulheres dos mortos. Os libertos foram, por sua vez, massacrados por Sertório, pouco antes de Mário morrer.

Muitos rivais de Mário sobrevivem e travam uma vitoriosa guerra civil contra os marianos. Sila é proclamado ditador, num sentido ainda hoje atual, e ordena o massacre dos opositores, bem como a confiscação dos seus bens. Nada mais natural que Sertório tenha fugido, passando a ser um fora-da-lei errante, forçado a aliar-se a diversos inimigos da sua pátria.

Mas eis que, em 82 a. C., os lusitanos propõem-lhe que os lidere contra o inimigo comum, o Estado romano, proposta boa demais para ser desperdiçada.

Sertório era um dirigente hábil: tratou-os com respeito, em vez do habitual desprezo xenófobo romano dos «bárbaros», e deu-lhes inúmeras vitórias militares. Como resultado, muitas tribos ibéricas, desde o rio Ebro até aos Pirenéus, juntaram-se à sua causa. Os territórios portugueses onde decorreram as operações militares foram o atual Baixo Alentejo e o Algarve.

Sertório também sabia como discursar aos seus homens quando desmoralizados. Depois de uma derrota, ele ordenou a um homem forte que arrancasse a cauda de um cavalo fraco e magro. O seu falhanço provocou a hilaridade geral. De seguida, um homem fraco conseguiu arrancar a cauda de um cavalo musculoso, pelo simples método de tirar um pelo de cada vez. Sertório explicou-lhes então: «A persistência é melhor do que a força bruta.»

Tudo vale, até a fraude: convenceu muitos dos seus de que tinha o apoio dos deuses ao mostrar uma corça obediente – secretamente domesticada – e invulgarmente branca, talvez albina, como um presente da deusa da caça, Diana, e que lhe forneceria informações quando sonhava (na realidade, eram dadas em sigilo pelos seus pouco oníricos espiões...).

Sertório reuniu os filhos dos chefes tribais e pô-los numa escola, onde recebiam educação e roupas romanas de classe abastada. Junte-se a isso o seu tratado de aliança com o famoso rei Mitridates do Ponto (outro reino da atual Turquia), no qual recusou dar-lhe qualquer território sob o controlo de Roma. Conclui-se com facilidade que o «zarolho» não queria dar a independência aos lusitanos. Na melhor das hipóteses, Sertório queria que eles se tornassem aliados de Roma, isto é, uma espécie de Estado vassalo.

Mas eis que chega Pompeio (ou Pompeu), um dos melhores generais de Sila, que o tinha alcunhado de *Magno* (Grande). Ele conseguiu vitórias, atacando os comandantes de Sertório, menos dotados do que o seu líder. Por outro lado, Sila abdicou voluntariamente do poder em 79 a. C. (algo ainda hoje raríssimo para um autocrata) e morreu de doença pouco depois, sendo rapidamente abolidas as suas leis reacionárias contra os plebeus. O lado negativo de tais mudanças foi o fim do principal motivo para os rebeldes romanos continuarem a luta! E a xenofobia romana levava-os a não apreciar a maneira como o seu líder tratava os aliados ibéricos: com respeito, e não como «bárbaros» inferiores.

Um deles, Perpena, detestava Sertório tanto por ter origens humildes como por ser mais novo (era humilhante para o seu orgulho de patrício obedecer a um «inferior», em termos sociais), pelo que lançou intrigas contra ele. Os abusos de muitos administradores romanos contra os seus aliados, como pesados impostos e castigos a quem não queria ou não podia pagar, levaram à revolta de muitos iberos. Sertório reprime-as com crueldade. Chega até a mandar matar os alunos da escola que criara ou a vendê-los como escravos. O historiador Plutarco, e principal fonte sobre Sertório, que lhe é muito favorável, admite que essa crueldade podia ser um sinal de que o seu comportamento justo talvez fosse calculismo interesseiro para ganhar o apoio dos iberos. Por outro lado, Plutarco relembra que muitas pessoas perderam as suas virtudes quando vítimas de desgraças. Os massacres dos oretanos parecem contradizer essa hipótese, mas é preciso notar que, naquela época, massacrar inimigos era aceitável, mas não quando isso implicava traição à palavra dada, o que se aplica ao destino dos jovens estudantes de povos aliados.

Sertório cede ao desespero: renuncia a uma das suas virtudes – a moderação nos prazeres – e entrega-se à embriaguez e promiscuidade sexual, aumentando ainda mais a desilusão e o desprezo por parte de muitos dos seus homens.

Num banquete, Perpena deixa cair um copo de vinho: era o sinal combinado para golpearem Sertório até à morte. Mas, tal como a maioria dos intriguistas, Perpena era um mau estrategista militar e foi facilmente derrotado por Pompeio. Tenta salvar-se, mostrando mensagens de figuras importantes romanas que queriam ajudar Sertório a tomar o poder em Roma. Pompeio não ambiciona mais guerras civis, assassínios e execuções entre os romanos (o mesmo não se dirá quanto à popularidade para a sua carreira política), pelo que ordena que os papéis sejam queimados e que ninguém os leia.

Mais tarde, Pompeio fará várias campanhas bem-sucedidas contra o referido Mitridates e o lendário Espártaco, que tornarão a sua alcunha de *Grande* num título oficial. Mas nem ele nem os lusitanos esperavam enfrentar o sobrinho de Mário, que se tornaria mais famoso e dotado que o tio: Caio Júlio César.

෧ 61 A. C. ෨

OS ÚLTIMOS LUSITANOS SÃO VENCIDOS

*Júlio César erradica os últimos grupos de lusitanos
que combatem o domínio romano.*

No ano pré-cristão de 61, um jovem desconhecido chamado Caio Júlio César é nomeado *propretor* da província da Hispânia Ulterior (um *propretor* era o governador de uma província romana que anteriormente tinha desempenhado o cargo de pretor ou juiz), a qual incluía os territórios lusitanos. Tanto os lusos como algumas das tribos vizinhas ainda resistiam ao poder de Roma, por meio de ataques às zonas mais ricas do Sul, embora já não fossem uma ameaça, como no tempo de Viriato. Era a primeira campanha militar de César, cheio de ambições e vazio de grandes feitos, exceto ter conseguido o invulgar perdão do sanguinário Sila, apesar de ser sobrinho de Mário (como atrás foi referido, os dois eram inimigos mortais). Também tinha os bolsos vazios, por assim dizer, ao contrário da sua lista de credores, pelo que as pilhagens de uma campanha militar eram essenciais para pagar as dívidas.

Com quinze mil soldados sob o seu comando, Júlio César lança campanhas contra as populações dos montes Hermínios, para as obrigar a viver nas planícies, onde o terreno as impedia de recorrer à sua tradicional luta de guerrilha. Os últimos resistentes armados escolhem como local de refúgio uma ilha, eventualmente pertencente ao arquipélago das Berlengas, mas César persegue-os. Infelizmente para ele, a ilha era de fácil defesa, e uma parte do exército romano é massacrada, forçando-o a recorrer à ajuda de navios provenientes de Cádis para subjugar o inimigo. Recorrendo de novo aos navios adquiridos, viaja até aos territórios a norte do rio Douro, refúgio de muitos lusitanos, conquistando Brigantium (hoje Betanzos, em Espanha) e subjugando os calaicos (futuros galegos). As vitórias tornam César popular entre os seus legionários, que o proclamam *imperator* (imperador), apesar de esse título ser ilegal, pois só podia ser concedido pelo Senado. Mas é óbvio que o ambicioso estrategista se sentiu encorajado a realizar maiores feitos e viu a autoconfiança aumentada ou pelo menos confirmada. Pax Julia (Paz de Júlio) era o nome romano da cidade de Beja, em homenagem à importância que teve para as operações militares de Júlio César, com o objetivo de conseguir a vitória definitiva contra os lusitanos e impor a «paz romana» na região.

Esta foi a primeira de muitas guerras travadas por César, todas vitoriosas, que o tornaram num dos maiores estrategistas da história de Roma (e que levaram ao assassínio do seu rival Pompeio, pelos egípcios), bem como no «coveiro» da República Romana. Foi também o responsável por o título «imperador» ter deixado de ser uma homenagem ao vencedor de uma guerra, para se converter no mais importante cargo político de Roma e, séculos depois, num título superior ao de rei (irónico que tenha sido assassinado por suspeitas de querer autoproclamar-se «rei»...).

É tentador pensar o que aconteceria se César tivesse fracassado na sua campanha contra os lusitanos. Estes seriam, inevitavelmente, subjugados por outros comandantes, mas será que a carreira militar do famoso estadista ficaria arruinada? Dado esta ter sido essencial para o seu sucesso político, tal fracasso poderia ter mudado a história de Roma. Por outro lado, existem sempre principiantes que não se deixam abater por fracassos e insistem até triunfarem, o que seria mais difícil para César, então, já com 39 anos.

Inevitável e gradualmente, os lusitanos, e restantes povos da Península Ibérica, adotaram a cultura dos conquistadores, alterando de forma radical o seu modo de vida, a todos os níveis. A vinha, os olivais e o trigo passam a ser cultivados em grande escala, destinados a exportação, e não para mera subsistência, como nos tempos pré-romanos. É construída uma boa rede de estradas, que facilitam consideravelmente o comércio e as migrações. O *garum*, um molho feito à base de peixe, ervas aromáticas e sal, produzido nos territórios lusitanos (especialmente no Algarve e nos estuários do Sado e do Tejo), tinha qualidade suficiente para ser exportado para o resto do Império.

Os que adotavam os costumes, cortes de cabelo e vestimentas romanas, como a famosa toga, eram chamados, com humor desdenhoso, de «togados» pelos mais conservadores (os lusitanos usavam tradicionalmente roupas escuras e cabelos compridos em tranças), mas a cultura latina acaba por prevalecer.

Uma maior facilidade na comunicação e no comércio trouxe a disseminação de novas ideias, filosofias e religiões, em especial o cristianismo.

No início, os romanos dividiram a Península Ibérica em duas províncias, a Hispânia Citerior e a Hispânia Ulterior. Mas o imperador Augusto altera a administração e forma três províncias, sendo uma delas a Lusitânia, que engloba a maior parte do atual território português. Tendo os lusitanos a reputação de terem sido os mais aguerridos hispânicos que lutaram contra o poder de Roma, o nome da nova província poderia ser uma homenagem. De notar que Emerita Augusta, hoje Mérida, a capital da província, fica em Espanha, bem como boa parte dos territórios lusitanos, tanto étnica como administrativamente. Séculos depois, o imperador Diocleciano acrescenta mais duas províncias, uma delas a Galécia (atual Galiza), cuja capital era a hoje cidade portuguesa de Braga, na altura chamada Bracara Augusta, em homenagem a Augusto (havia muitas cidades com «Augusta» no nome) e aos brácaros, uma tribo local. A importância de Braga duraria séculos, ao ponto de ter sido escolhida como capital do reino suevo.

✣ 411 D. C. ✣

OS INVASORES GERMÂNICOS CORREM COM OS ROMANOS

Ocupam as atuais zonas de Portugal e Galiza. É o fim do domínio romano nestas regiões, mas não da sua influência cultural.

Em 409, várias tribos germânicas atravessam os Pirenéus e entram na Península Ibérica. Eram confederações de tribos conhecidas como suevos, vândalos (que se dividiram em silingos e asdingos) e alanos. Seguem-se os visigodos em 415. Muitas vezes, quando se pensa nas chamadas «invasões bárbaras», imagina-se grandes hordas de exércitos, mas é preciso notar que cada um desses povos tinha dezenas de milhares de membros, excetuando os visigodos, que seriam cem mil no máximo e que, na sua maioria, incluíam mulheres, crianças e idosos. Assim, os exércitos relativamente pequenos podem explicar, entre outras, por que razões pilharam e saquearam grandes espaços territoriais durante anos antes de os ocuparem e colonizarem. Naturalmente houve outros motivos para que os saques e pilhagens fossem tradições guerreiras lucrativas vulgares na Antiguidade por parte de tribos nómadas, assim como das nações mais «civilizadas».

Uma das mais importantes razões que levaram à queda do Império Romano foram os constantes conflitos internos – purgas, assassínios, e até guerras civis, que faziam a morte por assassínio ser praticamente considerada «morte natural» para os imperadores (e a proclamação de um imperador ser quase uma sentença de morte para o destinatário...). Aliás, foi um general que se autoproclamou imperador que matou e afugentou os comandantes hispano-romanos que guardavam os Pirenéus contra as invasões bárbaras. O imperador legítimo da época, o fraco Honório, mandou matar o general Estilicão, por recear o seu excessivo poder e popularidade, resultantes das suas vitórias militares. Logicamente que os germanos aproveitaram esses conflitos!

Acredita-se que os alanos eram provenientes da Pérsia, que os suevos e os vândalos tinham origem escandinava e que os godos provinham de territórios próximos do mar Báltico, onde os eslavos eram numerosos. Isto demonstra que a classificação de «germanos» dada pelos romanos a diversos povos diferentes era muito artificial, tal como o caso dos celtas, que se dividiam em várias tribos, ainda que com semelhanças culturais. É preciso notar que os godos se tinham dividido em dois grandes grupos, o dos visigodos (godos «sábios») e o dos ostrogodos (godos «brilhantes»), que não invadiram a Hispânia.

O Governo de Roma estava mais dependente do que nunca da velha tradição de se aliar a tribos germânicas contra outras (que Roma também fazia com outros povos estrangeiros), sendo tais aliados denominados «federados». Pouco surpreende saber-se que o mesmo Governo pediu ao poderoso reino dos visigodos que enviasse os seus exércitos à Ibéria, para combater as tribos anteriormente referidas. Os alanos e os vândalos silingos são massacrados e os sobreviventes juntam-se aos vândalos asdingos, o que foi considerado por Roma uma tarefa realizada com excessiva eficiência. Pois, sem inimigos com quem lutar, os visigodos ficariam com toda a Península sob o seu domínio, pelo que é uma explicação credível para o facto de se ter ordenado ao rei Valia que parasse com as ofensivas (pelo menos, de momento). Por outras palavras, Roma ainda utilizava a sempre atual táctica de «dividir para reinar», sendo essa a provável razão pela qual se desperdiçara a oportunidade de eliminar Átila aquando da sua derrota nos Campos Cataláunicos. É óbvio que o inconveniente dessa estratégia era a constante anarquia e conflitos que destruíram o império. Um triste e famoso exemplo foi o dos vândalos, que devastaram tantos territórios que o seu nome passou a ser um insulto cujo significado é universalmente conhecido. Outra recordação linguística dos vândalos é a designação de Andaluzia, assim chamada por ser o território por eles ocupado (e por os árabes, que o ocuparam séculos depois, não pronunciarem corretamente esse nome...). Liderados por Genserico, deixaram a Hispânia para se instalarem no Norte de África, criando um reino dedicado à pirataria. Genserico fez jus à reputação do seu povo, saqueando

Roma em 455, com muito mais brutalidade do que os visigodos de Alarico, em 410.

Além dos invasores germânicos, os conflitos eram intensificados pelos bagaudas (camponeses locais que se rebelaram de armas na mão) e os bascos, que não se deixavam subjugar por ninguém. A degradação da economia e da cultura era inevitável perante tão elevado número de guerras e tão grande instabilidade. Coimbra é uma consequência de tais conflitos: depois de os suevos arrasarem Conimbriga, a população instalou-se num território vizinho, cujo nome é uma recordação da cidade natal dos seus fundadores.

Os conflitos eram influenciados pela religião: a maioria dos hispano-romanos era católica, os suevos e visigodos eram cristãos arianos e os restantes eram cristãos priscilianos, mais abundantes na Galécia e no Norte da Lusitânia. O priscilianismo era um movimento religioso que defendia que Cristo era humano e não divino, bem como o direito das mulheres ao sacerdócio, o que levou à decapitação do seu fundador, Prisciliano, e dos seus seguidores mais próximos, por ordem do imperador Máximo (por sua vez, decapitado pelo imperador Teodósio, *o Grande*...). Quando Teodorico II, rei visigodo, ocupou Braga, a capital dos suevos, profanou basílicas e altares, por meio do saque, destruição e da sua utilização como estrebarias, sendo o rei Requiário capturado em Portus Cale (Porto) e executado. A campanha militar devia-se a «razões de Estado», como é natural, mas tais profanações eram a resposta à conversão dos suevos ao catolicismo. Curiosamente, o cronista Idácio de Chaves, um bispo hostil aos arianos e que descreve tal conquista com horror, afirma que os visigodos não recorreram ao massacre, nem estupraram as mulheres que fizeram votos de castidade. A ser verdade, Teodorico II prova que os governantes da época não eram assim tão desumanos como se julga desde há vários séculos, o que não evitou o seu assassínio, um fenómeno frequente, ao ponto de se afirmar cinicamente que os visigodos «tinham por costume matar os reis».

Os exemplos são inúmeros: Áquila sobe ao trono depois de apagar as luzes num banquete e matar o seu antecessor, é tirânico para com os católicos e acaba assassinado. Quindasvinto é um dos poucos a falecer de morte natural, talvez porque ordenou o massacre de setecentos nobres envolvidos em regicídios anteriores e a escravização das suas famílias... O caso da deposição de Vamba é original: envenenado, acredita que vai morrer e, pensando na sua alma, torna-se monge e é tonsurado (uma técnica utilizada por monarcas de várias nações, com consciências pouco tranquilas, para evitar as penas infernais, acreditava-se). Mas Vamba sobre-vive e não o deixaram voltar atrás na palavra dada...

✤ 585 D. C. ✤

TODA A PENÍNSULA IBÉRICA ESTÁ SOB DOMÍNIO VISIGODO

Braga nunca mais será capital de um Estado.

Leovigildo foi um dos reis visigodos com maiores feitos: refor-ma o Código de Eurico, removendo leis antiquadas, como a proibição do matrimónio entre romanos hispânicos e visigodos e impõe um governo central forte. Até Leovigildo, a monarquia visigótica era eletiva, mas com ele passa a hereditária, como for-ma de tentar reduzir os regicídios. Ironicamente, o seu herdeiro Hermenegildo revolta-se contra o pai e por influência da esposa, a princesa franca Igonte, converte-se ao catolicismo. Conversão sincera, ou táctica para ganhar o apoio da população contra um pai que podia deserdá-lo? Talvez a combinação de ambas, como é vulgar nesse tipo de decisões. A sua revolta armada fracassa e é aprisionado, morrendo assassinado por se recusar a abjurar a sua fé. Foi canonizado como mártir no século XVI, mas muitos cléri-gos contemporâneos criticaram-no por voltar a trazer a guerra a um reino que estava em paz pela primeira vez desde há quase dois séculos, sendo dois desses críticos São Isidoro e São Leandro!

O último grande feito de Leovigildo foi a conquista do reino dos suevos em 585, pondo termo a um conflito secular. Por fim, só havia um reino germânico, e a *pax gotica* é um dos benefícios que contribuíram para que Leovigildo tivesse uma boa reputação, ainda que manchada pelo conflito com o filho. A maneira como o rei visigodo, firme anticatólico, tratou o deposto rei suevo, Aude-ca, não foi através do derrame de sangue vermelho, mas por meio de humor negro: encerrou-o num mosteiro...

Após a sua morte, ocorre outra ironia histórica: o seu filho e sucessor Recaredo converte-se ao catolicismo, tal como fizera o seu falecido irmão Hermenegildo, e erradica a Igreja Ariana. Esse monarca medieval era bem mais moderado na eliminação de minorias religiosas do que inúmeros governantes dos últimos cem anos: por exemplo, quatro bispos arianos abjuraram e, como recompensa, continuaram a liderar as suas dioceses. Devem ter percebido que seria absurdo morrer na prisão ou sob o carrasco só por meras mudanças doutrinais, que não prejudicariam os seus cargos e a sua crença em Cristo.

Talvez por não querer manchar com mortes polémicas o seu reinado, que trouxe o regresso do catolicismo ao poder estatal, não matou um duque rebelde, ordenando, porém, a amputação da sua mão direita e a sua decalvação. Sem a mão direita, Argimundo não poderia lutar, o que é o fim de uma carreira numa sociedade em que política e guerra eram indissociáveis. E decalvação consistia em rapar a cabeça de um condenado, uma humilhação numa sociedade em que a barba e os cabelos eram símbolos de virilidade. Os germanos não eram «barbudos» nem «cabeludos», por falta de higiene!

Deve destacar-se um dos mais importantes teólogos da época, São Martinho de Dume, originário da Panónia (atual Hungria). A sua linguagem era violenta: considerava «culto do Diabo» as tradições das religiões pagãs a que os hispânicos não tinham renunciado, como adivinhação do futuro, dedicar feriados a deuses pagãos, entrar sempre com o pé direito em casa, para evitar a má sorte, deitar pão nas fontes, etc. Hoje em dia, essas ações «satânicas», na sua maioria, soam mais a superstições e a rituais puramente formais. Ele descrevia pormenorizadamente o Inferno, ao contrário do Paraíso, mas tendo em conta a época violenta em que vivia, tais escritos podem não passar de um reflexo desta. No entanto, São Martinho sabia falar de maneira mais sensata e inspirada pelos autores latinos e gregos do antigo império, o que não admira vindo de um dos homens mais cultos do seu tempo. Por exemplo, aconselhou aos reis: «Se alguma vez fores forçado a recorrer à mentira, usa-a para proteger a verdade, e não a falsidade.» Conselho um tanto contraditório, mas aplicável e sensato em muitos casos da vida. E outro conselho merecia maior popularidade, mesmo nos tempos modernos: «Não deixes que a autoridade daquele que está a fazer o discurso te influencie o julgamento, presta atenção ao que está a ser dito e não àquele que está a falar.» Merece ser destacada a sua afirmação de que a popularidade das referidas tradições pagãs era culpa do próprio clero, cheio de «bêbedos, incultos e devassos». O maior feito do bispo «húngaro» foi a conversão dos suevos arianos ao catolicismo. Muitos exemplos como o de São Martinho mostram que a ignorância e a falta de cultura dos godos na Idade Média foram exageradas pela opinião popular, e até pelos historiadores dos séculos vindouros.

Também havia discriminação étnica: enquanto os godos obedeciam às leis do Código de Eurico, os romanos da Hispânia continuavam a reger-se pela legislação romana. Recesvinto promulga o *Liber Judicum*, que abole formalmente essa dualidade legal: romanos e godos deixavam de ser tratados de maneira diferente, de acordo com as suas origens étnicas, o que será fonte de inspiração e de citações legais durante a Reconquista. Classes sociais, profissões e fés religiosas eram outra coisa... As leis do *Liber Judicum* eram severas e até cruéis. Conversão à escravatura era uma punição para vários crimes, como venda forçada de súbditos livres, estupro, falso testemunho, «covardia» na batalha, algo sério num país em constantes guerras. E, também, por motivos desagradáveis para as mulheres, como casar-se sem ter a certeza de que o marido desaparecido estava vivo (não esquecer que os constantes conflitos produziam muitos cativos e exílios), bem como, por motivos mais agradáveis, escravizar um marido que abandona a esposa para se casar com outra. Chicotadas eram um castigo frequente para os escravos, mas as leis proibiam a sua execução e mutilação, o que talvez tenha sido o motivo da popularidade do chicote...

Outro lado negativo da governação visigótica, com uma Igreja cada vez mais poderosa, era o seu antissemitismo. Foram criadas leis impiedosas em diversos reinados. Décadas depois de serem promulgadas leis que os proibiam de ter cristãos como cônjuges e como escravos, bem como de adquirirem cargos públicos, o Concílio de Toledo, em 589, impôs muitas outras leis discriminatórias contra os judeus (e cristãos arianos). Os reis Sisebuto e Ervígio preferem recorrer à violência, e muitos são conversos à força, para não verem os bens confiscados e/ou para não serem conduzidos à escravatura. Claro que muitos preferiram fugir, e grande parte dos conversos não era sincera, o que não impediu os cronistas de registarem um exagerado número de 90 000 conversões. Não se deve ignorar que tais leis foram mal aplicadas, o que mostra a sua impopularidade, bem como a não menos importante falta de eficiência das autoridades, minadas pelos omnipresentes corrupção e laxismo.

No início do século VIII, o reino visigótico encontrava-se numa profunda crise, social, económica e política. A morte misteriosa do rei Vitiza e a enorme contestação à subida ao trono do seu sucessor, Rodrigo, agravaram a situação. Muitos habitantes, como os oprimidos judeus, almejavam novos governantes. Como um fruto maduro, o reino estava prestes a cair. E quem o colheria seria o Império Árabe.

O IMPÉRIO ROMANO É DEFINITIVAMENTE ERRADICADO DA PENÍNSULA IBÉRICA

Na realidade, eram gregos, mas oficialmente «romanos», em termos políticos, ainda que não culturais...

«Estamos no ano de 585 depois de Cristo. Toda a Hispânia está ocupada pelos visigodos. Toda? Não, no Sul uma região habitada por irredutíveis romanos resiste ainda e sempre ao invasor.»

O domínio romano tinha terminado muitas gerações antes quando, em 552, regressa um velho adversário: o Império Romano. Mais precisamente, o Império Romano do Oriente, fruto da divisão do império em 395 que, ao contrário do Império Romano do Ocidente, não foi destruído pelos germanos. Hoje em dia, tem o nome de Império Bizantino, mas essa designação só foi criada após a sua queda. O motivo de tal nome póstumo deve-se ao facto de esse Estado ter renunciado, ao fim de alguns séculos, à cultura latina em favor da grega, já que os gregos abundavam mais do que os latinos, e a sua cultura sempre foi influente para a cultura romana. Um exemplo foi a substituição do título «imperador» pelo seu equivalente grego *basileus*. Mas os governantes e o seu império nunca deixaram de se considerar como «romanos». Pelo menos oficialmente.

O imperador Justiniano (o título *basileus* só seria adotado gerações depois) foi o melhor exemplo de como a herança romana nunca deixou a mentalidade dos bizantinos. Pois esse monarca iniciou uma sucessão de campanhas para voltar a erguer o antigo império.

Graças ao talento do general Belisário, entre outros, o exército de Justiniano conquista o reino vândalo em África e o reino dos ostrogodos na Itália, a Dalmácia e a Sicília, sendo a Hispânia o alvo seguinte. No entanto, os bizantinos (ou «romanos orientais») só conquistaram uma região que englobava a atual Andaluzia e o Algarve moderno, apesar do apoio da comunidade grega local e dos hispano-romanos, saudosos do antigo império e saturados dos conflitos entre germanos.

As razões destes sucessos militares tão limitados na Hispânia eram as mesmas que tinham dificultado a derrota dos ostrogodos na Itália. O exército bizantino era bem mais pequeno e mais indisciplinado do que na Antiguidade, pelo que era impossível obter as vitórias esmagadoras do passado. E, como se não bastasse, muitos soldados e outros recursos foram desviados ou destruídos pela peste e por invasões eslavas e persas que afligiram o Império Bizantino. E, como é lógico, havia ainda as intrigas e revoltas internas, tal como nos tempos do Império Romano unificado... Justiniano e a sua influente esposa, Teodora, são considerados os maiores estadistas bizantinos, mas não tinham recursos para tão ambicioso plano. Aliás, o facto de os godos e suevos estarem sempre a guerrear-se, ao ponto de Atanagildo maravilhar os bizantinos com um pedido de ajuda para destituir o brutal rei visigótico Áquila (que melhor pretexto para invadir a Ibéria?), e mesmo assim a «reconquista romana» ter falhado, indica bem os problemas sofridos por Justiniano e pelos seus sucessores.

A província bizantina da Península Ibérica era oficialmente designada de Spania e teve a vantagem de intensificar o comércio com outras regiões mediterrânicas dominadas pelos bizantinos. O que implicou maior fluxo de moedas, obras de arte e de literatura, imigrantes (como São Martinho de Dume) e produtos artesanais, a beneficiar a Península no seu todo.

É revelador saber que Leovigildo, que conquistara vastas extensões de territórios aos bizantinos, se inspirou na estrutura política destes para reorganizar a administração do seu reino.

Em 624, a última fortaleza bizantina é conquistada pelos godos. Pode dizer-se que esse foi o ano em que o Império Romano foi, definitivamente, erradicado da Península Ibérica.

ᨣᨦ 711 ᨦᨣ

OS MOUROS INVADEM A PENÍNSULA IBÉRICA

*Tanto pela positiva como pela negativa, deixaram marcas
indeléveis na Península.*

Em 711, o váli (governador) Muça ben Nusair, do Magrebe, recebe um pedido de ajuda de uma fação visigoda que almejava depor o rei Rodrigo, pedido que era o pretexto ideal para a invasão da Hispânia. O comandante berbere Tarik invade o reino e, em Guadalete, derrota Rodrigo, cujo desaparecimento na batalha levou a lendas e teorias sobre se terá perecido ou procurado refúgio na Lusitânia. Os inimigos de Rodrigo esperavam ficar com o reino e que os seus aliados islâmicos se contentassem com o saque, mas, previsivelmente, os mouros preferiram ficar com tudo. Logo se inicia uma guerra de conquistas, à qual Muça se junta (antes que as vitórias de Tarik o tornassem demasiado popular), tendo sido o conquistador de Coimbra e Santarém, no ano de 714. As conquistas terminam em 715, com grande sucesso e elevadas riquezas resultantes de pilhagens, que o grato califa omíada confiscou, além de despromover Muça, reduzindo-o à pobreza. Sucedeu-lhe Abdel Aziz, seu filho e general, que se casou com a viúva de Rodrigo, o que não o impediu de arranjar um harém de escravas escolhidas entre as «mais belas virgens cristãs»... Acusado, por inimigos pouco honestos, de se ter convertido ao cristianismo, foi morto, por a xária considerar a apostasia um crime capital. Sem dúvida, o califa devia recear que ambos se tivessem tornado demasiado populares.

A rapidez da conquista deveu-se ao elevado estado de decadência da sociedade goda, muito fragilizada pelas lutas pelo poder, e ao apoio dos judeus aos invasores contra os intolerantes visigodos. O novo território conquistado foi designado pelos muçulmanos por Al-Gharb al-Andalus (Al-Gharb, de onde derivou a palavra Algarve, significa «extremo ocidente», e Andalus pode traduzir-se por «vândalo», uma recordação dos famosos invasores).

Em 756, um sobrevivente da massacrada dinastia omíada, Abdal Rahman, proclama a independência de Al-Andalus, e, em 929, Abdal Rahman III transforma o emirado num califado. A sociedade do Al-Andalus era a mais desenvolvida da Europa Ocidental em muitos aspetos. No caso da agricultura, foram introduzidas muitas culturas que melhoraram a produção, tanto em qualidade como em quantidade, de que são exemplo o trigo-duro (mais resistente ao calor e à seca), a cana-de-açúcar e vários citrinos, como a laranja-azeda. Criaram também novas técnicas de irrigação, como a roda hidráulica. Apesar do consequente aumento do nível de vida e da elevada prosperidade em termos comerciais, a maioria dos habitantes vivia da agricultura de subsistência, como todas as sociedades avançadas durante milénios. A cultura também era de nível elevado: a poesia lírica era muito apreciada, sendo os temas principais a natureza, a guerra, a caça e, naturalmente, o amor (ou antes, luxúria). Houve filósofos importantes (Averróis, o sefardita Maimónides), e a literatura era tão apreciada que se dizia que a Biblioteca de Córdova tinha 400 000 livros, entre muitos exemplos. A astronomia era outra ciência muito avançada, com astrónomos como Azarquiel, que criou um novo astrolábio, entre outras inovações. Os conhecimentos náuticos seriam muito importantes para os Descobrimentos, como o caso dos astrolábios e da construção das caravelas, inspiradas pela embarcação denominada *Karib*. A cultura do vinho e os poemas que lhe são elogiosos confirmam que a prosperidade arrefece o fervor religioso de uma sociedade. O mecenato era abundante e havia guerreiros de talento como Almançor (Al-Mansur, *o Vitorioso*), governante não oficial do califado, que derrotou e pilhou os reinos cristãos nortistas, não tendo, porém, os recursos necessários para dominar os territórios invadidos. O mercado de escravos era abundante, e muitos adquiriram posições de importância política e/ou militar devido a donos que os consideravam mais leais do que a população livre. A raça e o género influenciavam os preços e o tratamento: por exemplo, em 924, uma beldade negra ou branca valiam, respetivamente, trezentos dinares e mil dinares, a «preço de mercado»...

Um bom sinal da influência da cultura árabe na cultura nacional é a abundância de palavras de origem árabe (cerca de mil), sobretudo as começadas pelo prefixo al-: almocreve, almoxarife, alfaiate, alcaide, almanaque, almofada, entre incontáveis exemplos. Almada é outro exemplo: significa «a mina», por o rio Tejo, na altura, depositar palhetas de ouro nas suas margens, recolhidas pela população quando o nível das águas baixava.

As minorias religiosas beneficiavam de um nível de tolerância superior ao dos reinos cristãos pois os judeus e cristãos constituíam a categoria dos *dhimmis*, que pagavam impostos em troca da prática das suas fés, as quais, mesmo assim, eram limitadas por diversas proibições (por exemplo, não podiam pregar as suas crenças aos muçulmanos, mas o contrário era permitido e recomendável). A qualidade dos discursos dos pregadores e imãs não foi a principal razão da conversão de boa parte da população ao islão, formando a categoria dos *malados* (aportuguesamento de *muwalladun*)! Repare-se que os cristãos remanescentes adotaram a cultura árabe, ou partes desta, pelo que foram denominados *moçárabes* («que se tornaram árabes»). Houve bispos que ficaram horrorizados com estes cristãos que falavam árabe e desconheciam o latim... Um exemplo de como a lendária tolerância religiosa de Al-Andalus era relativa, ainda que superior à dos cristãos do Norte, foi a morte violenta de 52 cristãos, principalmente clérigos, entre 825 e 864, por não renunciarem a sua fé, por não aceitarem o islão, por protestarem contra os insultos e pedras que lhes eram atirados, segundo o bispo Eulógio de Córdova (foi decapitado), entre outras acusações, destacando-se São Sisenando, bispo de Beja, bem como o massacre de milhares de judeus em Granada, no ano de 1066... Não esquecer que as dinastias almorávida e almóada adotaram políticas ainda menos tolerantes para com as outras religiões e para com os pecadores muçulmanos...

Al-Andalus não era tão paradisíaco e idílico como tem sido descrito, como no caso já referido das religiões, a julgar pelos constantes conflitos internos. A minoria étnica do emirado/califado eram os berberes, tratados com tanto desprezo xenófobo, que se revoltaram diversas vezes e com tal violência que a Biblioteca de Córdova foi destruída pelo fogo, sendo metade da população da cidade massacrada. E ainda inúmeras revoltas dos malados (o mais famoso rebelde malado era o latifundiário conhecido como «Filho do Galego»), que se sentiam discriminados pelos árabes, sírios e egípcios, para não mencionar as intrigas da corte: por exemplo, Almançor sobe ao poder à custa de sangue derramado e ordena a execução de um filho, acusado de traição, e o pai de Abdal Rahman III foi morto por ordem do próprio pai! Como resultado de tais conflitos, o califa Hisham II foi deposto, pondo fim à dinastia omíada. Al-Andalus fragmentou-se em muitos reinos menores, as taifas, que podiam incluir «repúblicas» como a de Córdova, mas sendo geralmente monarquias, algumas dirigidas por berberes ou por antigos escravos. Os governantes das taifas eram mecenas, porém, frequentemente, guerreavam-se, levando à conquista das mais fracas pelas mais fortes. Isso explica porque puderam os fracos e pequenos reinos cristãos do Norte expandir os seus territórios e converter-se em adversários de peso. Os reinos cristãos também se guerreavam, mas os mouros do Sul não souberam explorar tais fragilidades, ocorrendo antes o oposto. Como resultado, a reconquista da Península Ibérica pelos cristãos será um sucesso indiscutível.

❧ 844 ❧

NEM LISBOA ESCAPA AOS ATAQUES DOS VIQUINGUES!

Um acontecimento histórico ignorado durante séculos.

Sabe-se que os viquingues, também conhecidos como «norman-dos («homens do Norte»), fizeram expedições armadas, mere-cedoras da classificação de «pirataria», que afetaram vastas exten-sões da Europa.

Conquistaram boa parte da Inglaterra e da Irlanda, receberam do rei de França um território, que passou a ser conhecido como Normandia, colonizaram a Gronelândia e a Islândia e ainda fun-daram o primeiro Estado Russo e a primeira dinastia de gover-nantes russos (*ruriks,* ou Ruriquidas, cujo membro mais famoso, e infame, foi Ivan, *o Terrível*).

O que é menos conhecido é que os viquingues também ataca-ram as terras que hoje pertencem a Portugal e à Galiza. Historica-mente, tais ataques não tiveram importância para essas regiões, mas mostram que esses famosos guerreiros, que hoje nos fascinam, tal como os antigos egípcios e romanos, também participaram na história nacional, ainda que modestamente.

«Senhor, protegei-nos da fúria dos homens do Norte» seria uma oração cristã da época em que os viquingues atacaram as nações ao sul da Escandinávia («seria», pois há quem afirme que isso é um mito histórico). Mas houve muçulmanos com motivos para recorrer à versão islâmica dessa oração, a partir de 844, pois foi nesse ano que uma armada viquingue atacou Al-Gharb al-Andalus. Mais precisamente, Al-Ushbuna, ou seja, Lisboa, ten-do a sua armada cerca de uma centena de *drakkars* (tipo de navios utilizados pelos viquingues). O váli da cidade, Ibn Hazm, consegue repeli-los ao fim de dez dias de combates ferozes, mas a mesma armada navega pelo rio Guadalquivir adentro, onde se instala no inverno. A estada não foi pacífica: um grupo sobe o rio Guadiana até chegar, crê-se, a Beja, enquanto outro ataca o Algarve. Como afirmou um cronista, os viquingues «enchiam os nossos corações de medo e angústia». Como manda a tradição, tais ataques implicam saques, pilhagens, elevadas mortandades e captura de escravos. Apesar de terem sido expulsos, os invasores levam grandes quantidades de ouro, trigo, prata e escravos, o que motivou o desejo de novos ataques!

Em 857, outra armada normanda, em número de 62 *drakkars*, ataca as costas do que é hoje Portugal. Em 966, outra armada (com 28 navios) invade o futuro território português, e avança pelas bacias do Tejo e do Sado, além de atacar o Algarve. Mas nunca é demais relembrar que os relatos históricos adoram exagerar nos números, incluindo os contemporâneos.

Outra grande expedição é avistada em Alcácer do Sal, no ano de 966, sendo as vítimas dos temidos guerreiros do mar as populações dos vales do Sado e do Tejo, bem como da zona de Silves. Os invasores foram repelidos e expulsos para as suas terras de origem, mas só à custa de reforços armados fornecidos pelo califa de Córdova.

É em 972 que ocorre o último grande ataque normando, mais uma vez repelido com grande dificuldade. O califa não era o tipo de comandante que desperdiça as lições da batalha: ordena a construção de navios semelhantes aos dos escandinavos, para a eventualidade de estes regressarem. Não se registaram mais incursões viquingues de tais dimensões.

A maioria dos relatos dos combates contra os normandos é vaga e pouco descritiva, sem dúvida por os ataques terem tido pouca importância em termos históricos, especialmente se comparados com inimigos do Norte, mais perigosos, os reinos de Leão, Castela e Aragão, para não esquecer os inimigos internos (as rebeliões locais). Aliás, que historiador mouro conseguiria prever que dentro de séculos os viquingues seriam objeto de estudo e fascínio intensos, para as elites cultas e para as massas?

❧ 868 ❧

FUNDAÇÃO DO CONDADO DE PORTUCALE

A criação do condado está na génese da conceção de Portugal.
A sua independência será o nascimento.

As Astúrias foram o primeiro reino a ser criado por rebeldes cristãos contra o domínio mouro, sob a liderança do godo Pelágio, ou Pelaio, fragmentando-se mais tarde em vários reinos, apesar da paradoxal expansão territorial à custa dos invasores.

Os asturianos conquistam, definitivamente, a cidade de Portucale em 868, na época o nome do atual Porto. Crê-se que Portucale provém do latim *portus cale* (*portus,* porto, *cale* deve ser uma palavra derivada do nome do povo calaico, embora haja outras teorias sobre a sua origem). Vimara Peres, o galego responsável pela conquista, é nomeado conde de Portucale, iniciando uma dinastia hereditária, que governou as terras situada entre os rios Douro e Minho, bem como o Condado de Coimbra, os quais, tal como os reinos de Leão e Castela, estavam oficialmente separados mas governados pela mesma família. Vimara foi também o fundador de Guimarães (nome original, Vimaranes), o que explica a semelhança dos nomes e porque ainda hoje os habitantes da cidade são chamados de vimaranenses.

Entre os governantes de Portucale, merece ser referida a condessa Mumadona Dias, não pelo exotismo um tanto invulgar do nome, mas por ter revelado qualidades no Governo do condado, destacando-se entre os seus feitos a construção, em Guimarães, do famoso castelo e de um convento de frades e freiras (não havia segregação de sexos na altura, tendo sido imposta mais tarde, por razões óbvias...), ambos determinantes para o desenvolvimento de Guimarães.

A dinastia fundada por Vimara Peres é afastada do poder quando Nuno Mendes se rebela contra o rei Garcia da Galiza e é morto numa batalha, em 1071. Garcia é, por sua vez, derrotado pelo rei Afonso VI de Leão e morre na prisão.

Anos depois, os almorávidas invadem a Península e unificam os Estados islâmicos locais (sob o seu comando, é claro), além de infligirem derrotas aos reinos cristãos. Afonso VI recorre à ajuda de Estados estrangeiros, mais precisamente ao Estado feudal da Borgonha. Não era a primeira vez, nem seria a última, que exércitos vindos da atual França contribuíam para a Reconquista: o imperador franco Carlos Magno é o exemplo mais famoso, apesar do fracasso militar sofrido (inspirou a obra *Canção de Rolando*, em que uma escaramuça entre cristãos locais e francos foi convertida numa batalha, na qual 20 000 cristãos são derrotados por traição, já que o exército mouro de 400 000 combatentes não conseguia vencer honestamente...).

Os comandantes borgonheses eram os primos Raimundo e Henrique, que, não sendo primogénitos, não podiam herdar a fortuna e os títulos paternos, pelo que estavam disponíveis para se envolverem em aventuras, na esperança de criarem os seus próprios Estados.

Henrique é recompensado pelos seus serviços, conquistas incluídas, com o Condado Portucalense, uma junção dos condados de Coimbra e Portucale, e com a mão da infanta D. Teresa, filha bastarda de Afonso VI (a filha legítima, de estatuto social mais elevado, já se tinha casado com Raimundo), e passa a ser designado D. Henrique, pois «Dom» é um título latino derivado do latim *Dominus* (senhor), que, em Portugal, é utilizado sempre que se refere o nome de membros da nobreza e realeza.

Quando D. Henrique morre, o filho, D. Afonso Henriques, tem apenas três anos, pelo que D. Teresa governa em seu nome. Intitula-se rainha e procura adquirir aliados poderosos contra inimigos como a meia-irmã, D. Urraca, rainha viúva de Leão e Castela, usando técnicas que talvez não funcionassem se fosse um homem: tem um caso amoroso com o nobre galego Bermudo Peres de Trava. E depois de este se casar com a filha de D. Teresa, o substituto no leito real de Teresa é o irmão de Bermudo, Fernão! Há quem fale de casamento entre D. Teresa e Fernão, ou Fernando, pois esta designa-o de «cônjuge e meu homem» em documentos oficiais, mas podia ser uma união de facto (ou concubinato, como se dizia então), a julgar pelas críticas à sua relação.

Um dos opositores a tal relação é D. Afonso Henriques, pois receia que Fernão Peres de Trava usurpe o condado e que o anexe à Galiza, dividida em separatistas e partidários dos soberanos de Leão e Castela. Na batalha de São Mamede, travada a 24 de junho de 1128, o jovem conde derrota a mãe e o «padrasto», um passo importante para a independência de Portugal. Sendo 24 de junho o feriado religioso de São João Batista, que anunciou o aparecimento do Messias, a batalha parece simbolizar a «chegada» de uma nova nação. Soa a lenda, a menos que D. Afonso Henriques, um hábil estrategista, tenha feito manipulações políticas e militares para poder escolher essa data.

Muitos anos depois, ao ser derrotado em Badajoz, o governante português fraturou a perna direita quando chocou contra o ferrolho de um portão, pelo que nunca mais pôde montar, nem participar, nas batalhas. Embora exposta como mito, ainda se conhece a lenda que relata ter de D. Afonso I sofrido tal ferimento devido a uma praga rogada pela mãe, D. Teresa, ao ser acorrentada pelo filho numa masmorra, depois de derrotada na batalha de São Mamede: «Rogo a Deus que venhas a ser preso assim como eu fui. E porque puseste ferros nos meus pés, quebradas sejam as tuas pernas com ferros. Manda Deus que isto seja!» Na realidade, foi exilada para a Galiza, onde morreu num convento, com a honra das pernas intacta.

ᕈᕈᕿ 1053 ᕗᕗ

AL-MUTAMID TORNA-SE GOVERNADOR
DE SILVES

Tal experiência deverá ter sido agradável para ele, a julgar pelo poema «Evocação de Silves».

Percebe-se porque houve tantas revoltas que fragmentaram Al--Andalus em várias taifas, quando se nota a implacabilidade dos governantes na luta pelo poder. Não há falta de relatos de crucificações ou decapitações. Abdal Rahman III era descrito como um califa hábil e generoso – pelo mesmo cronista que afirma que as mulas do seu exército não podiam transportar todas as cabeças cortadas de rebeldes derrotados e que também descreve como o califa recompensou a virtude de uma escrava que evitou um beijo caloroso seu, queimando-lhe o rosto com a chama de uma vela... Outra rebelião termina com o massacre de cerca de 70 rebeldes capturados na Igreja de Córdova, a futura (e famosa) mesquita omíada, além da execução do seu líder, alcunhado pejorativamente de «filho de negra». Muhammad al-Mahdi declara guerra ao irmão para lhe tirar o califado e, vencedor, obriga-o a beijar as patas do seu cavalo, antes de o mandar degolar e ao aliado, um conde cristão. A sua cabeça é exibida na capital, pelos berberes vitoriosos que o depuseram mais tarde... O gosto do pouco devoto emir Al--Hakim I por vinho e mulheres era um pecadilho em comparação com os inúmeros massacres dos seus súbditos. As taifas eram o fruto de imensos abusos do antigo poder central, em Córdova. E, como se verá, mantiveram tais tradições sangrentas.

Uma das mais poderosas e avançadas era a de Sevilha, que dominou parte de Portugal. O monarca Al-Mutadid era um poeta respeitado e um mecenas, mas as cabeças bem conservadas que ele colocava nas árvores de um jardim mostravam que sabia ser impiedoso e cruel. O seu filho e sucessor, Al-Mutamid, é considerado um dos melhores poetas da Hispânia árabe, tendo sido o protagonista de muitos relatos históricos e lendas literárias, juntamente com o seu melhor amigo, Ibn Ammar, outro poeta de peso. Numa delas, quando passeavam pelas margens do rio Guadalquivir e o rei declama «a brisa converte o rio/numa cota de malha», ouve a resposta proveniente da poética escrava Itimad: «Melhor cota não se acha/desde que a congele o rio.» A habilidade poética da escrava leva a que o rei a compre ao dono e lhe conceda a liberdade, bem como a sua mão em matrimónio. Naturalmente, os poemas de amor/luxúria de Al-Mutamid eram-lhe, muitas vezes, destinados. Não se deve ignorar que muitas escravas eram treinadas para agradar aos amos a todos os níveis, incluindo poesia e música, e não apenas para os prazeres carnais, pelo que Itimad não era um caso invulgar.

Em 1053, Al-Mutamid escolhe como novo governador de Silves o seu filho Al-Mutamid – apesar dos seus 12 anos! Naturalmente, o jovem governador preferiu divertir-se como qualquer adolescente endinheirado e mimado, na companhia de outro poeta hedonista, Ibn Ammar, natural dos arredores da cidade e autor de poemas dignos da reputação da sua cidade natal (onde a poesia era tão apreciada que eram contadas anedotas sobre até os camponeses locais serem poetas). Quando Al-Mutamid sucede ao seu pai, como rei da Taifa de Sevilha (o seu irmão mais velho foi executado por alegada traição, por ordem paterna), Ibn Ammar é nomeado governador de Silves, onde tinha vivido na miséria na sua juventude. No encontro de despedida entre ambos, antes de o novo governador viajar à sua cidade, Al-Mutamid escreve o poema «Evocação a Silves». E tendo Ibn Ammar boa memória, ajusta contas com o passado: a um comerciante que lhe pagou com um saco de cereais os seus poemas bajuladores, ele retribui-lhe o presente com um saco de moedas de prata e, simultaneamente, vinga-se com humor da modéstia do presente, informando-o de que lhe teria dado moedas de ouro se o saco tivesse sido de trigo e não de cevada! Apesar da forte ligação entre o rei e o seu governador, discutem frequentemente, por causa da impopularidade do último devido ao seu feitio intriguista e à sua origem modesta. Aliás, a influente esposa do monarca, Itimad, era grande rival de Ibn Ammar, cujos poemas, quando tinham temas sensuais, não eram destinados somente a mulheres: também se aplicavam a membros do mesmo sexo, incluindo o próprio Al-Mutamid...

Quando Ibn Ammar conquista Múrcia, proclama-se monarca local, para fúria do seu suserano Al-Mutamid. Ibn Ammar é capturado e preso, pelo que apela à piedade do seu rei. Mas a interceção das suas cartas enviadas da prisão levam o *Rei-Poeta* a considerar-se traído outra vez, pelo que mata o ex-amigo com um machado! Uma lenda literária posterior afirma que Ibn Ammar, quando ainda era o favorito do rei, teve sonhos que o avisavam de que seria morto pelo seu protetor. Teria contado os seus sonhos ao *Rei-Poeta*, mas este não os teria levado a sério, dizendo: «Os vapores do vinho baralharam-te o cérebro. Como poderia matar-te, tu que és a minha vida? Tal seria como um suicídio!»

Conflitos com outras taifas eram vulgares naquele tempo e os reis e senhores feudais cristãos aproveitavam-nos para expandirem os seus territórios. Era natural as taifas aliarem-se aos reinos do Norte contra outras taifas, mas estes eram os verdadeiros beneficiários, como um poema árabe afirma com amargura: «Quem para caça leva como falcão o leão/o leão o caça e tudo quanto caçaram.»

Como é fácil deduzir, o modo de vida das cortes das taifas era mais dedicado ao prazer, à intriga e às lutas de poder do que à religião. Tal libertinagem e conflitos desagradavam até aos súbditos mais tolerantes, pois eram financiados por pesados impostos, assim como os tributos pagos aos reinos cristãos (a única maneira de evitar mais perdas territoriais por parte das taifas). Tais fenómenos são vulgares em todas as civilizações de todos os continentes, mas as revoltas contra as elites dirigentes por tais motivos também eram vulgares. Assim, os almorávidas foram considerados como alternativa preferível às taifas.

Os almorávidas eram um movimento religioso puritano surgido no Magrebe no ano de 1039, liderado por um autoproclamado *mahdi* (enviado de Alá). Em 1061, quando o novo dirigente era Yusuf ben Tasufin, os almorávidas dominavam um império desde o Senegal até Marrocos. Al-Mutamid recebe Yusuf na sua capital, Sevilha, para se juntar a este na *jihad* contra o Reino de Leão e Castela. E tal como Muça, Yusuf acabou por matar ou aprisionar os seus aliados e ficar com os seus reinos... Embora não tenha sido assassinado, como o rei de Badajoz, o *Rei-Poeta* não tem um destino feliz: quatro dos seus filhos são mortos, e ele é deportado para Aghmat, em Marrocos, onde morre aprisionado. Teve o consolo de ser acompanhado pela favorita do seu harém, Itimad, e de ser tratado com respeito pela população local.

Yusuf e o seu filho e sucessor Ali, vulgo *Miramolin*, obtêm vitórias frente aos cristãos, mas trazem com eles a intolerância religiosa a Al-Andalus: os moçárabes perdem privilégios, veem igrejas a ser destruídas e milhares são deportados para o Norte de África. Muitos moçárabes emigram para os reinos cristãos do Norte, apesar dos preconceitos locais contra cristãos arabizados, e outros colaboram com os referidos reinos na luta contra os mouros. O fanatismo diminui à medida que os almorávidas se deixam seduzir e corromper pelo luxo e cultura andaluzina, mas isso leva a revoltas locais por parte de desiludidos, como a de Mértola, liderada pelo sufi Ibn Qasi. Ironicamente, seriam depostos por outro império extremista, o Almóada, que seria ainda mais intolerante. De notar que os almorávidas, provenientes do mesmo deserto onde ainda vivem os tuaregues, tal como estes, tapavam o rosto com um véu, mas não os das mulheres, pelo que os almóadas os acusaram de serem dominados por elas.

❧ 1139 ❧

BATALHA DE OURIQUE E PROCLAMAÇÃO DE D. AFONSO HENRIQUES COMO REI

Vence os mouros mas precisa de esperar ainda alguns anos para ser reconhecido pelo papa e pelos outros monarcas.

A batalha de Ourique foi um marco histórico para os portugueses. D. Afonso Henriques enfrenta e derrota cinco reis mouros, cujos soldados totalizavam cerca de 40 000 homens, tendo antes do início dos combates recebido a visão do Messias a garantir-lhe a vitória e a reconhecê-lo como rei de Portugal, por vontade divina. A derrota de cinco reis mouros, incluindo Ismar de Évora, foi motivo de orgulho nacional e de esperança em tempos de conflitos contra estrangeiros, além de determinar o aspeto da bandeira nacional (seria redundante e inútil explicar o significado simbólico das cinco quinas azuis...) Perante a visão do poderoso exército mouro, o Exército português aclama D. Afonso como rei pela primeira vez, para encorajar o espírito combativo de todos: «real, real, por el-rei D. Afonso Henriques de Portugal» (Camões preferiu escrever, nos seus *Lusíadas*, «real, real, por D. Afonso, alto rei de Portugal»). Como disse um historiador muitos séculos depois, num momento de humor, o dia da célebre batalha estava tão quente que «as codornizes cairiam assadas se prolongassem o voo».

Foi no século XIX que esse relato começou a ser questionado e a passar do domínio da história para o da lenda, ou antes, a pertencer a ambos, graças a Alexandre Herculano, que se assumia católico, mas anticlerical (algo que não é assim tão raro, ao contrário do que seria de esperar). O número de sarracenos era claramente exagerado, pois os almorávidas não tinham assim tantos combatentes disponíveis para enfrentar um exército que invadira a região havia apenas 15 ou 20 dias. Por outro lado, Évora não era um reino, mas sim parte do Império Almorávida, e o «rei» Ismar (uma corruptela de «Omar» ou «Ismail», sem dúvida) seria antes o alcaide (governador militar) da cidade, o que implica que os cinco monarcas, seriam antes cinco governadores locais, o que faz mais sentido. De resto, não parece lógico proclamar um comandante como monarca antes de uma batalha de resultado ainda incerto, sendo habitual fazer essa proclamação depois de uma batalha vitoriosa.

Assim, acredita-se que essa batalha se deu, mas a sua importância militar, política e teológica foi exagerada pela lenda (o que não faltam são lendas que exageram factos históricos, como a do rei Artur de Inglaterra, ou a *Canção de Rolando*), embora não se possa dizer o mesmo do seu simbolismo.

Quanto ao local onde ocorreram os famosos combates, não há unanimidade entre os investigadores. Existe uma localidade com esse nome no Sul do Alentejo, mas era demasiado distante da fronteira com Portugal (o rio Tejo), o que tornaria a invasão do exército de D. Afonso Henriques bastante arriscada, pois estaria muito afastado das suas bases de apoio e o percurso dos reforços e abastecimentos necessários seria demorado e vulnerável a ataques inimigos. No entanto, existia o fossado, um tipo de expedição militar com um grande exército que invadia o território inimigo, e não é absurdo que o *Conquistador* tivesse recorrido a esse tipo de invasão. Campo de Ourique, atualmente um bairro de Lisboa, é outro candidato ao local onde ocorreu a famosa batalha, mais credível por ser, então, próximo da fronteira. Existem ainda outras sugestões, como Campolide, que pode significar o «campo da lide» («lide» era uma palavra antiga para «batalha»).

E a visão do Salvador na cruz, por parte do rei/conde? Foi registada pela primeira vez na *Crónica de 1419*, depois de ser ignorada durante séculos, apesar da devoção e excessiva credulidade do povo quanto a milagres...

A crença de que o conde portucalense foi aclamado rei em Ourique, independentemente do local, é favorecida por este ter passado a intitular-se «rei de Portucale», nos documentos, a partir de 1140, isto é, meses após tal vitória contra os mouros. Naturalmente, que o «ex-conde» não foi reconhecido internacionalmente como monarca, e era chamado de *infans* (infante), um problema que iria resolver sem espadas, mas com penas de escrever e com sucesso.

É preciso notar que a ambição de D. Afonso Henriques em ser coroado rei vinha de longa data: aos 16 anos armou-se cavaleiro, quando, na Europa Ocidental da época, apenas os reis gozavam desse direito, sendo a dita ambição favorecida pela sua mãe, D. Teresa (que se intitulava rainha, por ser filha de rei).

ఴ 1143 ఴ

PORTUGAL É RECONHECIDO COMO REINO PELO TRATADO DE ZAMORA

Apesar de não ser totalmente independente... mas devagar se vai ao longe.

O desejo de D. Afonso Henriques de tornar o seu condado num reino independente não era invulgar nessa época, nem nos séculos futuros. Muitos Estados feudais, fossem condados ou ducados, deviam vassalagem aos reis, isto é, eram regiões autónomas, mas que deviam lealdade ao poder central do monarca. Os conflitos armados, diplomáticos e económicos entre os senhores feudais e os seus suseranos, eram inevitáveis, já que tanto uns como outros tinham ambições, fossem a sede de poder ou interesses regionais ou estatais, fossem de natureza económica, política ou até cultural. Um exemplo famoso é o ducado da Borgonha, um Estado feudal com uma economia próspera e uma cultura refinada, e que se guerreava frequentemente com os reis de França. O seu último duque, Carlos, *o Temerário*, filho da princesa Isabel de Portugal, e um governante de raras qualidades de estadista (e a crueldade típica dos autocratas...), também visava criar o seu próprio reino. Foi, porém, derrotado e morto por Luís XI de França, na batalha de Nancy, em 1477, tendo o seu cadáver sido encontrado meio devorado por lobos da floresta (como disse Luís XI, no romance de Vítor Hugo *Nossa Senhora de Paris*, «da mesma maneira que só há um sol no céu, só deve haver um senhor no meu reino»).

A diferença entre o Condado Portucalense e outros Estados feudais é que este foi um dos poucos a conseguir tornar-se num reino independente, quando tantos outros fracassaram, mesmo os que dispunham da vantagem de serem mais poderosos e desenvolvidos.

O suserano de D. Afonso Henriques era o rei Afonso VII de Leão e de Castela, cujas ambições políticas eram muito menos modestas, pois autoproclamou-se «imperador de toda a Espanha». Não que fosse desprovido de justificações políticas para isso. Os reinos de Navarra e de Aragão prestaram-lhe vassalagem e um monarca que possuía reis como vassalos tinha o direito de ser proclamado imperador, à semelhança do Sacro Império Romano-Germânico.

É por essa razão que D. Afonso VII reconhece D. Afonso Henriques como rei no Tratado de Zamora: já tinha dois reis como vassalos, e dois reinos que governava pessoalmente, pelo que não era nenhum sacrifício adquirir outro rei vassalo. Pelo contrário, o imperador podia vangloriar-se de ter mais outro monarca sob o seu domínio. Em resumo, o tratado em questão reconheceu o pai da nação portuguesa como monarca, mas não reconheceu a nação portuguesa como um reino independente, o que sobrevaloriza o sucesso do acordo realizado.

Mas as leis europeias da época reconheciam o poder dos papas como superior ao dos imperadores (embora, na prática, isso fosse apenas uma formalidade), e os governantes de Portucale sabiam recorrer à diplomacia. Logo no ano seguinte, o condado portucalense propõe jurar vassalagem a Roma e prestar-lhe um generoso tributo anual de quatro onças de ouro. Embora o papa aceite a proposta do homem que não queria ser conde, não o reconhece como monarca, preferindo designá-lo *dux* (duque). Porém, perante o que se pode chamar de lei internacional europeia da época, Portucale já não era um Estado vassalo do imperador de todas as Espanhas: passou a ser formalmente livre do domínio leonês. Afonso VII protesta, pois são violadas certas cláusulas acordadas com o seu homónimo em Zamora, mas acaba por aceitar o facto consumado...

Assim, a carta *Devotionem tuam*, do papa Lúcio II, de 1 de maio de 1144, que reconhece a proposta do «duque», não foi inferior ao Tratado de Zamora, em termos de importância, no reconhecimento de Portugal como país soberano. Por outras palavras, tal reconhecimento foi um processo gradual, em que a diplomacia medieval se revela tão complexa, ambígua e traiçoeira como nos dias de hoje (e como sempre foi).

O ano de 1179 marcou o fim do referido processo, com Roma a reconhecer Portucale como um reino de direito próprio, mais precisamente, por meio da bula *Manifestatum Probatum*, do papa Alexandre III. O reino, que já era independente *de facto* havia décadas, passou, então, a ser *de jure*, isto é, oficialmente. E o acontecimento deve ter sido uma alegria na velhice de D. Afonso Henriques, pois ocorreu quando ele tinha 70 anos. A menção da idade do monarca, falecido seis anos depois, merece ser referida, pois durante milénios as guerras, as medicinas primitivas, que ignoravam a existência de micróbios, e as intrigas tornavam curta a esperança média de vida. Na época de D. Afonso I, era frequente morrer-se na meia-idade, ou ainda antes, pelo que se conclui que os cronistas que descrevem o *Conquistador* como «saudável» e «forte» não estavam a escrever bajulações desonestas!

Afonso VII morre em 1157, e os seus filhos partilham Leão e Castela, e os aragoneses e navarros desligam-se dos seus pactos de vassalagem. O sonho de Afonso VII, de tornar a Hispânia cristã num império único, revelou-se demasiado ambicioso para ter sucesso. Os seus sucessores reunificaram os reinos do Norte e expulsaram os mouros, mas nunca conseguiram anexar Portugal permanentemente, nem usar o título imperial. D. Afonso Henriques teve ambições menos desmedidas e acabou por as alcançar para si e para os seus descendentes. Que tenha recorrido ao massacre de mouros e à violação de acordos com o seu suserano para as conseguir é algo que, infelizmente, não merece ser ignorado.

ᨠᢀ 1147 ᢀᨠ

LISBOA É CONQUISTADA AOS MOUROS

A história da conquista não é das mais agradáveis nem gloriosas...

Em 1147, D. Afonso I inicia uma nova campanha militar para conquistar Lisboa, então chamada Al-Ushbuna, pelos árabes. Não seria um fracasso, como em 1142, graças à Segunda Cruzada. O emir turco Zinki tinha conquistado a cidade de Edessa, um estado cruzado da Terra Santa, e formou-se um exército para o expulsar da referida cidade. Mas muitos guerreiros ingleses, normandos, franceses, flamengos e alemães aperceberam-se de que Lisboa também era uma cidade islâmica próspera e com a vantagem adicional de ser geograficamente mais próxima das suas terras natais, o que facilitava as viagens de ida e volta... Naturalmente, não houve falta de voluntários a aceitar o pedido de ajuda de D. Afonso Henriques, evitando assim o embaraço de ter de pedir ajuda ao rival e vizinho, o rei de Leão, antigo senhor contra o qual D. Afonso I se revoltou. E quando a Segunda Cruzada se revela um fracasso, os que optaram por Lisboa devem ter concluído que fizeram uma boa escolha.

Naturalmente, o *Conquistador* teve de utilizar mais argumentos de peso para que os cruzados mudassem de alvo militar, pelo que lhes promete o saque da conquista da próspera Al-Ushbuna, bem como a concessão do direito ao uso dos seus costumes, hábitos, foros e liberdades a que estavam habituados no seu país de origem. O registo do seu discurso aos cruzados tinha frases com um certo cinismo: «De uma coisa estamos certos, e é que a vossa piedade vos convidará mais a este trabalho e ao desejo de realizar tão grande feito, do que vos há de atrair à recompensa a promessa do nosso dinheiro.»

Mas tinha de ser eliminada, antes de mais, uma importante base de apoio de Al-Ushbuna, a cidade de Santarém, que se situava numa região agrícola próspera e era fonte de incursões armadas islâmicas. Santarém é conquistada pela força das armas e pela astúcia dos estrategistas portucalenses. Mas, para vergonha nacional, os vencedores foram cruéis: «Andai, matai-os à espada. Que não escape nenhum» foram as ordens de D. Afonso Henriques, levando assim a uma carnificina da população... Dizem as crónicas, ou lendas, que um mouro fugitivo desafiou o cavaleiro D. Pedro Escuro a enfrentá-lo quando voltasse. «Ireis e vireis e aqui me achareis, ou morto ou vivo!» (na linguagem da época, «des e virdes e aqui me acharedes...») foi a bem imaginada resposta, mas o mouro nunca regressou, tanto quanto se sabe... No entanto, D. Pedro Escuro foi enterrado junto à Porta da Valada, de acordo com o seu testamento, o lugar onde foi feita a furiosa troca de palavras.

Meses depois, é a vez de Al-Ushbuna. Os sitiados recusam uma proposta de rendição, tendo um idoso afirmado aos sitiantes: «Quereis tornar-nos pobres e desterrados para serdes gloriosos. Essa fraca glorificação chama-se avidez.» Outros recorrem a respostas bem menos sábias, do cimo das suas seguras muralhas, isto é, como insultos aos sitiantes e às suas crenças, indo ao extremo de cuspir e urinar em cruzes. Naturalmente, os combates foram cruéis e o cerco de Al-Ushbuna foi longo, gerando uma tão grande fome entre os habitantes, que alguns saíam da cidade para procurar comida, encontrada tão frequentemente, que se desleixaram nas suas precauções, e três infelizes imprudentes foram aprisionados por meio de redes, sendo alvo dos risos sádicos dos cruzados. Igualmente desprovida de humor foi a apropriação da maioria dos alimentos disponíveis pelos guerreiros e pela elite de Al-Ushbuna, deixando a plebe chegar ao extremo de se alimentar dos cães e gatos vadios. Entre as brutalidades do conflito, destaca-se a exibição de cerca de 80 cabeças decapitadas de mouros, mortos numa expedição à vizinha Almada. Os «lisboetas» não esconderam as suas mágoas perante tal visão e pediram aos cruzados que lhes concedessem as cabeças, pedido atendido à guisa de consolação, ainda que muito fraca. A fome levou muitas pessoas a abandonar Al-Ushbuna, rendendo-se em troca de alimentação. Na sua maioria, foram convertidos ao cristianismo, sendo uma minoria devolvida à cidade, com as mãos amputadas. Mas aparentemente os sitiados consideravam traição a rendição ao inimigo, pois, do cimo das muralhas, apedrejaram até à morte os infelizes mutilados. Rejeitados por ambos os lados: eis o que lhes aconteceu por não desejarem a morte por inanição!

Os sitiantes recorreram às máquinas de guerra do seu tempo, como balistas, torres móveis e catapultas. Como uma das ditas torres, bem como cinco catapultas, foi destruída pelas surtidas dos mouros e pelas suas flechas incendiárias, além de também terem matado o comandante da armada portuguesa, percebe-se que conquistar uma cidade não é tarefa fácil. E que os muçulmanos de Al-Ushbuna não eram fracos nem covardes.

Diz-se que entre os cruzados flamengos ocorreu um milagre, que consistiu na descoberta de sangue dentro do pão bento utilizado na missa quando foi cortado. Segundo um cruzado inglês que registou as reações dos seus camaradas de armas, «alguns então, interpretando o facto, diziam que aquela gente feroz e indómita, com a ganância do alheio, posto que sob a aparência da peregrinação e religião, ainda não saciara a sua sede de sangue humano». Isso mesmo: várias das pessoas daquela época reagiram ao suposto milagre com comentários cínicos, vulgares na mentalidade moderna. As pessoas da Idade Média não eram tão crédulas e supersticiosas como na imagem caricatural em que quase todos acreditam!

Foi durante os combates que ocorreu a morte do famoso Martim Moniz, que manteve aberto um portão da cidade para os seus companheiros de luta poderem entrar, até ser degolado pelos mouros. Outra versão, a mais popular entre o público, é a de que morreu entalado para impedir que a porta fosse fechada. Como o cruzado inglês não menciona a história, tanto pode ser um sinal de que o seu testemunho não é completo como de que isso pode ser uma lenda.

Meses de combates e fome fizeram com que os sitiados negociassem a rendição com D. Afonso Henriques, o que levou alguns cruzados a acusá-lo de traição e a provocar distúrbios, que só acabaram perante a ameaça do príncipe de abandonar o cerco e deixá-los por sua conta... Os mouros rendem-se, após um acordo com o exército cristão que entra na cidade. Lamentavelmente, os indisciplinados cruzados revelam-se autênticos mercenários ao atacarem a população. Muitos bens são saqueados ou destruídos, os homens espancados e as mulheres estupradas, antes de os ímpetos de violência acalmarem e o saque passar a ser obtido e repartido com mais disciplina. Embora não tenha havido um massacre em grande escala, civis foram assassinados, incluindo o revelador caso do bispo moçárabe da cidade, que foi degolado apesar da sua idade avançada. O referido cruzado inglês culpa os flamengos e alemães por tais brutalidades, o que demonstra que estas eram chocantes até para a época. Naturalmente, ele descreve como «honrado» o comportamento dos seus compatriotas anglo-normandos... As brutalidades contra os moçárabes foram fruto da ignorância dos estrangeiros, que não sabiam distinguir os cristãos arabizados dos muçulmanos. Aliás, o elevado número de habitantes a invocar a cruz e a Virgem Maria espantou os soldados do Norte da Europa que, supostamente, acreditaram estarem eles a converter-se. Por seu lado, alguns suspeitaram que isso seria antes sinal do elevado número de moçárabes na cidade.

A existência de aproximadamente 200 mortos e de 800 corpos esqueléticos encontrados vivos na mesquita de Al-Ushbuna mostra a gravidade da fome e a importância desta na rendição dos habitantes – típico exemplo da crueldade dos cruzados contra os muçulmanos, notar-se-á. Mas a descrição de como Saladino era muito mais compassivo com os inimigos cruzados, por quem quer desmistificar as cruzadas, faz esquecer que os muçulmanos também podiam ser bastante cruéis. Aliás, Zinki tinha conquistado Edessa com massacres e, depois do seu assassínio, a população subjugada recupera a independência, para ser posteriormente massacrada e escravizada, na sua totalidade, por Nuredin, filho do emir assassinado. E os cristãos de Edessa eram arménios locais, cuja comunidade já era antiga aquando das invasões árabes, e não francos sanguinários vindos da Europa. Isso mostra que muitos dos governantes sarracenos que enfrentaram os cruzados também eram cruéis. Se é sempre o mesmo Saladino a ser elogiado pela sua bondade, era por esta ser rara, até entre os muçulmanos!

Em todo o caso, D. Afonso Henriques consegue, por fim, ser senhor de uma cidade de importância comercial e estratégica elevada que, doravante, será conhecida como Lisboa e verá a sua importância, no reino que a anexou, elevar-se consideravelmente (será capital em 1256).

ᦉᦊ 1151 ᦊᦉ

ASSASSÍNIO DO ALIADO SECRETO
DE D. AFONSO HENRIQUES

As alianças entre muçulmanos e cristãos contra inimigos
comuns, apesar de habituais, não eram bem vistas.

Abu Qasim Ahmad al-Hussein ibn Qasi era originário de Silves
e membro de uma família abastada, provavelmente malada,
talvez relacionada com os Banur Qasi do atual Aragão ou talvez,
somente, homónimos. Sendo Ibn Qasi uma corruptela árabe do
nome romano «Filho de Cássio», também é provável que os Qasis
fossem descendentes de hispano-romanos ou de godos latinizados.
Ibn Qasi era um importante funcionário da alfândega quando
teve uma crise espiritual que o levou a renunciar aos seus cargos
e bens materiais. Distribuiu metade das suas riquezas pelos pobres e aderiu ao movimento sufi, o qual tinha Silves como centro
importante de ensino. Os sufis eram muçulmanos que optavam
por uma vida ascética, de meditação e que valorizavam a iluminação espiritual individual. Muitos sufis eram guerreiros, o que
faz lembrar os monges guerreiros cristãos, como os templários
e hospitalários. No entanto, Al-Gharb al-Andalus era governado
pelos almorávidas, integristas islâmicos que desconfiavam do sufismo. Por exemplo, Ibn Barrajan, escritor e filósofo sufi que influenciou o pensamento de Ibn Qasi, foi aprisionado até à morte
por ordem do califa Ali ben Yusuf, o que deve ter contribuído
para a revolta, no ano de 1144, de Ibn Qasi, cujos adeptos eram
conhecidos como muridinos (adequadamente, pois *muridin* significa «adeptos»). Quando conquistou a fortaleza de Mértola, foi
proclamado *mahdi* (espécie de «salvador» enviado por Alá no final
dos tempos), no que foi reconhecido por Évora e Silves. A nova

taifa englobou o Algarve e o Baixo Alentejo. Esta não foi a única a surgir em Al-Andalus durante o desmembramento do impopular Califado Almorávida, sendo esse período do islão hispânico conhecido como *Segundas Taifas*. Merece ser referido que Ibn Qasi foi o único governante de um estado islâmico, no atual território português, a cunhar a sua própria moeda.

Ibn Qasi teve outros governantes de taifas como aliados, como Sedarai, de Évora, e Omar Ibn al-Mundhir, um seu partidário de longa data, ao qual tinha oferecido o governo independente da sua terra natal de Silves, talvez como recompensa por ele ser um dos seus primeiros e mais dedicados seguidores. Contudo, os almorávidas ainda eram combatentes ferozes, e Ibn Qasi decide aliar-se aos almóadas, um movimento religioso que se revoltara no Magrebe contra o inimigo comum, tendo jurado lealdade ao seu dirigente, o autoproclamado califa Abd al-Mumin. Mas o extremismo religioso, o autoritarismo e a ambição dos almóadas de controlar todo o Al-Andalus levaram os aliados de Ibn Qasi a considerar tal aliança como uma traição, o que permitiu que o governador almorávida da Hispânia aproveitasse o momento para incitar ao conflito os três antigos aliados.

Ibn Qasi sentiu-se suficientemente desesperado para contrair uma aliança secreta com Ibn Errik, isto é, D. Afonso Henriques (Ibn Errik significa «filho de Henrique», e é esse o significado da palavra «Henriques»), que lhe ofereceu, em sinal dessa aliança, uma espada, um escudo e uma lança. Aliar-se ao mesmo Ibn Errik que cometia brutalidades contra os mouros, como as que faria em Santarém, tornou-o detestado, sendo acusado de um «lacaio» do monarca portucalense, ao ponto de se dizer, grosseiramente, que Ibn Qasi só movia as pestanas quando D. Afonso lhe ordenava. Tendo em conta que a taifa de Badajoz se aliou ao «imperador das Espanhas» contra Ibn Errik, as alianças entre muçulmanos e cristãos contra inimigos comuns não eram assim tão excecionais. O líder sufi rompe tal aliança, mas é deposto pelos seus súbditos de Mértola e acaba aprisionado pelos almorávidas. Evadido da prisão, Ibn Qasi recupera o controlo de Silves e lidera uma revolta contra os almóadas, que desiludiram muitos e tinham eliminado os ex-aliados do dirigente sufi, bem como os governantes almorávidas. Mas a sua carreira e vida termina com o seu assassínio por agentes almóadas, quando se soube de outra suposta aliança com Ibn Errik. Por ironia histórica ou lenda, o que é mais provável, a cabeça de Ibn Qasi foi exibida na mesma lança que D. Afonso I lhe oferecera anos antes... Alcácer do Sal também era uma pequena taifa cujo governante tinha estabelecido uma trégua com Ibn Errik, motivo suficiente para ser morto pelos seus súbditos. Outra ironia e hipocrisia foi a aliança entre almóadas e cristãos contra D. Afonso Henriques, quando este ataca Badajoz em 1169... Os muridinos ainda controlaram, durante alguns anos, uma praça chamada Tavira, cujo líder, Ali Ibn al-Wahibi, resistiu aos invasores magrebinos, até o califa Abdel Mumin sair da capital marroquina com um poderoso exército e iniciar uma onda de conquistas que incluíram a de Tavira, em 1167.

Ibn Qasi descreveu o seu pensamento e filosofia mística e espiritual no *Livro do Descalçar das Sandálias*, uma das obras sufis mais importantes da época, pelo menos, escritas no território nacional. Como é lógico, praticava também um género literário popularíssimo entre os mouros, a poesia. Um filósofo sufi que influenciou o seu pensamento foi Al-Ghazali, de Bagdad, um dos mais importantes pensadores islâmicos da Idade Média e que chegou a influenciar São Tomás de Aquino.

Os sufis reuniam-se em lugares conhecidos como azoias, onde viviam o mestre, os discípulos e as respetivas famílias. Longe de ser somente um centro de iluminação espiritual e meditação, uma azoia era também um centro educativo e de peregrinação, provido de celeiros para alimentação dos habitantes e de alojamentos para os mesmos. Abundaram no Magrebe durante séculos, assim como na Hispânia árabe.

A linguística dos árabes em Portugal teve a contribuição dos sufis no que respeita à toponímia. Eis alguns exemplos: a palavra «arrábida», proveniente de *al rabita*, que designava tanto o elo espiritual entre o mestre sufi e os seus discípulos como a fortaleza onde se reuniam os guerreiros de uma confraria (é fácil de imaginar porque adquiriu a serra da Arrábida tal nome); a palavra «rebate», que também designa a referida fortaleza, devido aos avisos da iminência de exércitos inimigos para que os habitantes de uma região se refugiassem ali, originou a expressão «tocar a rebate».

Ibn Qasi criou uma azoia em Aljezur que se tornaria no Ribat da Arrifana (em Ponta da Atalaia), o único «rebate» em território português, construído em 1125, com a restante metade dos seus bens, e que incluía uma mesquita, celas para os seus discípulos e cavalariças.

Conclui-se que são vestígios do sufismo os nomes de diversos lugares, povoações, formações topográficas ou construções do território português, que incluem as palavras atrás referidas, como o Castelo da Porta de Azoia, da mesma Silves onde viveu Ibn Qasi, a serra da Azoia (Palmela), Arrábida e Arrábidos (povoações de Vila Nova de Gaia e de Óbidos) e o Monte de Arrábida (Ourique), entre tantos outros exemplos dispersos pelo país, principalmente no Sul.

Existe uma estátua de Ibn Qasi junto ao Castelo de Mértola, num sinal de homenagem das populações (cristãs) locais.

1212

A RECONQUISTA TORNA-SE IRREVERSÍVEL

Portugal contribui para o desfecho da batalha de Navas de Tolosa e a dinastia Almóada não sobrevive à derrota.

16 de julho de 1212. Junto a uma pequena localidade situada nos arredores da serra Morena, atual província de Jaen (Sul de Espanha), preparavam-se exércitos de vários reinos para algo que decidiria o seu futuro, embora muitos o ignorassem. De um lado havia uma coligação militar dos reinos de Leão, Castela, Navarra, Aragão e Portugal. O oponente era o exército do califa almóada Al-Nasir.

Os almóadas eram um movimento religioso berbere surgido no Magrebe, tal como os almorávidas, com o objetivo de impor um puritanismo islâmico ao califado e, ironicamente, depor os almorávidas, entregues ao luxo e incapazes de manter o Estado unido e capaz de resistir às investidas cristãs.

Ao mesmo tempo que submetiam as segundas taifas e os almorávidas, também tinham de enfrentar cristãos, como D. Afonso Henriques. O cavaleiro Geraldo Geraldes, vulgo *Sem Pavor*, comandante de um exército composto em grande parte por foras-da-lei, incluindo bandoleiros, representava um adversário temível. Ousado e astuto, conquistou muitas cidades islâmicas, como Évora e Trujillo, tomando-as de surpresa durante a noite. A sua reputação de bandido não foi desmentida pelos numerosos mouros (e moçárabes) que eram mortos ou tornados cativos sempre que tomava uma cidade, não esquecendo as pilhagens e o facto de Geraldo ter oferecido as praças conquistadas ao reino de Portugal – por preços nada modestos! Quando o *Conquistador* e o

Sem Pavor tentam apoderar-se de Badajoz, os almóadas vencem graças à ajuda do rei Fernando II de Leão, sogro do monarca português. Capturado e ferido na perna direita, D. Afonso Henriques devolve várias conquistas de Geraldo, como Trujillo, e a expansão portuguesa, doravante, avançará na direção sul. Quanto a Geraldo, alia-se posteriormente aos almóadas e instala-se em Marrocos, onde é intercetada uma carta na qual são referidos planos para tomar cidades e entregá-las ao rei de Portugal. Foi executado, naturalmente.

D. Afonso II, *o Bolonhês*, quinto rei de Portugal, não esteve em Navas de Tolosa, pois enfrentava uma rebelião armada das suas irmãs, apoiadas pelo monarca leonês, tendo, porém, enviado um numeroso contingente militar. *Jihad* para os almóadas, a batalha era uma cruzada para os reis hispânicos, de acordo com uma proclamação papal, o que implicava que pusessem de lado os desentendimentos até ao fim do conflito, sob pena de excomunhão. Muito conveniente para D. Afonso II: os revoltosos que tomaram o partido das suas irmãs contra o exército real tiveram de lutar ao lado deste em Navas de Tolosa!

Depois das derrotas entretanto sofridas, os reinos do Norte planearam a batalha ao pormenor. Os castelhanos fingiram que a sua infantaria, que ocupava uma posição central no lado cristão, era o elo mais fraco, levando os muçulmanos a atacar o Centro, para sofrerem o inesperado ataque da cavalaria pesada.

Porque é que o poderoso exército almóada, vitorioso em batalhas recentes, perdeu esta peleja? Os cronistas muçulmanos culpam Al-Nasir: ele tinha ordenado a decapitação de dois vális, por alegada negligência na obtenção de provisões para o exército, bem como a de um talentoso comandante. O efeito foi a perda de lealdade, e até deserções, dos seus guerreiros. E não ajudou nada Al-Nasir ser ainda mais avarento do que o pai, que pagava o salário aos soldados de quatro em quatro meses! As crónicas muçulmanas culpam o califa, provavelmente morto por veneno, pelo que carecem de imparcialidade. Logo a sua responsabilidade pessoal pode ter sido exagerada. Aliás, a suposta avareza podia ser fruto de cofres vazios numa época de crise.

A derrota moura em Navas de Tolosa não foi a derrota de um Estado religiosamente tolerante. Os almóadas tinham deportado milhares de judeus para o Norte de África, tal como os almorávidas haviam feito com milhares de cristãos moçárabes.

O califa almóada Yakub al-Mansur vangloriou-se de não ter poupado nenhuma igreja nem sinagoga. Um exemplo revelador foi o de Maimónides, considerado um dos maiores pensadores judeus, teólogo, filósofo, astrónomo e matemático, escreveu todas as suas obras em árabe, a fim de chegarem a um público mais alargado. Como médico, defendia a importância das dietas para uma vida mais saudável e para a cura das doenças e também, ironicamente, como um exemplo da tolerância religiosa da Hispânia muçulmana, mostrando a sua biografia que isso é o mesmo que dizer que Álvaro Cunhal prova que o Estado Novo tolerava os comunistas ou que o Irão de Khomeini tolerava as sátiras religiosas! Afinal, os almóadas forçaram-no, tal como a muitos judeus em geral, a converter-se ao islão e quando regressa ao judaísmo é condenado à morte (não esquecer que a lei islâmica condena os apóstatas à morte), pelo que foi forçado a fugir... Encontrou refúgio na corte de Saladino, na qual desempenhou cargos importantes. Maimónides confirma mais a reputação de um Saladino bonacheirão do que a de um Al-Andalus tolerante...

Outro caso de intolerância perante ideias polémicas é o de Ibn Rushd, conhecido na Europa como Averróis, um dos maiores filósofos muçulmanos, fortemente inspirado por Platão. Nem toda a sua filosofia era metafísica e mística, como as suas dissertações sobre a natureza da alma. Averróis defendeu que as mulheres podem desempenhar as mesmas tarefas que os homens e que só eram fracas e ignorantes por serem educadas para a maternidade, obediência aos homens e para trabalhos menores, como a tecelagem, pelo que uma educação igual à dos homens revelaria o seu potencial. As autoridades almóadas queimaram os seus livros na praça pública e prenderam-no durante anos até que o mandaram para o exílio em Marrocos.

Felizmente, o extremismo religioso dos almóadas diminuiu, tal como foi o caso dos almorávidas, mas os danos eram irrecuperáveis. Muitos moçárabes emigraram para os reinos cristãos do Norte, apesar dos preconceitos locais contra cristãos arabizados, e outros colaboraram na luta contra os mouros. A diminuição da agressividade e as guerras de (re)conquista almóadas, além do «fervor» integrista, não terão sido alheias à derrota de Navas de Tolosa. O seu Estado, que já era impopular, é alvo de revoltas que levam à desintegração e à formação das terceiras taifas. Os mouros nunca mais terão um governante único e jamais reconquistarão os territórios perdidos. Se não foram expulsos mais cedo da Península Ibérica, deveu-se ao facto de os reis cristãos também se guerrearem entre si e contra súbditos rebeldes, o que atrasou o processo da Reconquista.

E D. Afonso II, *o Bolonhês*, consegue manter-se no trono.

᪥ 1249 ᪥

CONQUISTA DO ALGARVE

A Reconquista portuguesa termina. «Nasce» um reino que ainda só existe no papel.

Como atrás foi referido, a região ocidental da Hispânia muçulmana era designada Al-Gharb al-Andalus, correspondendo aos atuais Portugal e Galiza

No reinado de D. Sancho II, correspondia a uma pequena região designada pelo nome abreviado de Algarve, embora englobasse boa parte do Alentejo atual. Ao conquistar a cidade de Silves, em 1189, D. Sancho II proclama-se rei do Algarve, um tanto precipitadamente, não só Silves era apenas uma cidade, como também é reconquistada pelos almóadas dois anos depois, levando ao abandono do título...

A queda do Império Almóada, e a sua desagregação em várias taifas, converte Al-Gharb al-Andalus na taifa de Niebla, cujos governantes detinham o título de «emir do Algarve» *(amir al-Gharb)*. D. Sancho II aproveita esse desmembramento para invadir e anexar boa parte da referida taifa.

O sucessor e irmão de D. Sancho II, e usurpador da Coroa e da esposa, D. Afonso III, *o Bolonhês* (assim chamado por ter sido casado com Beatriz de Bolonha, filha do conde de Bolonha), conquista facilmente pequenos enclaves da taifa algarvia, correspondentes a Loulé, Faro, Aljezur e Albufeira, no ano de 1249. É o fim da Reconquista por parte dos exércitos portugueses.

O Bolonhês proclama-se «rei de Portugal e dos Algarves», seguindo a esteira do avô D. Sancho II, um título que será utilizado por todos os seus sucessores até à queda da monarquia.

Previamente, o emir de Niebla/Algarve, no seu esforço para adquirir aliados contra Portugal, prestou vassalagem ao rei de Castela, Afonso X, *o Sábio* (tendo em conta que, em plena Idade Média, dava explicações naturais às visões das pessoas que afirmavam ter visto demónios e outros seres sobrenaturais, o cognome parece adequado). Como consequência, Afonso X proclama-se rei do Algarve, tal como o seu homónimo português. Felizmente, o *Sábio* não estava disposto a travar guerras com o reino vizinho, utilizando como pretexto meros títulos formais, e reconhece o domínio português nos territórios ocupados em 1249. Mas como uma parte da taifa do Algarve era um Estado vassalo, e posteriormente território pertencente a Castela, o rei castelhano manteve o título.

No entanto, o Reino de Portugal não era uma monarquia dualista como o Reino de Leão e Castela, a União Ibérica, sob o domínio filipino, ou o Império da Áustria-Hungria. O Algarve não beneficiava de autonomia, nem de privilégios e foros próprios, pelo que o título adquirido em 1249 era meramente formal e desprovido de valor prático.

Há quem julgue que os monarcas portugueses mantiveram o título de «rei de Portugal e dos Algarves» devido ao hábito de os monarcas ibéricos se proclamarem reis dos territórios ocupados durante a Reconquista (por exemplo, os monarcas castelhanos eram reis de Sevilha, de Toledo, entre muitas outras cidades). Mas a explicação mais provável é o enorme afeto de reis, senhores feudais e chefes tribais por títulos pomposos. Afinal, o império construído durante os Descobrimentos era mais comercial do que geográfico, e os territórios ocupados eram pequenas ilhas, cidades e fortalezas, cuja dimensão conjunta era inferior aos de muitos Estados da época. E, no entanto, acrescentaram cada vez mais títulos à medida que os Descobrimentos avançavam, tendo D. Manuel I os títulos autoatribuídos de Rei de Portugal e dos Algarves, d'Aquém e d'Além-Mar em África, Senhor da Guiné e da Conquista, Navegação e Comércio da Etiópia, Arábia, Pérsia e Índia, etc., assim como os seus sucessores...

ᴓ 1276 ᴓ

PEDRO HISPANO É ELEITO PAPA, COM O NOME DE JOÃO XXI

O único português a ter esse cargo. Por oito meses...

Nascido entre 1205 e 1210, recebeu como nome de batismo Pedro Julião, mas era conhecido internacionalmente como Pedro Hispano, pois nasceu na Península Ibérica, ainda conhecida como Hispânia. Famoso por ser especialista em muitos dos ramos do conhecimento da época, a sua especialidade foi a medicina: tirou um curso na Universidade de Montpellier e desempenhou as funções de professor na Universidade de Siena durante cinco anos, o que lhe permitiu ser nomeado médico particular do papa Gregório X.

Aliás, obteve também o grau de mestre em Filosofia pela Universidade de Paris, a mais respeitada da Europa, e a sua obra *Summulae Logicales* (Súmulas Lógicas) foi uma referência no ramo da lógica, ensinada nas universidades, até ao século XVI (duzentas e sessenta edições impressas de 1474 a 1639). Escreveu ainda um tratado de psicologia, *Scientia Libri de Anima*. Fez questão de indicar o seu país de origem, por meio da assinatura de alguns dos seus livros, como Pedro Hispano Portucalense. Em suma, era um homem culto, cujos escritos eram apreciados pelas elites europeias e o tornaram num intelectual respeitado, contribuindo muito para a sua eleição para a tiara papal, com o nome de João XXI. No entanto, duvida-se que algumas das obras cuja autoria lhe foi atribuída tenham sido, de facto, escritas por ele, pois os estilos de escrita divergem muito dos seus textos mais famosos. Isto explica-se facilmente ao saber-se que assinar escritos com o nome de autores conceituados tornava-os mais vendidos e respeitados, uma tradição muito antiga e pouco honesta, algo que ocorria com todo o tipo de temas, incluindo religiosos, fossem cristãos ou de outra fé...

O seu livro de receitas médicas, intitulado *Thesaurus Pauperum* (Tesouro dos Pobres), assim chamado por ter como público-alvo os pobres, tornando-as acessíveis a estes, era um exemplo de como a sua dedicação às ciências médicas superava a sua preocupação com as obrigações do seu cargo. Isto permitiu ao cardeal Giovanni Gaetano Orsini governar em seu nome, o que não deve ter agradado aos que não se tinham esquecido da sua antiga posição como inquisidor-geral. João XXI foi chamado de «mago» *(magus)* devido às suas práticas médicas, sendo hábito atribuir essa alcunha a médicos de sucesso, pelos seus admiradores, ou como insulto, por caluniadores invejosos. Aliás, o *Thesaurus Pauperum* também foi outro sucesso de vendas. Não esquecer que a medicina era influenciada por superstições e crenças filosóficas, hoje desatualizadas.

O famoso poeta Dante coloca este pontífice no Paraíso, na sua obra-prima, *A Divina Comédia* (Paraíso, canto 12, versos 134-135, «... e Pedro Hispano, o qual em 12 livros já figura»), o que é invulgar, pois, embora o célebre poeta florentino fosse um católico e teólogo devoto, ele representa no Inferno, ou no Purgatório, todos os restantes papas dos quais foi contemporâneo. Interessante o facto de Dante não mencionar nem o título, nem o nome pontifício de Pedro Hispano, mas apenas as suas qualidades de médico... Mesmo os católicos devotos da Idade Média, e que condenavam as «heresias», não eram cegos aos abusos e vícios clericais da época, como se pode perceber. O seu sucessor, Nicolau III, o referido Giovanni Gaetano Orsini, que adorava o luxo e oferecia os cargos clericais a quem pagasse mais, uma forma de corrupção conhecida como «simonia», era um dos torturados no Oitavo Círculo do Inferno, onde está virado de cabeça para baixo e com as plantas dos pés a serem queimadas, por toda a eternidade.

Claro que o papa não era um santo, nem abençoado com infalibilidade intelectual: o rei D. Afonso III, seu compatriota, queixou-se dos abusos de poder e da corrupção do clero de Portugal, mas João XXI recusou-se a autorizá-lo a sujeitar os clérigos portugueses aos tribunais seculares (defesa da imunidade eclesiástica, poder-se-ia dizer, em linguagem moderna). E por esse motivo excomunga o monarca, o qual, no seu leito de morte, cede e devolve os bens confiscados à Igreja.

Os melhores são os que morrem mais cedo: João XXI mandou construir uma estância em Viterbo, onde se diz que instalou um laboratório para as suas experiências médicas. Mas o teto desabou em cima do pontífice, causando-lhe a morte ao fim de apenas oito meses na Santa Sé.

É FUNDADA A PRIMEIRA UNIVERSIDADE DO PAÍS

E mais de um século depois da fundação, o português torna-se a língua nacional.

Um acontecimento importante ocorrido em 1290, mais precisamente no dia 9 de agosto, foi a confirmação da primeira universidade pelo papa Nicolau V, fundada por D. Dinis no ano anterior, perante os pedidos do clero do reino, que chegaram a enviar petições a Roma para que fosse autorizada a sua criação e na altura designada Estudo Geral. *Universitas* pode ser traduzido como «conjunto», e era precisamente o nome dado ao conjunto de alunos ou ao conjunto de alunos e professores de um estudo geral, e com o tempo acabou por converter-se no nome da própria instituição, em Portugal e no resto da Europa. No século XIII foram fundadas muitas universidades europeias e as elites portuguesas não queriam ficar atrás, pelo que a Universidade portuguesa é uma das mais antigas da Europa.

Sendo o Estudo Geral uma organização não fixada a uma localidade, a sua localização foi alterada diversas vezes, sendo transferida para Coimbra em 1308, «devolvida» a Lisboa em 1338, e assim sucessivamente durante séculos, até ser fixada definitivamente na cidade de Coimbra.

As universidades daquele tempo eram muito menos exigentes do que as atuais: os requisitos necessários para a inscrição consistiam em saber ler e escrever, e pouco mais. Quanto às disciplinas, resumiam-se à Gramática, Retórica, Dialética, Geometria, Aritmética, Música, Astronomia, Direito, Medicina e Teologia, embora no caso da Universidade portuguesa só algumas dessas disciplinas funcionassem de início, sendo as restantes introduzidas no século seguinte...

Já no ano de 1439, muitos alunos universitários optavam por terminar os seus estudos em universidades como Oxford, Bolonha ou Paris, o que mostra que a evolução do ensino superior português ao longo dos séculos não foi assim tão radical... Aliás, o gosto dos estudantes das universidades medievais por álcool, mulheres e brincadeiras, e as sátiras sobre diplomados que não percebem o que estudaram, mostram que a mudança dos tempos parece ser muito superficial!

Ao fim de três anos de estudo, o aluno era «coroado de louros», um grau académico, que em latim correspondia a *bacalaureatos*, do onde provém o atual «bacharel». Os graus académicos seguintes eram de licenciado, doutor e de mestre, sempre adquiridos ao fim de dois anos de estudos adicionais. Quanto à administração, os alunos podiam eleger de entre si um delegado por cada curso, sendo denominado «reitor» (pouco ou nada tem que ver com os reitores atuais!).

O infante D. Pedro, um grande defensor das virtudes e vantagens das universidades do século XIV, afirmou: «Os tiranos destruidores das coisas públicas aborrecem os sabedores.» Afirmação sempre muito atual...

Entretanto, mais de um século depois da fundação, o português torna-se a língua nacional. Para melhor compreensão do tema, será mais esclarecedor descrever, resumidamente, a origem da língua portuguesa. É bem sabido que a cultura romana adotada, e em muitos casos imposta pelos povos ibéricos, introduziu o latim, que suplantou e até substituiu as línguas locais, hoje esquecidas. É menos conhecido o facto de o latim falado pelas populações de condições humildes, o latim vulgar, ser diferente do utilizado pelas elites mais cultas, o latim clássico. Dado que a linguagem do povo é mais sensível à passagem do tempo, às influências estrangeiras e às pronúncias locais, é natural que o latim vulgar variasse de província para província em todo o Império Romano. Essas variações receberam o nome de «romances».

A invasão germânica trouxe povos «bárbaros» (nome pejorativo dos gregos e romanos dados a quem falasse línguas diferentes) que introduziram novas palavras como *espora*, *espeto* e *luva*, nomes como *Bernardo* (significado: «forte como um urso»), *Rodrigo*, *Afonso*, etc., embora estas sejam relativamente poucas.

Por outro lado, a fragmentação do antigo Império Romano em diversos reinos menores, aliada à degradação dos sistemas de transporte, contribuiu para a fragmentação do latim vulgar em diversos romances, cada vez mais distintos.

O latim clássico foi adotado como a língua dos mais instruídos, sendo utilizada em cerimónias, como as missas, na literatura, na linguagem diplomática e na educação escolar. As obras literárias escritas na língua do povo, ou seja, o romance, passaram a ser designadas por esse nome, gerando expressões hoje utilizadas, como «romances de cavalaria», «romances históricos», entre outras.

A invasão moura trouxe a língua árabe, falada pelos invasores, muitos eram berberes, e não árabes, que deixaram como herança numerosas palavras, nomeadamente as começadas pelo sufixo *al-*, já referidas, a expressão *oxalá* (vindo de *Inch´allah*, ou seja, «Deus queira»), etc.

No século XI, já existia uma língua no Noroeste da Península Ibérica, hoje chamada «galaico-portuguesa», falada pelos habitantes da Galiza, um efémero reino independente anexado por Castela. Quando uma parte da Galiza, o Condado Portucalense, declara a sua independência, o galaico-português local terá uma evolução diferente da do galaico-português da zona sob domínio castelhano. Por um lado, este último será influenciado pelo castelhano; por outro, no Reino de Portugal, será mais influenciado pelo árabe, falado pelas populações das regiões conquistadas a sul.

Sendo o latim uma «língua morta», já não falada no dia a dia, é pouco adequada para a plebe, bem como para os membros das classes abastadas, alguns sem grande interesse numa cultura elitista. D. Afonso II já tinha escrito um testamento em galaico-português, atualmente, um dos mais antigos documentos conhecidos nessa língua.

No ano de 1290, o rei D. Dinis ordena que a «língua vulgar», como era conhecida a linguagem do povo, passe a ser utilizada nos documentos legislativos (leis e notários) e do Estado, quando, até então, o latim era usado com uma frequência próxima da exclusividade. É tentador e credível supor que a decisão do monarca foi influenciada pelo seu gosto por poesia e canções, pois era um trovador de talento, ao ponto de ser apodado de *Rei Poeta* ou *Trovador*, e não somente de *Lavrador*, já que o galaico-português era quase a única língua utilizada na poesia e nas cantigas de amor dos trovadores de Portugal, Leão e Castela.

✒ 1297 ✑

FIXAÇÃO DAS FRONTEIRAS:
UM CASO RARO A NÍVEL MUNDIAL

Pelo Tratado de Alcanizes, as fronteiras de Portugal
permanecerão inalteradas nos próximos setecentos anos.

As disputas de territórios entre Portugal e Castela atrás descritas duraram várias gerações e só terminaram com a assinatura do Tratado de Alcanizes, na povoação castelhana do mesmo nome (em língua castelhana, Alcañices), em 12 de setembro de 1297, por parte de D. Dinis de Portugal e de Fernando IV de Castela. O documento em questão trata da delimitação das fronteiras entre os dois reinos, as quais quase não sofreram alterações desde então, isto é, durante mais de sete séculos! O que faz dele o tratado fronteiriço mais antigo do mundo ainda em vigor.

Conservado nos arquivos da Torre do Tombo, foi assinado quando os reinos hispânicos cristãos recorriam à era de César como calendário, e não à era cristã, pelo que está datado do ano de 1335 (38 anos acrescentados aos do ano cristão).

Concedia a Portugal as terras de Ribacoa, que incluem Castelo Rodrigo, Monforte e Sabugal, entre outras, em troca das regiões de Arouche e Aracena, doravante aceites como castelhanas. Esparregal e Aiamonte foram atribuídas a Castela em troca de Campo Maior, Ouguela, San Felices de los Gallegos e Olivença.

No tratado de Alcanizes também foram combinados dois casamentos reais: o de Fernando IV com a filha de D. Dinis, a princesa D. Constança, e o do príncipe herdeiro D. Afonso de Portugal (o futuro D. Afonso IV) com D. Beatriz, irmã do rei de Castela.

A leitura do tratado permite perceber que a sua motivação principal era tentar pôr fim às guerras que devastavam os dois reinos signatários, além de impedir que os mouros aproveitassem as lutas entre os inimigos do Norte para atacar ambos: «Que nas terras dambos foron, muitas roubadas, e quiemadas, e astragadas, en que se fez hi muito pezar a Deos por morte de muitos homeez; veendo, e guardando,que se adiante fossem estas guerras, e estas discordias, que estava a nossa terra dambos en ponto de se perder pelos nossos pecados, e de vir a maãos dos inimigos da nossa fé, A acyma por partir tão grão deservisso de Deos, e da Santa Heygreja de Roma nossa Madre, e Tão grandes danos, e perdas nossas, e da Christandade por ajuntar paz, e amor, e grão serviço de Deos, e da Heygreja de Roma.»

No documento, D. Dinis apela aos reis de Castela, bem como aos seus sucessores, para que o acordo seja rigorosamente respeitado: «Cumprir todas estas couzas de suso ditas, e cada huma dellas pera sempre, e de nunca vir contra ellas per mim, nem per outrem defeito, nem de dereito, nem de conselo, e se o assi nom fezer, que fique por prejuro, e por traedor come quem mata Senhor, ou traae Castello.»

Contudo, ocorreram pequenas conquistas territoriais por parte de Espanha, levando à perda de San Felices de los Gallegos, Hermisende, Salvaterra de Miño (não estão mencionados em cima) e Olivença (nomes modernos).

O caso de Olivença é o mais conhecido, pois foi conquistada pelas tropas espanholas do general Manuel Godoy, em 1801, durante a designada «Guerra das Laranjas», um tema para outra data.

ৰ৹ 1319 ৹ঌ

«EL-REI D. DINIS FEZ TUDO QUANTO QUIS»

A Ordem do Templo é reformada e não exterminada.
D. Dinis fez tudo o que quis, incluindo desobedecer à ordem
papal de perseguir os Templários.

Em 1120 é fundada a Ordem dos Cavaleiros do Templo, em homenagem ao Templo de Salomão, uma organização de cavaleiros conhecidos como templários, que fizeram votos monásticos,
e cujo objetivo inicial era a defesa dos Estado francos fundados
pela Primeira Cruzada. No Comício de Troyes (França), ocorrido
em 1126, a Igreja decide a expansão da ordem aos diferentes reinos da Europa, incluindo Portugal.

Não era a única ordem de monges guerreiros criada na Europa
medieval: Portugal tinha a Ordem de Avis, a atual Alemanha tinha
os Cavaleiros Teutónicos, e os Hospitalários também eram uma
ordem internacional à semelhança dos Templários. Mas tornou-se
a mais próspera e a mais poderosa do seu tempo. Adquiriu grandes riquezas, na forma de quantias monetárias, terras agrícolas,
povoações, fortalezas, etc. Uma das razões de tal abundância de
bens materiais resulta do facto de os serviços dos Templários prestados aos governantes serem beneficiados por recompensas. Um
exemplo ocorreu em 1169, quando D. Afonso Henriques concedeu
à ordem o direito à propriedade de um terço de todos os territórios
conquistados aos mouros a sul do rio Tejo. Os restantes reinos pe-
ninsulares também irão oferecer incentivos materiais à Ordem do
Templo na luta contra os muçulmanos. A participação dos Cavaleiros do Templo na Reconquista é exemplificada nas conquistas de
Lisboa e Santarém, já descritas, bem como a de Alcácer do Sal, em
1217, e mais modestamente na batalha de Navas de Tolosa. Outra

fonte de rendimento são os abundantes donativos à Igreja, incluindo às instituições eclesiásticas, seja a nível privado ou de instituições seculares, como foi o caso do Castelo de Almourol, concedido por D. Afonso Henriques. As riquezas materiais dos Templários e os privilégios que possuem colocam-nos em posição de conceder empréstimos monetários aos mais necessitados, incluindo reis com cofres vazios! Por outro lado, era útil depositar dinheiro nas suas fortalezas bem defendidas e repletas de combatentes armados. Por essas razões, os Templários são conhecidos como «os primeiros banqueiros da Europa», embora isso não seja verdade.

Inevitavelmente, a abundância de bens materiais da ordem tornou-a alvo de cobiças e invejas, além de ter feito muitos inimigos ao participar em guerras contra os senhores feudais e monarcas europeus. Só o facto de a referida ordem ser uma organização demasiado independente e poderosa (só prestava contas dos seus atos a Roma) desagradava a muitos governantes seculares.

Para se poder compreender melhor o acontecimento ocorrido em 1319, é preciso saber as suas causas e contexto da época, ainda que tenham ocorrido fora de Portugal.

O rei Filipe IV de França, conhecido como *o Belo*, mostra que essa alcunha deve-se somente à sua aparência exterior e não à interior, ao revelar-se implacável e impiedoso nos seus esforços para fortalecer o poder da Coroa francesa. O principal adversário desta não era um reino estrangeiro, nem um ducado ou condado demasiado autónomo, era a Igreja Católica. Filipe IV não podia ter escolhido melhor encarregado para uma tarefa tão arriscada e que exigia uma determinação cruel do que Guilherme de Nogaret, pois era anticlerical ao ponto de levar a julgamento dois bispos acusados de crimes puníveis com a morte e até torturou um papa! Deve-se ter em conta que a avó de Nogaret era membro da Igreja Cátara tendo sido queimada viva por tal «heresia», o que explicaria muita coisa...

O papa Bonifácio VIII era um homem autoritário que exigia obediência por parte dos reis da cristandade. A resposta do monarca francês foi mandar Nogaret, na liderança de um exército, aprisionar o pontífice, que passa três dias na prisão sem comer nem beber, apesar dos seus 68 anos! É rapidamente libertado pelos seus partidários, mas fica traumatizado com o tratamento sofrido e morre um mês depois. Foi até organizado um julgamento póstumo de Bonifácio VIII, que foi acusado de zombar da fé cristã (teria afirmado que «os mortos têm tantas hipóteses de serem ressuscitados na dia do Juízo Final como uma galinha assada» e de ter afirmado que a Mãe de Jesus era tão virgem como a sua, que teve muitos filhos). Também foi acusado de ter um demónio ao seu serviço e de magia negra, o que pode ter contribuído para que o tribunal considerasse as acusações como calúnias e o processo terminasse com a absolvição... Mas de notar que Bonifácio VIII foi responsável pelo massacre de Palestrina, uma cidade rebelde da Itália, por ter encarcerado o seu antecessor Celestino V, que tinha abdicado da tiara papal para voltar a ser um eremita (receio de que eventualmente mudasse de ideias...) e Dante incluiu-o entre os condenados às torturas infernais na sua *A Divina Comédia*.

Não espanta que o papa Clemente V fosse francês e mais favorável aos desejos do monarca do seu país de origem! Hesita perante a ideia de destruir a Ordem do Templo, mas Filipe IV manda-lhe mensagens com alusões ao destino de Bonifácio VIII.

Em outubro de 1307, ocorrem prisões em massa dos Templários em toda a França, sendo as acusações invocadas como justificação recebidas com ceticismo em toda a Europa. Mas o apoio oficial de Clemente V obriga os restantes monarcas a fazer prisões, ainda que com menos rigor e mais evasões.

As acusações contra os Templários são chocantes, ridículas ou ambas: adoração de um demónio chamado Bafomé, beijos obscenos, orgias, cuspir na cruz, entre «outros usos e costumes da ordem», como afirmaram os acusadores. Muitos templários «admitem» a sua culpa depois de passarem pelos usos e costumes da Inquisição. Curiosamente, Jacques de Molay, o grão-mestre da ordem, confessou as blasfémias, mas não os beijos e as orgias sodomitas... O que não o impediu de renegar as confissões, obtidas sob tortura, sendo o único pecado que admite o de mentir para salvar a vida. Cinquenta e quatro templários que insistem na sua inocência, incluindo Jacques de Molay, são queimados vivos em março de 1314. Muitos mais morrem na prisão. Contudo, não foi reduzido o número dos que foram absolvidos, que se evadiram da prisão com sucesso ou amnistiados, tendo muitos adotado uma grande variedade de profissões, desde pedreiros até piratas!

Os bens da ordem, incluindo terras e castelos, são confiscados pela realeza e nobreza de toda a Europa, bem como pela Ordem dos Hospitalários.

Diz a lenda que Molay declarou, antes de morrer, que «dentro de um ano, estareis perante o tribunal de Deus», referindo-se a Clemente V e Filipe IV. Não é lenda o facto de ambos terem morrido de morte natural poucos meses depois de Molay, o que significa que os dois principais responsáveis algozes da Ordem do Templo pouco ganharam com o processo, a nível pessoal...

Em Portugal, os Templários também eram uma instituição poderosa, com sede em Tomar, proprietária de grandes extensões de terrenos agrícolas, de diversos castelos, do Convento da Ordem de Cristo, construído em 1162, por ordem de D. Gualdim Pais (grão-mestre da secção portuguesa). Na altura do julgamento, reina D. Dinis, cognominado *o Lavrador*, que não toma qualquer medida contra a ordem, exceto adquirir a guarda dos castelos, apesar de Roma ter ordenado o julgamento e tortura dos Templários. Acabou por haver julgamento, mas terminou com a absolvição dos réus, à semelhança dos reinos de Castela e Aragão. Pouco interessado em obedecer à ordem papal de entregar os bens dos Templários aos Hospitalários, D. Dinis decide criar a Ordem de Cristo, mais precisamente converter a secção portuguesa da Ordem do Templo numa organização independente com um novo nome! A Santa Sé é obrigada a reconhecer o facto consumado em 14 de março de 1319. Se se tiver em conta a enorme importância dos Templários nas lutas contra os mouros, percebe-se que eliminá-los não seria apenas ingratidão: seria também a destruição de aliados poderosos e indispensáveis.

A importância dessa nova ordem monástica na história de Portugal não é negligenciável, nem inferior à da antecessora, pois teve um papel determinante nos Descobrimentos. O organizador das viagens marítimas foi o famoso infante D. Henrique, que foi governador e administrador da ordem (se tivesse adquirido o cargo de mestre, teria de fazer um voto de pobreza...), e recorreu aos recursos desta, incluindo estabelecimentos onde matemáticos e navegadores estudavam as observações realizadas durante as suas viagens, e criavam novos métodos e instrumentos essenciais para a navegação. Um exemplo revelador é a cruz vermelha sobre um fundo branco existente nas velas das caravelas: símbolo da Ordem de Cristo, foi inspirada na Cruz de Malta dos Templários. *O Belo* pode ter contribuído para um Estado francês forte com as suas torturas e mortes, mas D. Dinis prestou um contributo decisivo para Portugal, ao recusar-se a ser cúmplice de tal injustiça, tenham sido os seus motivos altruístas ou não.

৵৹ 1340 ৎ৹৹

BATALHA DO SALADO

O fim de uma ameaça secular ao reino e início de conflitos no seio da família real

D. Afonso IV, rei de Portugal, nunca gostou dos casos extramatrimoniais do pai, o rei D. Dinis. Não só por causa dos efeitos na mãe, D. Isabel, mas também porque os meios-irmãos bastardos eram os favoritos na afeição paterna e receberam cargos importantes. O que despertou não só uma inevitável e natural inveja fraterna, como também o receio por parte de D. Afonso, ainda infante, de ver o trono arrebatado por um deles. Tais conflitos familiares geraram guerras civis entre irmãos, bem como acusações por parte de D. Afonso IV sobre conspirações dos irmãos para o assassinarem (um deles será mesmo executado).

Quando toma conhecimento de que a sua filha D. Maria era publicamente maltratada e humilhada pelo marido, Afonso XI, rei de Castela, que preferia a amante, D. Leonor de Gusmão, D. Afonso IV declara-lhe guerra: sem dúvida, receava que houvesse conflitos entre os filhos da amante e os de D. Maria, tal como tinha acontecido com ele. O futuro mostrou que semelhantes receios estavam certos!

Portugal não estava isolado nesta enésima guerra contra Castela, pois teve a aliança dos reinos de Aragão e de rebeldes castelhanos, como o rico Nunes de Lara. Mas o conflito termina perante uma ameaça comum: a invasão pelo exército de Marrocos.

Em 1340, o sultão Abul Hassan, de Marrocos, recebe um pedido de ajuda do rei de Granada, Abdul Hagiag, o último Estado muçulmano ibérico, e juntos invadem Castela, no ano de 1339.

Naturalmente, ambos os Afonsos põem de lado as divergências e assinam um acordo de paz e de aliança, segundo o qual não só a rainha Maria de Castela seria tratada com respeito, como se celebraria um tradicional casamento, para consolidar a aliança, entre o herdeiro do trono português, D. Pedro, e a princesa castelhana D. Constança.

A frota castelhana é destruída por uma tempestade em Cádis, pelo que Afonso XI pede ajuda ao seu homónimo, que, inicialmente, recusa, mas acaba por ser persuadido pela filha, D. Maria. Com cerca de mil lanceiros, D. Afonso IV junta-se ao exército de Castela e, em conjunto, dirigem-se à cidade de Tarifa, cercada pelos mouros, situada junto ao rio Salado, na Andaluzia.

Os sarracenos eram numerosos, relatando um cronista, com o típico exagero dos antigos historiadores, que «estavam os campos e vales e montanhas cobertos deles».

No dia 30 de outubro de 1340, por volta das nove da manhã (hora prima, como se dizia na época), os castelhanos atacam os marroquinos e os portugueses atacam os granadenses.

A batalha é violenta e difícil, como estas citações de relatos antigos deixam bem claro: «Armas, ervas, pedras do chão, estava já tudo tinto de sangue», «As chagas eram muitas, de que se vertia muito sangue», «Os mouros eram muito esforçados e feridores de todas as partes».

A batalha termina com a vitória dos cristãos e com a fuga de ambos os monarcas islâmicos, os quais deixaram cair nas mãos do exército luso-castelhano o tesouro e o harém, que o sultão marroquino teve a inteligência de trazer consigo, sem dúvida acreditando, excessivamente, na força do seu exército e na habilidade dos seus estrategistas.

D. Afonso IV passará a ser conhecido como o Bravo, devido à valentia demonstrada na batalha, e, por incrível que possa parecer, como despojos de guerra, quis somente uma cimitarra e um sobrinho de Abul Hassan, como refém. Justificou-se, alegando que só lutou por Deus, pela honra e para defender Portugal da iminente invasão islâmica (esta última razão é inquestionável).

A batalha do Salado é muito importante, pois marca o fim de qualquer esperança dos muçulmanos de reconquistarem toda a Península Ibérica.

O rei D. Afonso XI morrerá vítima da peste pegra, sendo o único monarca a sucumbir a tal epidemia, e a viúva D. Maria, juntamente com o filho, Pedro I de Castela, ordenará a execução de D. Leonor de Gusmão.

Outra tragédia familiar ocorre em Portugal, como consequência da invasão dos reis de Granada e Marrocos, o casamento de D. Pedro com a princesa Constança. Um matrimónio feito por interesse político, e não por amor, costuma ser infeliz, porque, em política e negócios, as alianças são geralmente instáveis e efémeras. O príncipe herdeiro de Portugal, D. Pedro, não tinha nenhum interesse na sua esposa, D. Constança, sobretudo porque estava apaixonado pela aia desta, a bela (e bastarda) Inês de Castro, sendo as consequências ainda hoje bastante lembradas.

ఞ 1347 ఞ

A PESTE NEGRA DEVASTA O PAÍS

A marcha do tempo costuma ser acelerada por grandes catástrofes...

Crê-se que cerca de 25 milhões de europeus morreram de 1347 a 1351, devido à famosa peste negra, uma hecatombe favorecida por diversos fatores que afetavam a Europa do século XIV. Um dos mais importantes foi o acréscimo da população, que se revelou excessivo para a quantidade de alimentos produzida pelos conhecimentos e tecnologias da altura, demasiado rudimentares para compensar os défices. A medicina era primitiva: descontando as crendices relativas a magia e maldições, os médicos baseavam os seus conhecimentos na filosofia dos gregos antigos, o que significava que sangrar doentes era uma técnica considerada «curativa», além da indução indiscriminada de vómitos e da utilização de clisteres. Os germes eram desconhecidos e acreditava-se que a peste era contraída por meio de «maus ares» (os «bicos de pássaro» das máscaras dos médicos que enfrentavam a epidemia continham ervas e outros produtos aromáticos para «purificar» o ar que respiravam...). Outro exemplo da falta de conhecimentos relativamente à peste negra foi o massacre de gatos, considerados os transmissores, o que favoreceu a proliferação dos ratos, cujas pulgas eram efetivamente os hospedeiros do causador da doença, o bacilo *Pasteurella pestis*... Outro fator consistia na «novidade» da peste negra, ou seja, era uma epidemia anteriormente inexistente na Europa, já que provinha da Ásia, pelo que a população não possuía imunidade natural.

Data dessa época a invenção da famosa e eficaz quarentena (isolar os suspeitos de terem contraído a peste por um período de 40 dias, ao fim dos quais a ausência de sintomas provava que eram saudáveis).

Naturalmente que os mais humildes morriam em maior número, porém, também os clérigos, nobres e burgueses eram dizimados pela epidemia, o que abalou muitos dogmas sobre a superioridade dos mais abastados em relação aos mais pobres. Se nem os médicos nem os clérigos escapavam à peste, considerada castigo divino, a quem se podia pedir ajuda? Até o rei de Castela, D. Afonso VI, foi vítima da epidemia (a esposa D. Maria e o cunhado D. Afonso IV de Portugal terão concordado com a crença do castigo divino...).

Sendo os camponeses as principais vítimas, o seu número reduziu-se consideravelmente, despovoando os campos, em especial, os menos produtivos. Uma vez que os camponeses que não pereceram, nem migraram para as cidades, eram mais importantes do que nunca, não desperdiçaram a oportunidade de exigir maiores remunerações pela sua força de trabalho. O decréscimo da população leva a uma menor procura de produtos agrícolas, do que resulta a redução dos preços, agravando ainda mais os prejuízos dos proprietários de terras.

O mais famoso relato nacional relativo à epidemia é pormenorizado, em relação aos sintomas: «Pelo S. Miguel de Setembro se começou esta pestilência. Foi grande mortandade pelo mundo, assim que igualmente morreram duas partes das gentes. Esta mortandade durava na terra por espaço de três meses, e as mais das doenças eram de levações que tinham nas virilhas e sob os braços.» As levações eram os inchaços, também chamados de bubões, e as «duas partes das gentes» correspondiam a dois terços da população.

O número de habitantes de Portugal também foi drasticamente reduzido pela epidemia, surgindo igualmente uma grave crise agrícola, assim como as inevitáveis e consequentes mudanças sociais e económicas. Uma importante alteração nas relações entre patrões e camponeses foi a intensificação do abandono da remuneração em géneros e serviços. Os trabalhadores rurais aderem, em cada vez maior número, aos salários pagos em dinheiro, em detrimento da tradicional retribuição em alimentos, vestuário e calçado. Grande parte torna-se adepta da remuneração ao mês e à semana, e não ao ano, o que eleva o número dos que abandonam as explorações quando o trabalho se intensifica, algo difícil no regime de soldadas (contrato de trabalho por um ano). A popularidade da remuneração monetária entre os trabalhadores campesinos leva os proprietários a apodá-los, com humor depreciativo, de *ganha-dinheiros*.

A maior independência, e maiores exigências da população campestre, o acréscimo dos salários e a diminuição da produção não convinham aos proprietários, que responderam tentando taxar os salários, impedir os trabalhadores de saírem das explorações e apelar ao apoio do Estado. Terá havido senhores feudais que desejaram o regresso do decadente sistema da servidão da gleba, como aconteceu noutros reinos? Felizmente, não passou de um desejo demasiado antiquado e ultrapassado para ser reatado.

Os governantes elaboram leis para tentar combater o abandono dos campos, as quais favorecem mais os proprietários do que os trabalhadores assalariados. D. Afonso IV, de acordo com o *Livro das Leis e Posturas Antigas*, queixa-se dos camponeses que, supostamente, deixaram de trabalhar devido aos bens obtidos dos mortos pela peste (diga-se de passagem que nem sempre eram heranças!), e ordena que sejam obrigados a trabalhar «sob pena de prisão, multa, desterro ou açoites».

A medida legislativa mais famosa para combater a crise rural corresponde às famosas leis das sesmarias, de D. Fernando, publicadas em 1375. A medida ordena, detalhadamente, que todos os que possuem terrenos agrícolas, mas que não os exploram, sejam «constrangidos» a lavrá-los ou a arrendá-los, ou até mesmo, caso se recusem a dar-lhes utilidade agrícola, a concedê-los a quem os queira explorar. Os lavradores que renunciaram ao seu ofício são, assim, forçados a regressar à sua antiga atividade profissional, além de os filhos e netos de lavradores serem obrigados a voltar à tradição familiar, o que desagrada a muitos. Todo aquele que for «pedinte sem necessidade» (presume-se que isso signifique com corpo saudável e bom para trabalhar) e os falsos monges que vivem da caridade e devoção alheias também deverão ser sujeitos aos mesmos «constrangimentos» (estes últimos, sob pena de chicotadas e de exílio).

É do conhecimento geral que a legislação não basta para combater uma crise que afeta a sociedade em todos os seus níveis, logo, as tensões permanecem elevadas e as mudanças a que a sociedade estava a ser sujeita continuam a intensificar-se. As guerras travadas pelos monarcas e senhores feudais são um ótimo exemplo da incapacidade dos governantes para combater tais problemas, o que agrava ainda mais a crise européia. Veja-se os casos das guerras fernandinas e o envolvimento dos franceses e ingleses nos conflitos luso-castelhanos, graças à necessidade de ganhar aliados para a sua Guerra dos Cem Anos (Guerras dos 116 Anos é um nome mais adequado, mas não tão atrativo como o anterior...). Não espanta que no século XIV os artesãos citadinos e os camponeses da Europa, incluindo os de Portugal, tenham iniciado inúmeras revoltas contra os seus governantes, algumas em grande escala, normalmente reprimidas com crueldade. A revolução de 1383 terá sido uma consequência dessa crise.

✣ 1355 ✣

NASCE A MAIS CÉLEBRE HISTÓRIA DE AMOR PORTUGUESA

Assassínio de Inês de Castro: A realidade é mais estranha do que a ficção e, neste caso, parece o enredo de uma novela macabra.

Um lugar-comum que se ouve hoje em dia é a afirmação de que não se deve mencionar publicamente a vida privada das pessoas, desde que esta não influencie a sua atividade profissional. Na prática, acaba por influenciar inúmeras vezes, o que é particularmente prejudicial quando a atividade profissional em questão consiste em ser um dirigente poderoso e autoritário, como um monarca ou senhor feudal.

A esmagadora maioria dos reis teve amantes, e tal fenómeno foi tolerado na Europa, durante milénios, ao ponto de assumirem abertamente e sem vergonha os filhos ilegítimos. Mas, na Idade Média e noutras épocas, isso foi causa de conflitos familiares que levaram ao derramamento de sangue. Um dos motivos era o facto de que muitos infantes bastardos odiavam a ideia de não terem direito ao trono, devido à sua condição, mesmo quando eram primogénitos, sendo este reservado a meios-irmãos legítimos (importa relembrar que os filhos primogénitos eram os herdeiros dos títulos dos monarcas e nobres). Outra disputa era o favoritismo dos pais em relação a determinados filhos, que podia influenciar a sucessão do trono, mesmo que ilegal, e as rivalidades entre as esposas traídas e amantes, ou até mesmo entre amantes, rivalidades que eram «herdadas» pelos filhos. Os assassínios, golpes de Estado e guerras geradas por tais razões são inúmeros. Por alguma razão, D. Afonso IV foi um dos poucos reis portugueses dos quais não se conhecem amantes, nem filhos ilegítimos!

D. Afonso sentia ódio perante o tratamento preferencial dado ao seu meio-irmão bastardo mais velho, D. Afonso Sanches, por parte do pai, D. Dinis. O receio de perder o trono, seu por direito de nascimento legítimo, e os rancores pessoais levaram-no a revoltar-se contra o pai. Diversos acordos de paz e tréguas, rompidos vezes sem conta, foram assinados, e mesmo quando D. Afonso IV foi proclamado monarca, por morte do pai, teve de enfrentar as revoltas e conspirações do irmão, até este morrer naturalmente. Uma mulher que se esforçou, incansavelmente, para a paz e reconciliação familiares foi a rainha D. Isabel, o que ajuda a explicar porque foi canonizada: tinha a paciência de uma santa!

Como atrás foi descrito, D. Afonso declarou guerra ao seu D. Afonso XI por maltratar a esposa, e filha do monarca português, em favor da amante, tendo a guerra terminado graças à ameaça moura, e a paz selada com o casamento entre D. Pedro e D. Constança. Um casamento de interesse que fracassou desde o início devido à paixão do infante pela aia da sua esposa, D. Inês de Castro.

D. Afonso IV, pressentindo outra guerra familiar, obrigou Inês a ser madrinha de batismo do filho de D. Pedro, na esperança de que ambos não ousassem ser amantes devido a tal laço familiar. Como num mau agouro para o casamento, o afilhado morreu na infância, algo frequente até ao século XX.

A infeliz D. Constança tornou-se uma típica esposa que só servia para dar herdeiros ao marido e acabou por morrer de parto. O príncipe passou a viver abertamente com a amante, tendo o casal sido abençoado com três filhos. Os rumores sobre ter ocorrido um matrimónio secreto foram desmentidos por D. Pedro, que garantia que não voltaria a casar-se, alegando luto por D. Constança. Parte da sociedade aceitou o facto, pois esse tipo de casal não era assim tão raro entre a alta sociedade e, ainda menos, nas classes baixas. Aliás, D. Teresa, viúva de Henrique de Borgonha, viveu abertamente com Fernão Peres de Trava, no que foi censurada por alguns, nomeadamente, pelo filho D. Afonso I, e aceite por outros. Hoje em dia, esse tipo de relação é chamado «união de facto», mas durante milénios foi designado concubinato (erroneamente, julga-se que isso implica a posse de um harém...).

O monarca começa a recear pelo futuro do reino: D. Inês de Castro pertencia à poderosa família galega dos Castros, que podia utilizá-la para influenciar o infante a envolver-se nos assuntos de

Castela. O novo rei castelhano, D. Pedro I, filho da infeliz D. Maria, entra em conflito com os meios-irmãos bastardos, pelo que ordena a morte de três, bem como a da mãe destes, D. Leonor de Gusmão, a referida amante do pai. O rei castelhano parecia mais interessado em vingar a mãe traída do que em defender o valor do matrimónio, pois arranjou uma amante e ordenou a prisão e, talvez, a morte da esposa (será assassinado por outro meio-irmão). Os Castros eram adeptos da rebelião contra D. Pedro I de Castela e queriam que o príncipe homónimo, loucamente apaixonado pela irmã, se juntasse à sua causa. Por outro lado, o infante D. Pedro preferia os filhos que teve de Inês do que os da rejeitada D. Constança, e tal favoritismo poderia causar uma guerra civil entre meios-irmãos, como as já descritas.

D. Afonso IV consulta os seus ministros Álvaro Gonçalves, meirinho-mor (encarregado da justiça e, como tal, de castigos como morte, mutilações, flagelamentos, etc.), Pero Coelho e Diogo Lopes Pacheco, concluindo-se que Inês era perigosa demais para a paz do reino. O quarteto ter-se-á dirigido à morada da amada do filho, na ausência deste, apelando esta para a compaixão do rei, se não por ela, então pelos seus netos, ainda crianças. Abalado, D. Afonso IV vai-se embora, mas os ministros incitam-no a não fraquejar, sendo a real resposta: «Fazei o que quiserdes.» Sendo nobre, Inês de Castro é degolada pelos próprios ministros, em 7 de janeiro de 1355. Esta versão da história pode ter sido romanceada por algum autor que quis dar dramatismo ao assassínio, e que achou desinteressante a ideia de este ter sido realizado por algum carrasco anónimo e de baixa condição, estando os mandantes longe do crime (no que respeita a mortes políticas, é a hipótese mais frequente).

O infante inicia uma revolta, apoiada pelos Castros, que dura de janeiro a agosto, terminando com um acordo de paz e juramentos de tudo perdoar e esquecer.

Quando D. Afonso IV morre, em 1357, os seus ministros já se tinham refugiado em Castela, e o novo monarca de Portugal quis manter-se neutro quanto à guerra civil castelhana. Mas D. Pedro I de Portugal, vulgo o *Cruel*, era tio de D. Pedro I de Castela, e tinham muitas semelhanças. Chegam a um acordo de troca de refugiados políticos, mas Diogo Lopes Pacheco consegue fugir, diz-se que avisado por um mendigo. Os outros são torturados e Pero Coelho injuria o rei perjuro, depois de levar uma chicotada na cara.

A resposta zombeteira do governante foi ordenar que lhe trouxessem temperos para uma refeição de coelho e, enquanto comia, observava o coração de Coelho a ser arrancado pelo peito e o de Álvaro Gonçalves pelas costas.

É de referir que D. Pedro I não era chamado de *Cruel* («Cru», na linguagem da época) só por tal hedionda execução. Ele gostava de açoitar os acusados dos crimes até confessarem e ordenava execuções ou mutilações cruéis. Estas eram feitas de acordo com as leis da época, mas o rei envolvia-se mais do que o habitual. Crimes capitais não podiam ser julgados na sua ausência, pelo que o monarca viajava por todo o país.

O seu escudeiro Afonso Fonseca foi castrado por ter seduzido a esposa de um amigo corregedor, mas como o cronista Fernão Lopes afirmou que «o rei muito amasse o escudeiro (mais do que se deve aqui dizer)», suspeita-se de uma paixão bissexual por parte de D. Pedro. A contrariar essas suspeitas, D. Pedro, o *Cru*, sempre aplicou castigos adequados à sua alcunha em casos de adultério com mulheres casadas: por exemplo, ordenou que fosse queimada a mulher de um mercador e o amante degolado. Vindo da parte do amante de Inês, soa a um grande descaramento (e é), mas era a lei da maioria das sociedades dominadas por homens, que sempre preferiu castigar as infidelidades com mulheres comprometidas, incluindo civilizações tão díspares como a China e Roma antigas. Provando que a lei era mais afeta ao rei do que laços pessoais, dois dos seus escudeiros favoritos foram degolados por terem assassinado e roubado um almocreve judeu que vendia especiarias (valiosas na altura). Também não perdoava ninguém devido à sua posição social: dificilmente a plebe terá ficado escandalizada com o enforcamento de um fidalgo que agrediu um humilde porteiro. O povo chama-o «D. Pedro, o *Justiceiro*», pois tal severidade destinava-se, principalmente, à nobreza e aos seus abusos.

Sabendo que os antecessores e sucessores de D. Pedro I tinham a política de fortalecer a autoridade da Coroa, ameaçada pelo poder excessivo da nobreza e do clero, isso podia fazer parte da sua política de subjugação da nobreza ao Estado. Também recorria à legislação e à recompensa dos que lhe eram leais, como na revolta contra o pai, D. Afonso IV. Aliás, as guerrinhas das famílias reais só se tornaram conflitos armados devido à ambição e sede de poder e de bens, como terras, por parte dos nobres, que queriam estar do lado do vencedor. A maioria dos atos de maldade, assim como os de bondade, são feitos por interesse.

D. Pedro ordenou a construção do Mosteira de Alcobaça, um dos melhores exemplos da arte gótica portuguesa, destinado a conter o seu túmulo e o de Inês, lado a lado. Também declara que se casou secretamente com Inês e que nunca o admitiu por temor ao pai. Como nunca teve tal temor em várias ocasiões, e nem sequer se lembrava do dia da cerimónia, era óbvio que mentiu para tentar tornar legítimos os filhos que teve dela, que assim teriam direitos, tais como serem chamados infantes. Tal afirmação não foi reconhecida por parte de Roma. A lenda diz que o rei respondeu proclamando-a rainha e obrigando a corte a beijar a mão do cadáver «daquela que depois de morta foi rainha» (citação incorreta, mas famosa, dos *Lusíadas*).

Terminemos esta data com uma citação dos *Sonetos dos Túmulos*, referente ao reencontro do célebre casal, no dia do Juízo Final: «E no fragor do mundo que desaba / Hão de acordar, sorrindo eternamente / Os olhos um no outro, enfim, pousando!»

ᗕᙇ 1383 ᗒᙣ

TRATADO DE SALVATERRA DE MAGOS

Fim das guerras fernandinas. Como consequência do tratado, viria outra guerra, determinante para o futuro do Reino de Portugal.

O reinado de D. Afonso IV e o dos reis vizinhos mostraram como a vida privada de autocratas afeta as vidas das populações que governam. Por essa razão, D. Afonso IV não era um sedutor de mulheres, nem pai de filhos ilegítimos (ao que parece) e a sua oposição ao romance do filho com Inês de Castro levou ao fatídico assassínio desta. Muito adequadamente, D. Fernando, o *Formoso*, filho de D. Pedro I, confirmaria os receios do avô, ao comportar-se como o pai, ao colocar o coração e a sensualidade acima do bom senso.

As ambições de D. Fernando incluíam a sua coroação como rei de Castela, pelo que o Exército Português invadiu o reino vizinho. Os motivos invocados para se considerar digno do trono de Castela residiam no facto de ser descendente de reis castelhanos, e de ser legítimo, ao contrário de Henrique II, irmão bastardo (e assassino) de D. Pedro I, homónimo do pai do monarca português, tanto em nome como em alcunhas. Outro pretexto invocado foi vingar o assassínio de Pedro de Castela, apesar de Portugal se ter mantido neutro durante as guerras civis travadas por este último, o que levou ao mordaz comentário de como os portugueses «não foram ajudar el-rei D. Pedro enquanto era vivo, e que lhe iam então ajudar os ossos depois da morte». Foi este o início de três guerras de curta duração contra Castela, conhecidas como guerras fernandinas, que devastaram povoações e as ambições de D. Fernando.

Para conseguir a aliança do Reino de Aragão contra Castela, o rei *Formoso* aceitou casar-se com uma princesa aragonesa, a infanta Leonor. Para selar o acordo de paz com os vitoriosos castelhanos, concordou em contrair matrimónio com a filha de Henrique II, outra infanta Leonor, da qual se afirmou que «nunca tão feia ousa viram». Mas D. Fernando apaixona-se por outra Leonor, D. Leonor Teles (parecia ter um fetiche por esse nome…), a sobrinha do poderoso conde de Barcelos. Mas esta já era casada com o fidalgo João Lourenço da Cunha, o que confirmará que os monarcas fazem leis, mas não as cumprem quando não lhes convêm. O casamento é anulado por uma bula do papa, favorável a D. Fernando, o que deve ter desagradado aos casamenteiros dos reinos vizinhos, que esperavam que outra Leonor fosse a próxima rainha de Portugal.

Naturalmente, o romance proibido (pela moral daquele tempo, mas não pelas leis…) não ajudou a pôr fim às guerras fernandinas, tendo Portugal sido invadido pelos castelhanos, com o apoio do príncipe D. Dinis, um dos poucos fidalgos que recusaram curvar-se perante a nova rainha. Mas quem mais se escandaliza é o povo: quando os projectos matrimoniais reais são revelados, ocorrem protestos e manifestações em Lisboa, destacando-se entre os seus líderes um alfaiate, Fernão Vasques. De acordo com eles, segundo o cronista Fernão Lopes, o romance nascido do adultério «fazia grão nojo a Deus e a seus fidalgos e a todo o povo», e que «não tomasse mulher alheia». De notar que também afirmaram que «não queriam perder um tão bom rei como ele por uma má mulher que o tinha enfeitiçado»… A culpa é sempre da mulher! Especialmente quando o homem é um governante e criticá-lo poderia levar a acusações de traição, puníveis com a morte… Em simultâneo com as de Lisboa, também ocorreram demonstrações em Leiria, Santarém, Tomar, Montemor-o-Velho, cujos dirigentes sofrem os mesmos suplícios impostos por D. Fernando aos seus camaradas da capital. D. Fernando promete ceder às exigências dos manifestantes e foge de Lisboa, casando-se de imediato com D. Leonor Teles, no Mosteiro de Leça do Balio. Quando regressa, ordena a execução do alfaiate e dos outros líderes dos protestos. É irresistível a tentação de citar um autor contemporâneo sobre o destino de Fernão Vasques: «Estão a ver o que acontece neste país a quem fala grosso, pelo povo? Quem fala fino, fica por cima.»

A Segunda Guerra Fernandina termina com a derrota dos portugueses e um acordo de paz humilhante, que mostrou ao vencido monarca a necessidade de se preparar para futuras invasões, o que o leva a ordenar a construção de muralhas em Lisboa e no Porto (as famosas Muralhas Fernandinas), a reformar o Exército e a estabelecer um tratado de aliança com Inglaterra e a travar a Guerra dos Cem Anos contra a França. Ao tomar conhecimento de tal aliança, João I de Castela ordena a invasão de Portugal em 1381. Tal como sucedeu com as duas guerras anteriores, houve a particularidade de não ter ocorrido nenhuma batalha entre os exércitos inimigos, somente escaramuças e ataques a civis mal armados ou desarmados, com o objetivo de saquear, destruir e violar (uma tradição universal praticada em quase todas as guerras da história da humanidade...), sendo a exceção uma batalha naval na costa do Algarve, na qual 12 navios castelhanos destroçaram 12 galés portuguesas. Quem sofre as piores consequências da batalha naval é a população de Lisboa, sujeita a saques, incêndios e morticínios por parte das tropas desembarcadas pela armada vitoriosa, até chegar um exército de socorro que, sem combate, afugenta os atacantes. O comandante do referido exército era um certo Nuno Álvares Pereira, que não imaginava que o seu feito viria a ser esquecido, ofuscado pela fama de novas batalhas que travará no futuro.

No dia 2 de abril de 1382, um acordo de paz assinado anteriormente com Castela é confirmado em Salvaterra de Magos. A filha e herdeira de D. Fernando, D. Beatriz, é oferecida em casamento ao rei castelhano («oferecida» é a palavra adequada: não é consultada, pois só tem 11 anos!). Se morrer antes do seu marido, este herdará o trono português, e se D. João I morrer sem deixar filhos da esposa e a irmã do dito monarca também morrer sem descendência legítima, Castela passará para o domínio português. Qualquer pessoa provida de bom senso sabia que a primeira hipótese era bem mais provável do que a segunda e que o possível filho de D. Beatriz seria castelhano e herdeiro da Coroa portuguesa, pelo que a independência do país estava em risco. D. Fernando assinou um acordo de paz desonroso e humilhante (outra tradição guerreira universal em caso de derrota esmagadora), numa tentativa de salvaguardar a existência do reino, mas que apenas adiou a anexação por Castela, além de lhe conceder legitimidade. Outra razão para D. Fernando não estar nada satisfeito é o rumor de um caso amoroso entre o negociador do Tratado de Salvaterra de Magos, João Andeiro, conde de Ourém, e a esposa, D. Leonor Teles.

E foi por causa dela que o rei de Portugal ganhou tantos inimigos, internos e externos, e perdeu popularidade!

D. Fernando morre, amargurado, aos 38 anos e a sua esposa, conhecida como «aleivosa», torna-se regente do reino. Naturalmente, o rumo dos acontecimentos políticos causou muitas frustrações e rancores entre o povo, que levariam a outra guerra, de consequências determinantes para o futuro do país. D. Fernando foi um bom administrador, mas a sua fraqueza militar perante os castelhanos e a sua fraqueza perante D. Leonor Teles explicam porque Camões, n'*Os Lusíadas*, o descreve de forma pouco lisonjeira: «Do duro e justo Pedro nasce o brando/ (Vede a natureza o desconcerto!) /Remisso e sem cuidado algum, Fernando» e, além da mais sucinta e famosa frase, «um fraco rei faz fraca a forte gente...»

༧ 1385 ༠

BATALHA DE ALJUBARROTA

Início da dinastia de Avis. Portugal salvaguarda a sua independência.

É impossível falar da Revolução de 1383-1385 sem mencionar o cronista Fernão Lopes. Não só porque foi o primeiro historiador conhecido a falar de tão importante acontecimento (já que nasceu pouco depois), como por também ter sido um dos primeiros historiadores portugueses a descrever os fatores socioeconómicos por trás dos acontecimentos políticos. Também tem o mérito de descrever a participação e sentimentos do povo, a quem chama de «arraia-graúda» (expressão ainda hoje usada) em vez de descrever a história como uma simples série de intrigas e conflitos, como se dependesse das personalidades dos comandantes militares e dos governantes, em que o povo é ignorado ou descrito como «ralé».

A descrição de D. Leonor Teles obedece aos típicos estereótipos da intriguista devassa, mas, em compensação, atribui-lhe uma certa personalidade, em vez de a encarar como uma personagem unidimensional (mais do que se pode dizer de numerosas personagens de muitos filmes e séries televisivas...). Os seus escritos possuem um elevado talento literário que o tornou num dos cronistas mais citados de Portugal.

Claro que tem defeitos, como ser tendencioso da causa portuguesa – a sua. *As Crónicas de Fernão Lopes* são a principal fonte de informações sobre a revolução iniciada em 1383.

O início da regência de Leonor Teles de Meneses foi marcado por protestos e críticas do povo, profundamente insatisfeito e disposto a aderir a uma rebelião contra os governantes. Essa situação convinha ao mestre da Ordem de Avis, D. João, filho ilegítimo de D. Pedro e de uma nobre pouco conhecida (após a morte de Inês de Castro), que conspirou com vários fidalgos a fim de desencadear uma revolta. O sinal para o seu início seria o assassínio do conde Andeiro, de Ourém, o principal colaborador da regente. Seria mesmo amante desta? Algo bastante vulgar no mundo dos poderosos e das suas alianças (às vezes cimentadas por esse tipo de relações...), mas também são frequentes boatos incorretos ou falsos, que servem para denegrir a imagem de figuras impopulares.

D. João atrai Andeiro a uma armadilha, usando como pretexto a revelação de um pretenso segredo, que não passou de um golpe de cutelo na cabeça do conde antes que Andeiro conseguisse fugir. O resto do plano consistiu num hábil golpe de relações públicas: anunciou-se a morte de D. João aos gritos de «Matam o mestre», e o povo acorre aterrorizado com tal notícia. Mas o que vê é o mestre de Avis vivo e a anunciar que quem foi assassinado foi o odiado Andeiro.

A alegria resultante da dupla boa notícia torna fácil a sua aclamação como regente do reino e leva à revolta armada. A combinação do ódio aos castelhanos com os abusos do alto clero, composto por membros de famílias nobres, logo adepto dos mesmos interesses, levou à defenestração do bispo D. Martinho de Zamora, castelhano, cujo cadáver foi alimento de cães vadios. A abundância de nobres partidários da causa castelhana deu à revolta um sabor a «luta de classes». D. João cria a Casa dos Vinte e Quatro, um conselho de 24 representantes dos mesteres (um par de cada ofício), os mesmos que se tinham revoltado com o alfaiate Fernão Vasques, sendo a revolução descrita pelo irmão de Leonor Teles como «uma sandice que levantaram dois sapateiros e dois alfaiates», com o habitual desprezo dos aristocratas pelos plebeus. Não se deve ignorar que um humilde tanoeiro convence os burgueses abastados a aderir à revolta, dizendo que só arrisca o seu pescoço, mas eles arriscam as suas fortunas e o pescoço caso não se juntem à causa popular.

As nações medievais europeias sofriam na altura importantes mudanças socioeconómicas que levaram a grandes tensões sociais, o que explica porque aderiu o povo à revolução em grande número e porque as menciona Fernão Lopes nas suas crónicas.

João I de Castela afasta Leonor Teles da política e prende-a no Mosteiro de Tordesilhas, como resposta às suas intrigas para recuperar o poder perdido. E invade Portugal sob o comando de um enorme exército, que incluía os seus aliados portugueses. Mas o exército do seu homónimo e inimigo recebe a ajuda de militares ingleses e usa uma nova tática militar, a do quadrado, que se revelará bastante eficaz.

Ocorre simultaneamente uma importante revolta camponesa, sobretudo de alentejanos, que atacam os proprietários de terras mais abastados. Não foi a única a ocorrer na Europa daquele século. A crise causada pela peste negra, entre outros fatores, levou à Jacquerie francesa e à Revolta dos Camponeses, em Inglaterra. A originalidade portuguesa reside no facto de os camponeses terem aderido a uma revolta dirigida por nobres e burgueses contra inimigos comuns. Assim, Nuno Álvares Pereira improvisa um exército rural alentejano, que derrota os invasores na batalha de Atoleiros. A vitória de D. João não trará grandes mudanças às suas vidas, mas, em compensação, não se tornaram vítimas de monarcas que lhes fizeram falsas promessas, para melhor os massacrar com requintes de crueldade, como foram os casos do rei de Navarra, Carlos, o *Mau*, com a Jacquerie, e Ricardo II de Inglaterra (irónico aliado dos rebeldes portugueses). De notar que ambos os monarcas sofreram mortes horríveis, enquanto o mestre de Avis morreu de velhice no seu leito. Não se pode dizer que os rebeldes do campo lhe tenham trazido má sorte!

Fernão Lopes não esconde a sua admiração para com os rebeldes rurais: «Era maravilha ver a coragem que lhes dava Deus e tanta cobardia aos outros que os castelos que os antigos reis não conseguiam tomar pela força das armas, apesar de os cercarem durante muito tempo, os povos miúdos mal armados e sem capitão, com os ventres ao sol, os tomavam pela força em menos de meio-dia!»

Havia ainda um terceiro João candidato ao trono: era meio-irmão do mestre de Avis e fruto do célebre romance de D. Pedro e Inês. Mas comete dois erros graves. O primeiro foi assassinar a esposa, acusando-a de dupla traição: esta teria revelado, imprudentemente, o casamento não autorizado de ambos, o que sujeitava o marido à pena de morte ou a prisão perpétua, além de lhe afirmar que «e se vós minha mulher sois, por isso ainda mais mereceis a morte por me pores os cornos dormindo com outrem».

Ao que parece, D. Leonor insinuou que ele poderia casar-se com D. Beatriz, a herdeira do trono, o que lhe despertou o desejo de se livrar da esposa, tornando tais acusações bastante convenientes. Assim perde qualquer hipótese de ser rei, mas não de ser duque de Valência, recompensa por ser leal ao rei de Castela...

João I de Castela cerca a cidade de Lisboa, sujeitando-a à fome, a qual precede e agrava sempre a peste. Ironicamente, a peste não contribui para a rendição dos lisboetas, pois espalha-se entre as hostes castelhanas com grande virulência, levando os sitiantes a regressar a Castela, derrotados pela sua própria arma.

Na famosa batalha de Aljubarrota, o exército de Castela e dos seus aliados franceses é derrotado pela tática do quadrado e pelas más condições do terreno. Nessa batalha, destacou-se a habilidade e bravura de Nuno Álvares Pereira e a valentia da Ala dos Namorados, uma secção do Exército Português assim designada por estar repleta de adolescentes demasiado jovens para se casarem, mas não para namorarem (e para combater numa guerra). A mesma batalha deu origem à famosa lenda de Brites de Almeida, a padeira de Aljubarrota que mata com a sua pá sete soldados fugitivos castelhanos, sendo ainda hoje comemorada no feriado local, a 14 de agosto (nada mau para uma plebeia, ainda por cima, tão desprovida de beleza que se disfarçou de homem na juventude!).

Os combates terminam em 1385 e, anos mais tarde, o rei derrotado morrerá num acidente de cavalo, mas o estado de guerra permanece oficial até 1411.

A força das armas não basta para alguém ser considerado monarca legítimo, pelo que D. João I recorre aos serviços do talentoso jurista João das Regras. Este questiona a paternidade de D. Beatriz, dada a «aleivosia» da viúva, e confirma a falsidade do casamento de D. Pedro e da sua amada D. Inês de Castro. Assim sendo, os dois filhos do casal eram tão bastardos quanto o seu meio-irmão, o mestre de Avis, que, no entanto, dirigiu a luta pela independência, contra a qual aqueles lutaram. Outro pormenor, pouco romântico, do desfecho do romance de Inês e Pedro: o assassino sobrevivente, Diogo Lopes Pacheco, foi leal à causa nacional, o que contribuiu para a sua reabilitação, sendo considerado inocente da morte de Inês...

D. João é aclamado D. João I de Portugal e funda a dinastia de Avis.

৵৶ 1386 ৵৶

É CELEBRADO O MAIS ANTIGO TRATADO DE ALIANÇA

Assinatura do mais antigo tratado de aliança ainda em vigor, pelo menos na Europa.

Como foi descrito anteriormente, Portugal travou várias guerras contra Castela: as três guerras fernandinas e a Revolução de 1383-1385 (na realidade finda em 1411). Numa guerra costuma ser decisivo o apoio de aliados e, neste caso, o reino mais adequado para estabelecer uma aliança era o da Inglaterra.

A famosa Guerra dos Cem Anos, entre Inglaterra e França, decorreu durante boa parte do século XV, tendo Castela apoiado a Coroa francesa. Naturalmente, a Coroa inglesa e a portuguesa selaram uma aliança por meio do Tratado de Tagilde, em 10 de julho de 1372. Curiosamente, a embaixada portuguesa da altura, cuja missão era contribuir para uma aliança contra Castela, incluía o conde Andeiro, não prevendo ninguém o seu assassínio, justamente em colaboração com Castela, em 1383. John de Gaunt, duque de Lancaster, mais conhecido, sob a forma aportuguesada, como João de Gante, duque de Lencastre, foi um dos principais ingleses responsáveis pelos contactos diplomáticos com Portugal. Gante, sendo tio do rei Ricardo II, demasiado jovem para reinar sozinho (foi coroado com dez anos apenas), era um dos mais fortes poderes atrás do trono inglês. Ter um elevado ascendente sobre um rei não era a mesma coisa que ter uma coroa, além de que o real sobrinho, que já era precoce, seria mais independente quando atingisse a maioridade. Como resultado, João de Gante planeia conseguir uma coroa à força, mas com legitimidade suficiente para não ser visto como usurpador. A coroa ambicionada era a de Castela, já que o matrimónio contraído com a filha bastarda de Pedro I (o Cruel) lhe dava direito ao trono castelhano, cujo ocupante, Henrique II, era o assassino do referido Pedro I, podendo, por isso, ser considerado usurpador. Essa fragilidade dava a João de Gante o pretexto para o depor a fim de vingar a morte do sogro, o que explicava os esforços desenvolvidos no sentido de obter um tratado de aliança e amizade com Portugal. Vencedor das lutas contra o duque de Lencastre e contra Portugal, Henrique II leva D. Fernando a fazer uma reviravolta e à assinatura de uma aliança com Castela, contra o antigo aliado inglês. D. Fernando comentará: «Que enricado estou.» Nova reviravolta, e o conde de Cambridge desembarcará em Portugal, no ano de 1381, para ajudar D. Fernando na nova guerra contra os castelhanos (o tratado de amizade e aliança entre Castela e Portugal não durou um ano sequer...).

Durante a crise de 1383-1385, o sucesso militar português convence, gradualmente, os governantes ingleses de que uma aliança com Portugal seria vantajosa para ambas as partes. Chegaram até a oferecer ajuda militar a D. João I, mais precisamente, arqueiros ingleses, cuja eficiência foi demonstrada nas batalhas de Crécy, Azincourt e Poitiers, terminadas com esmagadoras derrotas dos franceses.

A aliança seria selada a 9 de maio de 1386, por meio do Tratado de Windsor, entre D. João I e Ricardo II, sendo explícito, no pormenorizado documento assinado, que os inimigos de ambos os monarcas «e os de seus herdeiros e sucessores como seus próprios e mortais inimigos, devendo além disso evitar ter relações com os mesmos, mas antes persegui-los com todas as forças». O mesmo tratado incluía paz perpétua entre os dois reinos e, mais particularmente, a obrigação de Portugal fornecer dez galés a Ricardo II. E, não menos importante, incrementou o comércio entre as duas nações.

O Tratado de Windsor esteve em vigor, e assim continua, até aos tempos modernos, tendo recebido o apodo de «a mais antiga aliança do mundo». Infelizmente, a Inglaterra recusou-se a cumprir o tratado em várias ocasiões. Exemplificando, o Reino de Inglaterra ameaçou declarar guerra a Portugal por causa da disputa de territórios africanos, em 1890, e a ajuda prestada durante a Guerra Peninsular contra as tropas de Napoleão era muitas vezes tão prejudicial, que se pode perguntar como se teriam comportado se tivessem sido inimigos. Aquando da guerra entre D. António, prior do Crato, e Filipe II de Espanha, tropas inglesas desembarcam em Peniche para ajudar o prior contra o inimigo comum. Facilmente derrotados, os ingleses fogem, gerando assim uma expressão para designar os falsos amigos: «amigos de Peniche».

Uma aliança política e militar entre dois Estados foi, durante milénios, um ato selado por meio de uma «aliança» matrimonial, isto é, um casamento entre membros das famílias reinantes. O Tratado de Windsor não foi exceção e, em 1387, D. João I casa-se com a filha de Gante, Philipa of Lancaster, doravante conhecida como D. Filipa de Lencastre.

O casamento real é considerado um dos mais importantes da história das famílias reais portuguesas e um dos mais vantajosos, uma vez que os valores militar, político e empresarial dos filhos resultantes da união estão acima do seu tempo. O exemplo mais famoso é o do infante D. Henrique, o principal responsável pela epopeia dos Descobrimentos. E os créditos da educação dada aos filhos do casal real ainda são hoje atribuídos a D. Filipa de Lencastre, uma homenagem a uma mulher admirável que soube mostrar que a falta de cargos políticos não a impediu de dar uso aos talentos que possuía.

Graças a *Os Lusíadas*, de Camões, os filhos de D. João I e de D. Filipa, passaram a ser conhecidos como «a Ínclita Geração». Expressão existente nos seguintes versos: «Mas para defensão dos Lusitanos/deixou quem os governasse/e aumentasse a terra mais que dantes/ínclita geração, altos infantes.»

৵ 1415 ৵

CONQUISTA DE CEUTA

*A conquista da cidade marroquina de Ceuta marcou o início
da expansão portuguesa, os Descobrimentos.*

Ceuta era uma cidade marroquina próspera, «a flor de todas
as outras terras de África», segundo diziam na época. Possuía
grandes hortas e pomares e era um majestoso centro comercial
onde os europeus vendiam cobre, armas, madeira, laca, frutas
algarvias, etc., e os comerciantes locais vendiam couros, açúcar,
têxteis e ouro. A abundância de moedas marroquinas em Portugal
era um sinal da intensidade desse comércio.

D. Duarte, D. Henrique, D. Pedro, filhos de D. João I, queriam
ganhar e merecer o título de cavaleiros, mostrando a sua valentia
e destreza em combate. Embora os torneios servissem para tal
objetivo, havia outro meio mais digno e honroso de acordo com
a mentalidade da época, que era a guerra, especialmente se o inimigo fosse mouro e não cristão.

Claro que uma guerra não é causada por motivos tão fúteis
como a impetuosidade de jovens «mimados» por um pai poderoso.

Havia nobres que queriam continuar a guerra com Castela,
oficialmente terminada em 1411, mas a conquista de Ceuta parecia ser um alvo mais atraente, por questões económicas e de
segurança. Permitiria bloquear a possível invasão da Península
Ibérica por exércitos mouros, à semelhança dos almorávidas e
almóadas, adversários duros de roer. O Magrebe era um viveiro
de piratas e corsários que atacavam constantemente os navios
cristãos, cujos bens incluíam os próprios cativos que, se não eram

libertados em troca de um resgate, eram vendidos em mercados de escravos, sendo clássico o exemplo das mulheres destinadas aos haréns.

Havia muitos veteranos da guerra contra Castela e era preciso arranjar-lhes combates, pelos quais ansiavam, caso contrário havia o risco de recorrerem ao banditismo ou de levarem o país à anarquia. A diferença entre um guerreiro e um bandido é o uniforme, dizia um milenar ditado popular.

Muitos *mancebos fidalgos* (jovens aristocratas) queriam ter o seu batismo de guerra e provar o seu valor militar perante os veteranos de 1383-1385. Havia o risco, aliás, de os jovens irem guerrear no estrangeiro ou no próprio reino, ou pelo menos D. João I assim o receava. A conquista portuguesa de Ceuta impediria que os Castelhanos invadissem o Magrebe e se tornassem os seus senhores em vez dos portugueses.

Tal conquista não foi decidida de ânimo leve. O enfraquecimento dos reinos magrebinos favoreceria Castela, que tencionava conquistar Granada, o último reino islâmico da Península, pois este ficaria desprovido de uma base de apoio.

Mil quatrocentos e catorze foi um ano de más colheitas agrícolas em Marrocos, e D. João proibiu a venda de todo o tipo de alimentos à região, bem como de armas e de metais que pudessem ser usados para as fabricar (aço, ferro...). Evidentemente, queria um reino enfraquecido para facilitar ou até possibilitar o sucesso da empresa.

A conquista da cidade foi rápida: uma frota de mais de 200 embarcações e cerca de 50 000 homens chegou a Ceuta em 20 de agosto e atacou no dia 21, tendo os combates durado apenas um dia, com uma vitória portuguesa. Não admira tal rapidez, sabendo que a conquista era planeada desde 1409.

O saque (ouro, jóias, prata e mercadorias) foi levado e os três filhos do rei foram nomeados cavaleiros na mesquita principal. depois de convertida numa igreja, logicamente.

Mas os motivos que levaram à decisão de conquistar a cidade permaneciam. Era certo que os mouros iriam tentar reconquistar a cidade por meio de ataques armados (o primeiro ocorreu em 1418) e recorrer mais ao corso e pirataria contra o reino, especialmente contra o Algarve. Como resultado, as despesas de manutenção do domínio da cidade iriam ser superiores aos rendimentos que traria, um problema agravado pelo facto de os mouros terem transferido as rotas comerciais para outras cidades, pelo que Ceuta perdeu a sua importância económica.

Houve debates sobre se a cidade deveria ser abandonada ou mantida. Mas os motivos militares para conquistar a cidade permaneceram atuais, pelo que Ceuta continuou sob domínio português. O mais famoso de tais motivos era o desejo de conquistar o Magrebe, embora o projeto tenha sido adiado, devido à falta de meios. Não esquecer que Azurara escreveu a sua crónica no reinado de D. Afonso V, chamado o *Africano* por causa das suas conquistas nessa região.

Houve quem dissesse que era indigno de um rei atacar uma cidade e matar «uns poucos mouros velhacos» só para a saquear, algo ao nível de um corsário. Em suma, a preocupação com a boa imagem dos governantes numa guerra era muito importante, sendo na altura uma «tradição» antiga e que até hoje pouco mudou...

O desejo de expandir o reino e de ter acesso a trocas comerciais lucrativas falhou no Norte de África, decidindo-se *a posteriori* enveredar por um caminho alternativo: o das viagens marítimas.

℘ 1422 ℘

DA ERA DE CÉSAR À ERA DE CRISTO

Quem nasceu antes desse ano, «envelheceu» 38 anos de uma vez.

A Idade Média é considerada uma época de grande religiosidade cristã na Europa, o que amplia a ironia de Portugal não ter recorrido ao calendário cristão ao longo dessa época, exceto nas duas últimas décadas.

Augusto, herdeiro de Júlio César, e verdadeiro fundador do sistema imperial romano, declarou publicamente a Hispânia como pacificada em 38 a. C., depois de, no ano anterior, numa campanha militar ter derrotado os cerrenos, um povo local. Para comemorar a imposição da «paz romana» a toda a Península Ibérica, foi anunciado um novo imposto geral...

Desde então, na Hispânia, a contagem dos anos passou a ser feita a partir do ano 38 a. C., ano em que também o ainda não imperador Augusto, conhecido pelo seu verdadeiro nome (Octávio), recebeu a administração desse território.

A importância do ano 38 a. C. era muito artificial e forçada: os ástures e cântabros continuaram a lutar contra as legiões romanas até ao ano 19 a. C....

Correta ou não, uma teoria explica a origem da palavra «era» como proveniente da palavra romana/latina *as* (ou *aes*), nome dado a uma moeda romana feita de cobre e, como tal, de baixo valor, sendo *aera* o seu plural, e *era* a sua pronúncia. Assim, essa nova fase da história da Hispânia, cujo verdadeiro início deveria ter começado no ano da derrota dos cântabros e ástures, era conhecida como era de César, pois Augusto tinha o título de César, bem como todos os imperadores de Roma que se seguiram.

Também conhecida como era hispânica, uma vez ser somente utilizada pelos povos da Hispânia, a partir do século III, à exceção dos mouros, que utilizavam o calendário islâmico, começando a contagem dos anos no equivalente ao ano da Hégira de 622 a. C.

Uma vez que as restantes nações da cristandade contavam os anos a partir da alegada data do nascimento de Jesus Cristo (alegada, pois descobriu-se que o monge se enganou nos cálculos, pelo que o início da era cristã também se baseia num erro...), ocorriam confusões e mal-entendidos com os restantes europeus. Como resultado, muitos séculos antes de se falar em integração na comunidade europeia, os reinos ibéricos adotaram o calendário cristão: Catalunha, no ano 1180, Navarra em 1234, Aragão em 1350, Valência, em 1358 e o Reino de Castela e Leão, até 1387.

Portugal foi o último reino ibérico a adotar o calendário cristão, devido a um decreto de 16 de agosto de 1460 que proclama o ano em questão como o de 1422. Adequado que o autor tenha sido o monarca D. João I, iniciador de uma nova era de mudanças radicais em Portugal. Simbólico que a adesão de Portugal ao novo calendário tenha sido tão tardia. Curioso que a era de Cristo tenha sido adotada por um monarca homónimo do mesmo que a adotou no Reino de Leão e Castela (João I). E irónico que um país célebre pelo seu catolicismo só tenha passado a utilizar oficialmente a expressão «no ano do nascimento do Nosso Senhor Jesus Cristo...» nas duas últimas décadas da Idade Média, uma época célebre pela sua devoção ao cristianismo (ainda que estereotipada)!

Saber de tal mudança na contagem dos anos possui importância para quem estuda história: quem consultar documentos históricos anteriores a 1422, estará a utilizar textos em que se aplicam datas da era de César, pelo que deverá remover 38 anos (e 11 dias), para converter as datas antigas aos seus equivalentes da era cristã.

É provável, ou antes, quase certo, que o acréscimo de 38 anos às datas em questão poderá ter gerado confusões, erros, fraudes e partidas relativamente às idades dos nascidos antes de 1422...

ᔰ 1425 ᔱ

INÍCIO DA COLONIZAÇÃO
DAS ILHAS DA MADEIRA

A natureza virgem é substituída pela civilização humana.

O arquipélago da Madeira já era conhecido entre uma minoria culta (e entre alguns marinheiros, provavelmente) quando os Descobrimentos tiveram início. Os romanos chamavam-lhes ilhas Púrpura, e uma teoria defende que as ilhas onde Sertório queria instalar bases, a julgar pela distância referida pela biografia de Sertório (*Vidas Paralelas*, de Plutarco), talvez sejam as da atual Madeira.

Plínio, *o Velho*, o maior naturalista romano do seu tempo (o que morreu sufocado na famosa erupção do vulcão Vesúvio), descreve como o rei Juba da Mauritânia, em África, vassalo de Roma, enviou uma expedição no I século a. C. ao oceano à procura de ilhas cuja existência era suspeita mas não comprovada, sendo bem-sucedido. A uma ilha foi dado o nome de Nivaria, por causa da neve nas suas montanhas (neve = *nivis*), e a outra Junónia, devido às numerosas pombas locais (*Columba junoniae*, como se diz em latim), respetivamente as atuais Tenerife e Funchal. Embora Plínio tenha relatado muitos factos verídicos, as suas histórias devem ser analisadas com reserva, uma vez que relatou mitos populares, acreditando serem factos (como as avestruzes esconderem a cabeça na areia, ainda hoje uma crença popularíssima...).

Em 1418, os navegadores João Gonçalves Zarco e Tristão Vaz Teixeira desembarcam na Madeira, e os seus relatórios levarão o infante D. Henrique a iniciar um projeto nunca dantes realizado: a colonização do arquipélago, iniciada em 1425. Deve dizer-se que a Coroa portuguesa tinha algo que os raros viajantes anteriores não tinham: necessidade de fazer viagens regulares ao Sul de África, pelo que a Madeira e mais tarde os Açores serviam de portos seguros para os navegadores, o que implicava a sua colonização.

Zarco, um dos primeiros colonos e governantes madeirenses, explora as terras recém-redescobertas e faz descrições interessantes.

As aves descritas pelos exploradores eram «tão mansas por não terem visto homens que as tomavam à mão» e incluíam andorinhas, cucos, estorninhos, garças, gavinas, poupas, lavandeiras, tentilhões, perdizes, o açor (a mesma ave de rapina cuja abundância no arquipélago dos Açores explica a razão do nome atribuído), entre muitas outras espécies. A abundância de funcho numa zona da ilha principal leva os exploradores a alcunhá-la de Funchal (campo de funcho), atualmente uma cidade com o mesmo nome.

Como bem se sabe, o arquipélago, e a ilha principal, deve o seu nome à abundância de árvores, logo de madeira, aí existentes. Camões escreve, nos seus *Lusíadas*, «passamos a grande Ilha da Madeira,/Que do muito arvoredo assim se chama;/Das que nós povoamos a primeira,/Mais célebre por nome do que por fama» (Canto V).

Tão abundantes que os exploradores fizeram um incêndio na ilha do Funchal para arrotear terras, incêndio que teria durado nove anos, ou sete ou seis, de acordo com os cronistas. A extensão temporal do incêndio soa excessiva, especialmente porque na Madeira as chuvas abundam e uma seca intensa e prolongada na altura teria dificultado consideravelmente a colonização da ilha, o que teria sido registado pelos cronistas. E não foi. Além de que um incêndio que durasse anos teria feito a madeira escassear, algo incómodo para os colonos necessitados desta para fabricar as suas construções e ferramentas. Se uma afirmação parece espantosa demais para ser verdade, sem provas sólidas, então frequentemente é mesmo boa demais para ser verdade. O que é mau o suficiente para ser verídico é o facto de a floresta virgem ter sido substituída por uma paisagem semidesertificada, por meio da ação humana. E dos coelhos introduzidos pelos humanos, tendo proliferado tanto que rapidamente se tornaram numa praga (os coelhos, embora também se possa dizer o mesmo dos humanos).

Repare-se numa pequena ironia: a Madeira foi comparada ao Jardim do Éden pelos mesmos colonizadores portugueses que destruíram boa parte da natureza virgem, ao ponto de, segundo uma história popular, verdadeira ou não, terem batizado as primeiras crianças nascidas ali com os nomes de Adão e Eva, filhas de Gonçalo Aires Pereira.

A história da Madeira não é provida de grandes acontecimentos militares nem políticos, que alguns consideram sinal de que a vida era aborrecida, esquecendo-se que implica uma esperança de vida média mais longa (nunca ninguém morreu de tédio, apesar das expressões populares). Houve exceções como os corsários franceses que saquearam as ilhas em 1566.

As ilhas da Madeira são divididas em capitanias, territórios governados pelos chamados capitães donatários, cuja autoridade era quase absoluta, em grande parte devido ao afastamento da Metrópole e ao reduzido número de habitantes, diminuindo à medida que a população aumentava e, como consequência, os contactos com o Continente.

Inicialmente, os colonos da Madeira dedicam-se à produção de trigo, o qual era exportado para a Guiné, por imposição régia, para fins comerciais com os africanos. Uma medida impopular entre os produtores locais, compreensivelmente interessados em exportar a quem mais lhes aprouvesse, de preferência, quem pagasse mais. No entanto, a produção de trigo acaba por se tornar deficitária a partir da década de 1460, devido a razões das quais a mais importante é a concorrência da cana-de-açúcar, responsável pelo decréscimo da área destinada à cultura do trigo, e da sua transferência para terrenos menos férteis, apesar do engenho dos agricultores, que recorreram a variedades menos exigentes, como o trigo-anafil, além de intensificar a cultura do centeio.

A produção açucareira torna-se a principal atividade económica madeirense, ao ponto de contribuir para que o açúcar passe a ter um consumo mais universal e menos destinado às elites. Dantes, era um medicamento (mezinha) vendido pelos boticários, e graças à produção da Madeira converte-se num produto comum, embora o açúcar branco local tenha um preço superior ao das regiões produtoras do resto do mundo atlântico, devido à fama da sua elevada qualidade (uma arroba valia 1800 réis no Funchal e no Brasil somente 800). De notar que muitos madeirenses instalaram-se noutras ilhas do oceano Atlântico, como António de Matos, que introduziu a cana-sacarina em Cuba, em São Tomé, nas Antilhas, etc., além do Brasil.

A produção sacarina irá decrescer no século XVI, entrando em franca decadência, iniciada na década de 1530, por diversos motivos: a concorrência das outras ilhas produtoras já referidas, o esgotamento dos solos, pragas como ratos e o bicho da cana *(Nonagria sacchari)*. E as vinhas e a produção de vinho tornar-se-ão as principais novas atividades económicas madeirenses, sendo o vinho da Madeira ainda hoje reputado e respeitado pela sua qualidade.

Uma das vantagens sociais da substituição da cana-de-açúcar pela vinha foi o fim da escravatura na Madeira, em termos práticos ainda que não legais, excetuando alguns criados dos mais abastados. Pois os engenhos utilizados para extrair o açúcar da cana exigiam mão de obra capaz de suportar tarefas árduas e arriscadas, o que tinha levado à importação de negros e mouros de África, bem como de «canários» vindos de outro arquipélago, o das Canárias. Nos séculos XV e XVI, a proporção de negros madeirenses era a de uma minoria considerável, sendo maioritariamente escravos, e os restantes alforriados.

Apesar da abundância de negros e mulatas na Madeira durante a época da escravatura, estes tornaram-se quase inexistentes gerações depois do fim da indústria sacarina, o que significa que a diversidade étnica e as «mulatas sensuais» existentes no Brasil não são grandes motivos de orgulho luso, dada a sua origem.

᭓᭓ 1431 ᭓᭓

MORRE NUNO ÁLVARES PEREIRA

Esperança consumada,/ Portugal em ser,/Ergue a luz da tua espada/Para a estrada se ver (Fernando Pessoa, in *Mensagem).*

Que ser humano nunca sonhou tornar-se um herói das histórias de aventuras que deleitaram a sua juventude? Nuno Álvares Pereira era um grande admirador dos romances de cavalaria, equivalentes, na sua época, aos filmes de ação de hoje, especialmente os do rei Artur, da Távola Redonda. Galaaz, ou Galahad, o único a conseguir encontrar o Santo Graal, por ser o mais nobre e virtuoso dos cavaleiros de Camelot, era o favorito do jovem idealista, ao ponto de ser chamado pela mãe de «meu pequeno Galaaz».

O pai concordou com as suas ambições militares e treinou-o, desde cedo, nas artes da cavalaria, na qual foi ordenado com apenas 13 anos! O jovem idealista, ao que parece, gostaria de ser um cavaleiro tão valente e virtuoso como Galaaz, e ambicionava respeitar o código de cavalaria, muito pregado, mas, e ainda mais, ignorado. Supostamente, quis manter-se casto, mas com isso já o pai não concordava, ordenando-lhe que se casasse, aos 16 anos, com uma viúva rica (naquela época, quem quisesse manter-se casto até ao casamento, não incluiria o tempo de espera entre os sacrifícios de tal tradição/decisão). Como a noiva era jovem, não foi difícil obedecer às ordens paternas e, depois de «tomar honestamente prazer com a sua mulher», tem três descendentes, dos quais só D. Beatriz chega à idade adulta.

É preciso ter em conta que a origem de Nuno Álvares Pereira era embaraçosa, mesmo para os padrões modernos: o pai, D. Álvaro

Gonçalves Pereira, prior dos Hospitalários de Portugal, era um clérigo pouco pudico, pai de 33 filhos e filhas ilegítimos, de diferentes mães, o que talvez explique o desejo do jovem de ser um cavaleiro exemplar, ao contrário do pai.

Quando o mestre D. João de Avis inicia a Revolução de 1385, não podia obter um combatente mais dedicado do que Nuno Álvares Pereira. Este podia, agora, lutar pela salvação do seu reino, tal como como Galaaz lutara por Camelot.

É descrito como um homem tão devoto que rezava antes de cada combate. Também proibia os soldados e oficiais de levarem mulheres para os acampamentos e de se dedicarem ao jogo e a outros prazeres condenáveis, muito populares, até na Idade Média. Além de proibir a prática de brutalidades e abusos contra civis, afirma-se que tratava soldados como camaradas e não como servos, algo invulgar ainda hoje, o que é credível, sabendo que ele era um comandante militar de talento, e ganhar a popularidade e respeito dos soldados contribui bastante para o sucesso nos campos de batalha.

Por outro lado, João I de Castela era um monarca típico, cujo exército se abastecia em território inimigo à custa de pilhagens. Em 1385, as vitórias portuguesas causaram a morte ou exílio aos aliados portugueses de Castela, e para compensar tais faltas, e vingar as derrotas sofridas, ordena o corte indiscriminado de mãos e línguas, incluindo de jovens e de mulheres.

Antes da batalha de Aljubarrota, os portugueses foram atacados por um grupo de castelhanos, fugindo algumas dezenas para o mato, onde foram massacrados, visão que convenceu os outros da inutilidade da fuga: «Antes morrer como homens do que acabar como porcos.»

Vários nobres castelhanos e portugueses pró-Castela pereceram na batalha, incluindo o prior dos Hospitalários portugueses, irmão de Nuno Álvares. Os gritos de «já fogem» parecem estimular mais fugas do exército derrotado, pelo que o cronista Fernão Lopes escreve, presume-se que com um sorriso malandro, que os castelhanos não queriam que os seus adversários fossem mentirosos.

Nuno Álvares é recompensado por D. João I com o título de condestável (uma espécie de generalíssimo medieval), terras e outros bens, que este distribui pelos companheiros de armas, levando a protestos populares já que tal distribuição de riquezas fortaleceria o poder dos nobres feudais, uma importante fonte de potenciais conflitos. O Condestável sente-se insultado perante a mudança da opinião do rei e anuncia que abandonará o reino. D. João I confirma as recompensas dadas e o seu apreço ao orgulhoso comandante, pois as incursões castelhanas continuam por vários anos, mesmo com a morte violenta e acidental de João de Castela. De qualquer maneira, nota-se que as numerosas virtudes de Nuno Álvares Pereira não incluem uma visão de futuro, nem a consciência das desvantagens do sistema feudal, numa altura em que este estava em decadência.

O culto a São Jorge tinha sido introduzido pelos mercenários ingleses envolvidos nas guerras fernandinas. É natural que a bandeira da cruz de São Jorge, com uma cruz vermelha sobre fundo branco, seja adotada pelo Exército Português, graças a um leitor ávido dos romances da «Távola Redonda»: Nuno Álvares Pereira!

Após a participação na conquista de Ceuta, o Condestável oferece todos os seus bens aos necessitados, familiares e criados, e decide entrar para um mosteiro, com o nome de Nuno de Santa Maria, escolhendo viver com a mesma humildade desconfortável dos monges (os que são honestos), embora optando pelo hábito de donato, um estatuto inferior ao de frade, abaixo do de monge. Tão elevada devoção religiosa é muito glorificada pelas histórias de cavalaria, mas é pouco praticada... Seria uma penitência por pecados passados, pessoais, ou paternos? Certo é que pede que rezem missas anuais pela sua alma, bem como pela dos pais, que lhe deram um nascimento ilegítimo, tal como o do seu herói Galaaz, algo que deve ter contribuído para o considerar seu modelo... Quanto ao estado de celibato, foi adquirido com a morte natural da mulher.

Morre em 1431, aos 71 anos, sendo canonizado em 2009.

Uma das principais fontes sobre a vida de São Nuno Álvares Pereira é a *Crónica do Condestável*, de autor anónimo, exageradamente elogioso, dado este na altura não ser santo oficial. Mas as únicas fontes disponíveis da vida do Condestável não apontam aspetos desagradáveis do seu caráter. O irreverente escritor e poeta Júlio Dantas procura dar uma má impressão de Álvares Pereira, afirmando que a sua reputação não passaria de propaganda para enganar o povo crédulo. Contudo, os métodos utilizados para provar o seu ponto de vista recorrem mais a insultos do que à razão: tendo Dantas dito que a «pouca barba» de Nuno Álvares Pereira era «característica em degenerados» e ridicularizado a sua aparência física, apesar da ausência de retratos fidedignos do Condestável, não admira que não tenha sido levado a sério!

❦ 1434 ❦

GIL EANES DOBRA O CABO BOJADOR

Um importante obstáculo às viagens dos Descobrimentos
é ultrapassado.

Durante milénios as diversas regiões do globo estavam tão afastadas umas das outras que existiam as mais diversas crenças sobre terras desconhecidas. Acreditava-se que os mares dessas regiões eram povoados por bestas marinhas perigosas, que as águas ferviam em certas zonas e que noutras existiam redemoinhos ou correntes tão fortes que impossibilitavam a navegação. Um livro sobre seres fantásticos existentes no «mundo desconhecido» descrevia arrepiantes espécies humanas, como tribos cujos membros eram desprovidos de cabeça, estando a face no peito (os leitores devem ter feito bastantes piadas sobre as mulheres das tribos em questão), ou homens com uma só perna, provida de um pé tão descomunal que servia de guarda-sol quando se levantava a perna. Quantas pessoas compraram o livro por hilaridade, e não por credulidade?

Não que os outros povos fossem mais esclarecidos: por exemplo, a avançada civilização chinesa acreditava estar no centro do mundo, que fora desta só existiam zonas povoadas por selvagens, e governar a China, era considerado o mesmo que governar o mundo. Leia-se as *Viagens de Sinbad, o Marinheiro,* pertencentes às célebres *As Mil e Uma Noites*, histórias fictícias inspiradas pelos mitos que abundavam entre os árabes e persas islâmicos, relativos a terras longínquas, como cavalos-marinhos (cavalos mesmo!) devoradores de éguas, após a cópula estar consumada, ou uma sociedade matriarcal onde a morte de uma mulher casada implicava o sacrifício do marido (Sinbad velava muito pela saúde da mulher local com quem se casou...).

Uma carta de credibilidade duvidosa descrevia um reino cristão nas Índias, governado por um tal Preste João, sendo descritas riquezas incomparáveis e maravilhosas, como fontes da juventude («sabei que fomos concebidos e abençoados no seio da nossa mãe há 562 anos», escreveu o suposto Preste João!), centauros, gigantes, etc. Os crédulos europeus ficaram fascinados com essa personagem, e mesmo os mais racionais acreditavam que podia existir, ainda que sem as maravilhas sobrenaturais descritas. Afinal, tão poderoso reino seria um precioso aliado contra os muçulmanos, que invadiam a Europa para conquistar ou pilhar havia séculos (as cruzadas foram um empreendimento criminoso, mas não desprovido de motivo). Para não mencionar que seria mais fácil comerciar com povos da mesma religião, naturalmente.

Não era fácil nem barato negociar com as nações da Ásia, com os muçulmanos como intermediários obrigatórios, especialmente com guerras tão frequentes contra eles, e os produtos importados da Ásia, como as especiarias, sedas, cerâmica, e muitos outros, além dos produtos africanos, como ouro e marfim, sempre foram raros, logo caros, na Europa, durante gerações (afirma-se que um quilo de seda valia um quilo de ouro no Império Romano).

Por todos estes motivos económicos e militares, além de missionários, já que havia muitos povos pagãos que podiam ser evangelizados (crença correta, para variar), muitos europeus ambicionavam explorar as partes desconhecidas do globo, e descobrir rotas comerciais alternativas para a lendária e próspera Índia, não controladas por muçulmanos. E não seriam humanos se não estivessem curiosos por saber se tantas histórias fantásticas eram verídicas!

Catalães e italianos, como os irmãos Vivaldi, de Génova (a cidade de Colombo e Marco Polo), povos com marinheiros experientes, tentaram navegar pelos mares da costa africana. Sem sucesso.

Portugal tinha condições para fazer viagens marítimas para alcançar tais objetivos. Era um reino com forte tradição naval, tinha acesso aos conhecimentos dos antigos conquistadores mouros, que incluíam cartografia, navegação no mar e astronomia (conhecer a posição das estrelas era essencial para fazer viagens, incluindo terrestres, numa época em que não existiam bússolas fora da China), possuía uma posição geográfica bastante favorável ao comércio internacional e para viagens de exploração da vizinha África precisava de ter acesso comercial às riquezas provenientes de África e da Ásia, desde que a tentativa de dominar as rotas comerciais de Ceuta se tinha revelado um fracasso.

Outro fator determinante eram os governantes certos no lugar certo e na altura certa, destacando-se o infante D. Henrique, cujas capacidades de organização, empreendedorismo, espírito de iniciativa e determinação o converteram na figura responsável pelas viagens que, merecidamente, foram conhecidas como Descobrimentos. Tendo sido um dos responsáveis pela conquista de Ceuta, é fácil imaginar que não quisesse dar-se por vencido.

O primeiro obstáculo à navegação nos mares africanos era o cabo Não («quem passar do cabo Não tornará ou não»), ultrapassado em data desconhecida. O cabo Bojador revelou-se muito mais difícil, como é demonstrado pelas 15 tentativas fracassadas de o passar, realizadas em 15 anos, resultantes dos perigos causados por um recife que se estendia pelo mar ao longo de quatro ou cinco léguas, além de correntes marítimas muito fortes.

Um dos navegadores que tentaram tal feito sem sucesso foi o escudeiro do infante D. Henrique, Gil Eanes. Desejoso de se redimir aos olhos do seu senhor, e de ser recompensado por isso, faz nova viagem e dobra o Bojador em 1434, trazendo consigo exemplares da flora a sul do cabo a que se deu o nome de rosas de Santa Maria. O escudeiro nascido em Lagos provou que não era um marinheiro de água doce, e o sucesso alcançado permite-lhe comandar nova expedição mais a sul, onde chegou a um lugar a que deu o nome de Angra dos Ruivos, em homenagem aos peixes assim designados, pescados em abundância (atual Garnet Bay).

Lamentavelmente, um dos produtos comerciais mais procurados pelos exploradores portugueses eram escravos locais. Já tinham sido capturados habitantes das ilhas Canárias, mas os castelhanos conseguiram ser reconhecidos como os proprietários do arquipélago, logo levando à extinção dos «canários», pertencentes ao mesmo grupo étnico que os berberes (considerados brancos durante gerações).

Os marinheiros enviados pelo infante D. Henrique desencadeiam ataques à chamada «Terra dos Negros», bem como aos mouros existentes mais a norte, capturando escravos. Estes, contudo, não eram mansos como cordeiros, e dois colaboradores próximos do infante, Gonçalo de Sintra e Nuno Tristão, são mortos pelos mesmos nativos que visavam atacar, ou que atacaram, o primeiro em 1444 e o segundo em 1446, levando o infante D. Henrique a proibir ações violentas contra os negros. Como os negros, árabes e berberes locais também se dedicavam a capturar escravos negros, bastou aos portugueses comprá-los, atividade muito menos arriscada.

Gil Eanes torna ao continente em 1444, aproveitando a autorização do infante concedida aos capitães que quisessem regressar, com a alegação de o seu navio ser frágil e o inverno estar próximo. Não existem menções nas crónicas de feitos posteriores do navegador.

Dobrar o cabo Bojador significou que as explorações marítimas eram possíveis, bem como economicamente viáveis, graças ao marfim, ouro e escravos comprados aos reinos e tribos a sul do referido cabo. Além disso, pôs fim a muitos mitos absurdos, dantes levados a sério. Contudo, o lado negativo deste empreendimento foi o início do comércio de escravos africanos em grande escala, por parte dos europeus, quando até então era uma atividade principalmente praticada pelos árabes.

ᘓ 1446 ᘖ

O PRIMEIRO CÓDIGO LEGAL DO PAÍS

Cerca de 300 anos após a sua fundação é publicado o primeiro código legal do país: As Ordenações Afonsinas.

O reinado de D. João I é considerado revolucionário e o início da transição da Idade Média para a Idade Moderna. Em termos de legislação e direito, também foi o início de sérias mudanças, por meio da primeira compilação das leis existentes no reino, sendo a tarefa levada a cabo por jurisconsultos como Rui Fernandes, tendo este último feito parte de uma comissão encarregada de rever o trabalho realizado.

O trabalho não era fácil, num país onde a legislação era muito desorganizada, onde a «lei» consistia essencialmente na palavra e nos caprichos dos poderoso, lado a lado com os costumes, tradições e regras religiosas, o que, aliado a muitas outras dificuldades, arrastou a compilação ao longo de décadas, não tendo sido completada no reinado seguinte, o do seu filho D. Duarte, mas somente no reinado do neto, em 1446, isto é, foram necessárias cerca de três décadas para criar o primeiro código legal de Portugal.

A expressão «ordenações» era o nome dado a um conjunto ou coleção de ordens, sendo «ordem» o equivalente na época da palavra «lei», o que, aliado ao facto de a conclusão das primeiras ordenações de todo o Reino português ocorrer no reinado de D. Afonso V, explica o nome pelo qual é conhecido. Por outro lado, ordenamento significa organizar, pôr em ordem, precisamente o que foi feito com as leis portuguesas.

Claro que o nome oficial era mais complexo: «Código e ordenações d'el-rei D. Afonso V», embora este ainda fosse demasiado jovem para ser responsável pela conclusão do trabalho.

Organizadas em cinco livros, cada um subdividido em títulos e parágrafos, as Ordenações Afonsinas continham influências do direito romano e canónico, além do Código das Sete Partidas, o código legal de Castela. O Livro I descreve a elaboração das ordenações ao longo dos anos, sendo o mais extenso. O Livro II descreve os privilégios eclesiásticos e da nobreza, os direitos régios e a sua cobrança, a jurisdição dos donatários e as leis destinadas aos mouros e judeus a viverem no reino. O Livro III trata essencialmente do processo civil. No Livro IV estão os assuntos relacionados com o direito civil da época (regras relativas aos testamentos, contratos, aforamento de terras). O Livro V trata dos crimes e das respetivas punições, ou seja, do direito penal.

É preciso ter em conta que a divisão das Ordenações em cinco livros foi fruto das iniciativas do clérigo D. Francisco Rafael de Castro, reitor e reformador da Universidade de Coimbra, responsável pela decisão de as publicar em 1792, para as tornar mais acessíveis ao público interessado.

Os principais objetivos da compilação das Ordenações Afonsinas eram a uniformização das leis, até então demasiado desorganizadas e variáveis, e evitar, ou reduzir, os abusos dos poderosos. No entanto, devia ser uma tarefa demasiado exigente e os encarregados sujeitos a demasiadas limitações, já que as décadas de trabalho não impediram que possuísse lacunas, mas conseguiram que o novo código legal não fosse inferior ao de várias outras nações europeias.

Em 1521, o código legal é oficialmente alterado por ordem de D. Manuel I: são as Ordenações Manuelinas, as quais consistem basicamente num aperfeiçoamento das Ordenações Afonsinas (erradicação das leis e normas revogadas, redação mais concisa), levando a suspeitas de que o monarca decidiu essas alterações mais para elevar a importância ao seu reinado do que para atualizar a legislação. Por outro lado, era necessário atualizar a legislação relativa às questões marítimas, pois os Descobrimentos assim o exigiam.

D. Filipe I ordenará uma nova reformulação do conjunto das leis portuguesas, mas só serão anunciadas em 1603, no reinado do seu sucessor, D. Filipe II. Diga-se de passagem que as inovações filipinas serão modestas em comparação com as Ordenações anteriores, sendo válidas até à criação do Código Civil de 1867, em Portugal, e do Código Civil de 1916, no Brasil.

ᔨ 1481 ᔨ

INICIA-SE O REINADO
D' O PRÍNCIPE PERFEITO

*D. João II, é perfeito em termos de estadista, não tanto
em termos éticos...*

Não se pode falar do reinado de D. João II sem falar do reinado do seu pai, D. Afonso V, um homem antiquado que ainda defendia o código de cavalaria medieval, na altura em desuso. Foi um dos motivos que levaram o monarca a desencadear expedições ao Norte de África, onde conquistou cidades como Tânger e Arzila, merecendo assim o apodo de *Africano*, à maneira da Roma antiga (e não medieval...).

Outra iniciativa de D. Afonso V foi declarar guerra a Castela, dividida por uma guerra civil, para defender o direito ao trono e a honra da princesa Joana, alcunhada pejorativamente de *Beltraneja*, acusada de ser filha ilegítima do pajem Beltran e não do rei Henrique IV, *o Impotente*. Claro que tais acusações e insultos provêm da irmã de Henrique, Isabel, que almeja ser a rainha do país, e do marido, Fernando, rei de Aragão, visando unirem ambos os seus reinos num só – Espanha.

A guerra dura anos, mas foi na batalha de Toro (1479), onde qualquer possibilidade de triunfar fracassa, ao ser derrotado por Isabel e Fernando, apesar de não ter acontecido o mesmo com as tropas lideradas pelo príncipe D. João. E ainda comete diversos erros que o fazem perder a confiança e apoio dos partidários castelhanos que dispunha até então. Como deixar-se enganar pelas falsas promessas de Luís XI, rei de França, impiedoso e manipulador.

Outro erro é a sua ingratidão para com Duarte de Almeida, *o Decepado*, veterano de Toro, onde os inimigos lhe cortaram as mãos com que empunhava o estandarte real. Almeida agarrou o pano do estandarte com os dentes mas foi capturado. Depois da batalha, os castelhanos e aragoneses trataram-no como um herói e adversário digno e valoroso, o que deve ter agravado a sua desilusão para com D. Afonso V, que o ignorou, exceto para lhe conceder uma pensão modesta. Triste exemplo de que se sacrifica pelo seu rei e pátria, para se descobrir usado para satisfazer os caprichos e ambições de governantes insensíveis para quem os serve.

Deprimido e derrotado, anuncia a sua abdicação em favor do filho D. João e tenta partir em peregrinação a Jerusalém, mas convencem-mo a desistir da ideia. D. João devolve a Coroa ao pai, mas não o poder, tornando-se o verdadeiro governante, com a ajuda da falta de autoconfiança paterna e do reino desiludido com o pai. D. Afonso morre amargurado e prematuramente, e o filho é coroado D. João II em 31 de agosto de 1481.

Ao contrário do infeliz *Decepado*, a alta nobreza recebeu grandes dádivas do *Africano*, como castelos, terras, povoações, o que contribui menos para ganhar a sua gratidão do que para enfraquecer o poder da Coroa. D. João queixa-se de ser somente rei dos caminhos e estradas de Portugal. Como só a família dos Braganças é praticamente dona de metade do país, o exagero real não é assim tão elevado!

Por isso, D. João II esforça-se para limitar o poder da nobreza. Uma medida consiste em ordenar aos aristocratas que leiam um rigoroso e detalhado juramento escrito de obediência em frente do monarca – mais precisamente, de joelhos. Além de ler atentamente as queixas do povo e burguesia relativas ao abusos e corrupção da arraia-graúda de sangue azul. D. Beatriz opõe-se a tais medidas do rei (era a sogra deste...) e avisa-o de que perderá o afeto do povo, quando é lógico que ocorre precisamente o oposto. Se tivesse referido o afeto dos nobres, estaria correta.

O marquês de Montemor e os membros da família dos Braganças conspiram: enviam cartas aos Reis Católicos de Espanha rogando uma invasão que depusesse D. João II, que acusam de envenenar o próprio pai, entre outras calúnias.

A rede de espiões do monarca é omnipresente e D. Fernando, o duque de Bragança, é preso, após D. João II lhe ter garantido que confiava na sua lealdade. O duque responde ao camareiro, que lhe tenta dar esperança, «um homem tal como eu não se prende para soltar», o que é confirmado pelo julgamento e decapitação que se seguem. O marquês consegue fugir para o estrangeiro, sendo apenas decapitado em efígie. A tradição secular exigia que se decapitasse um boneco com tinta vermelha para simbolizar o «castigo» de um condenado em fuga...

Surge nova conjura, encabeçada pelo jovem D. Diogo, duque de Aveiro, cunhado do rei, que visava a coroa e as mortes do detentor e do herdeiro da Coroa. Mas há espiões por toda a parte, como é o caso do denunciante Diogo Tinoco, que expõe as confissões do bispo de Évora, D. Garcia de Menezes, obtidas pela atraente irmã Margarida e pela falta de interesse do bispo no seu voto de castidade. E do fidalgo D. Vasco Coutinho, cujo ressentimento para com o *Príncipe Perfeito* fez os conspiradores crerem que os apoiaria. Enganaram-se.

Nova onda de prisões e execuções. Numa das diversas versões da morte do duque de Aveiro, que é claramente a versão das autoridades, o rei fala com o irmão da sua esposa, perguntando-lhe o que faria a quem o quisesse matar. «Matá-lo-ia», responde o duque D. Diogo, que terá ficado pálido quando D. João II lhe mostra uma carta comprometedora escrita por si. «Pois o que vós em mim ordenáveis em vós se cumpre», diz o monarca antes de apunhalar D. Diogo, com a ajuda de dois fidalgos.

O bispo é preso e não pode ser executado, devido ao seu estatuto eclesiástico, mas morre de doença (provocada por veneno). Outros conspiradores são presos ou fogem para o estrangeiro, onde morrem naturalmente, com a exceção do fidalgo Fernão de Silveira, assassinado por um catalão contratado por um agente de Lisboa.

O fortalecimento da aristocracia não é o único erro paterno que D. João II corrige, tendo estimulado a exploração do comércio da costa africana ocidental, ao ponto de estabelecer relações diplomáticas, missionários incluídos, com reinos como o do Congo e do Benim.

Enviou exploradores em viagens nas profundezas de África para obterem informações sobre o Preste João, os produtos comercializados e a geografia local, para facilitar o estabelecimento de futuras rotas comerciais, sendo Pero da Covilhã e Afonso Paiva os mais célebres.

Inicia o estabelecimento de colónias costeiras no litoral africano, depois de estabelecer acordos com os reis locais.

A primeira é a futura São Jorge das Minas, construída por Diogo de Azambuja. O material utilizado não é extraído da região, é prefabricado em Portugal, para acelerar a construção, algo importante numa região onde o clima e as doenças contribuíam para a morte dos brancos instalados. O referido material é transportado em embarcações conhecidas como urcas, que serão destruídas após completado o transporte. Pero de Alenquer tenta convencer o monarca a não desmantelar as urcas ainda úteis, tendo sido insultado como resposta. Em privado, D. João confessa-lhe que tinha razão, mas queria fazer as outras nações europeias acreditar que só as caravelas portuguesas, cuja construção era um segredo do reino, podiam viajar até África e sobreviver à viagem. Ou seja, para desencorajar a chegada e concorrência de navios estrangeiros.

Era uma decisão do monarca a instalação dos famosos «padrões dos Descobrimentos», para marcarem o progresso dos portugueses ao longo da costa africana, por serem de pedra e, por conseguinte, de duração muito superior à das cruzes de madeira colocadas até então.

Também mostrou considerável habilidade nas negociações com os Reis Católicos, como se prova no Tratado de Tordesilhas, o que leva a rainha Isabel de Castela a chamá-lo de *O Homem*, como sinal de respeito.

Os talentos administrativos e diplomáticos de D. João II eram consideráveis, motivando o apodo de *Príncipe Perfeito*, mas o mesmo não se podia dizer da sua bondade e compaixão, como provou a crueldade demonstrada para com os judeus em 1490.

Também sofria derrotas: um tratado firmado com os Reis Católicos estipulava o casamento de Isabel, primogénita destes, com D. Afonso, filho do rei de Portugal, o que permitiria a união dos reinos. A importância do casamento explica a espetacularidade e enorme dimensão dos festejos nupciais, e torna ainda mais amarga e dolorosa a morte acidental do infante quando cavalgava com um estribo que se revela partido e o arrasta pelo solo.

Tenta nomear herdeiro o filho ilegítimo, D. Jorge, mas só consegue despertar o rancor da esposa, pelo que o sucessor será o irmão desta, D. Manuel, que recolherá os frutos da obra do cunhado quando as caravelas chegam aos mercados asiáticos.

D. João II morre em 1495, depois de uma doença que o afligiu nos últimos anos da sua vida e tornou disforme e volumoso o seu corpo. A rainha D. Leonor recusa-se a assisti-lo nos momentos finais, pretextando uma doença, tendo o rei morrido com pouca companhia a dar-lhe conforto, algo tentado sem sucesso, pois declara «não me conforteis, que eu fui tão mau bicho que nunca acenaram que eu não mordesse» e «não me chameis alteza, que não sou senão um saco de terra e de bichos».

A duração da doença indica que pode ter sido natural, mas também é possível que o tenham envenenado quando já estava doente. Não havia escassez de súbditos com razões para o detestarem, como ainda três dos seus copeiros morrem na mesma altura, e estes provavam os alimentos reais. Para não mencionar que o corpo de monarca estava a apodrecer aquando da sua trasladação para o Mosteiro da Batalha. Um corpo não putrefacto é sinal de santidade, coisa que a esposa, família, nobreza e judeus discordariam muito. Ou sinal de envenenamento com arsénico. «*Murrió el Hombre*», terá dito Isabel de Castela quando soube da morte do rei de Portugal.

৯৫ 1494 ৯৯

PORTUGAL E ESPANHA DIVIDEM
ENTRE SI O MUNDO

*Pelo Tratado de Tordesilhas, as duas potências dividem
entre si o mundo, sem pedirem a opinião nem do mundo
(conhecido e desconhecido) nem dos seus habitantes.*

Cristóvão Colombo dizia que o mundo era redondo, e riram-se
dele, mas o famoso genovês provou que estava certo ao descobrir a América (mais precisamente as ilhas das Caraíbas), em
1492, julgando que tinha chegado à Índia.

Esta é a imagem que se tem de Colombo, e é utilizada por
quem é alvo de escárnio geral por aquilo em que acredita. No
entanto, é falsa, exceto a confusão relativa à Índia, responsável por os nativos da América ainda hoje serem chamados
«índios» (os verdadeiros descobridores do continente...). No
tempo de Colombo, já inúmeras pessoas cultas, marinheiros
e cosmógrafos, sabiam que a Terra não era plana, graças às
suas descobertas e ao elevado respeito pelos filósofos da Grécia
antiga, que já eram pioneiros nesses conhecimentos. O grego Ptolomeu, matemático, astrónomo e cartógrafo, tinha feito
semelhante afirmação no século I d. C., bem como Paolo Tos-
canelli, cosmógrafo, matemático e médico florentino renascentista, contemporâneo de Colombo. Ambos possuíam uma ideia
errada do perímetro da Terra, levando o navegador genovês a
crer que podia alcançar a Ásia por meio de uma rota marítima
direcionada para oeste.

D. João II e os seus especialistas devem ter-se rido dos cálculos
e dos planos de Colombo, pois conheciam a extensão do perímetro terrestre, e a Ásia ficava demasiado distante da Europa para
que a viagem fosse viável...

Vendo os seus serviços rejeitados pelos portugueses, Cristóvão Colombo oferece-os aos Reis Católicos, que aceitam a proposta, demonstrando como a falta de conhecimentos, neste caso de náutica e geografia, pode ser útil quando leva a ações ousadas. Desde que também haja muita sorte, pois foi isso que salvou Colombo do fracasso.

A resposta de D. João II ao feito náutico da armada espanhola foi relembrar o Tratado de Alcáçovas, de acordo com o qual Castela era reconhecida como a detentora das ilhas Canárias, e Portugal como detentor de todos os territórios existentes a sul das referidas ilhas (é óbvio que castelhanos e aragoneses não faziam ideia da extensão do continente africano!).

Em 1493 e 1494, decorrem demoradas negociações entre D. João II e Isabel de Castela e Fernando de Aragão. Além de diplomatas, recorreram a geógrafos, cartógrafos, cosmógrafos e astrónomos, isto é, a todos os especialistas capazes de calcular os territórios recém-descobertos ou por descobrir de além-mar. Uma vez que os portugueses eram os mais avançados e guardavam ciosamente os seus segredos, as vantagens que detinham eram decisivas. O talentoso Duarte Pacheco de Almeida é um bom exemplo: estava mais interessado em aprender por meio da experiência do que por documentos escritos séculos antes. D. João II não perde o sentido de humor e comenta a alegada falta de bom senso de um embaixador espanhol e a perna coxa de outro, dizendo que a embaixada espanhola não tinha pés nem cabeça.

Os papas eram os intermediários em conflitos internacionais (desde que os beligerantes fossem católicos, é claro), e este caso não foi exceção. Mas quem se sentava no trono papal era Alexandre VI, da mal-afamada família Bórgia, um espanhol da Catalunha! Para não mencionar que a sua integridade moral era muito questionável, mesmo descontando os exageros e calúnias sobre venenos e incesto, divulgados pelos inimigos!

A vantagem dos Reis Católicos em terem um «compatriota» como papa verifica-se quando Alexandre VI rejeita a proposta da Coroa portuguesa de conceder a Portugal o exclusivo da exploração e colonização de todos os territórios existentes até um meridiano situado cem léguas a oeste dos Açores, propondo, em alternativa, uma área até cem léguas a ocidente de Cabo Verde. Ora, Cabo Verde estava situado mais a leste do que os Açores, logo a área portuguesa seria mais reduzida, levando D. João II a exigir como limite um meridiano a 370 léguas de Cabo Verde.

Após morosas negociações, é finalmente assinado o Tratado de Tordesilhas, assim chamado devido ao nome da cidade onde foi concluído. Ambas as partes ficaram contentes com o resultado, em especial a Coroa portuguesa, cuja exigência foi satisfeita. Afinal, para quem parecia ter a rota mais longa para a Ásia, é o Reino de Portugal o primeiro a alcançar a Índia, em 1499, enquanto Colombo explorava Cuba e o Haiti, julgando estar perto da China! Diga-se que também julgava que a China era governada por Khans da dinastia do famoso Kublai, ignorando que tinha sido deposta quase um século antes...

Qual a razão para não ter havido protestos dos reis de Espanha perante o óbvio facto de serem enganados pelos portugueses, que haviam mostrado saber mais sobre as rotas marítimas do que deram a entender nas negociações? Talvez porque o rei de Portugal da altura, D. Manuel, tinha contraído matrimónio com a princesa Isabel de Castela, viúva do infortunado filho de D. João II, numa nova tentativa de unir as coroas de Portugal e Espanha, ou seja, porque as descobertas portuguesas iriam pertencer aos sucessores dos Reis Católicos. As mortes naturais da infeliz princesa (de parto) e do filho arruinaram o projeto, fadado ao fracasso, contudo, a rainha de Castela deve ter tido outra razão para admirar a astúcia do *Hombre*. O casamento de Isabel com o tio do primeiro marido revela que quem julga que as emoções e paixões humanas causam as reviravoltas mais estranhas devia conhecer melhor a política e o interesse...

As preocupações de D. João II em conseguir meridianos o mais ocidentais possível, e o superior conhecimento dos portugueses em termos de cosmografia, náutica, geografia, ventos e correntes marítimas, induzem a crer que já tinham conhecimento de terras a ocidente do mar-oceano (oceano Atlântico). Não iniciaram, porém, a colonização das referidas terras, antes da viagem de Colombo, por razões práticas. Portugal continha uma população de somente 1,1 milhões de pessoas, o que dificultava colonizações, além de as viagens para a Ásia serem prioritárias. Resignar ao domínio espanhol dessa parte do Novo Mundo não foi assim tão difícil, dado ter desviado as atenções dos Reis Católicos e sucessores para o Novo Mundo, chamado América, em homenagem ao italiano Américo Vespúcio, que ao avistá-la se apercebeu de que estava em presença de um continente até então desconhecido.

✕ 1498 ✕

A ARMADA DE VASCO DA GAMA CHEGA À ÍNDIA

Descoberta do caminho marítimo para a Índia.
Um acontecimento tão importante quanto a chegada dos
europeus à América.

Desde que Bartolomeu Dias dobrou o cabo das Tormentas que havia grande otimismo na corte portuguesa, uma vez que foi descoberto o «fim», isto é, o extremo sul do continente africano (Bartolomeu dias passou a ser conhecido como o *Capitão do Fim*), pelo que era possível atingir a Índia e os seus mercados. É um lugar-comum histórico que foi essa a razão de D. João II ter dado um novo nome ao cabo em questão, cabo da Boa Esperança.

Em 1497, já era rei D. Manuel I, tem início uma nova viagem, cujo capitão-mor era Vasco da Gama, um pequeno fidalgo, como a maior parte dos comandantes de armadas dos Descobrimentos.

O relato descreve os exotismos que espantam os portugueses, como focas com «tamanho de ursos» que «rugiam como leões», cujas crias «baliam como cabritos» e a que deram o nome de leões-marinhos, vá-se lá saber porquê.

Trocam objetos como guizos, camisas e barretes vermelhos por produtos locais e comida fresca com os nativos africanos. Ultrapassado o cabo, entram em contacto com um povo cuja língua pertencia ao grupo Banto, sem que ninguém imaginasse que essa língua seria falada por escravos no futuro Brasil. A abundância de objetos de cobre entre os nativos, como lâminas, pulseiras, colares, e a amabilidade destes, levarão os mapas portugueses a designar o rio local como «Rio do Cobre» e a região como o «País das Boas Gentes». Mais a norte encontram sinais de civilizações mais avançadas: os negros locais, apesar de só usarem tangas, rejeitam com desprezo os modestos presentes portugueses.

Desembarcam na ilha de Moçambique, um centro cultural próspero, sendo o comércio do ouro uma das atividades económicas mais importantes. O governador, ou «sultão», como se descreveu sem modéstia aos portugueses, procura saber quem são aqueles estranhos viajantes. Serão turcos, dado possuírem peles claras e até olhos claros? A visão da cruz cristã não deverá ter agradado aos enviados do governador. As relações parecem amigáveis, com troca de bens e alimentos, mas a desconfiança é grande, sendo um exemplo entre vários o dos dois pilotos muçulmanos que se voluntariaram para servir de guias e, depois de navegar de maneira confusa, se evadem quando a armada chega a Mombaça. Chega a haver escaramuças e, após tortura com azeite a ferver prisioneiros muçulmanos a confessar estarem incumbidos da tarefa de atraírem os portugueses para uma cilada. Quando chegam a Melinde, a ilusão portuguesa relativa a uma Índia cristã é reforçada pelo contacto com os cristãos indianos locais. Em breve saberão que o comércio internacional no oceano Índico é dominado por mercadores muçulmanos e da abundância de sultões da mesma fé na Malásia e na Índia.

Em 20 de maio de 1498, chegam finalmente à Índia, ao desembarcarem em Calecute, onde conhecem dois mouros que dispensam os ineficientes tradutores utilizados pelos portugueses, por falarem castelhano. «Que viestes procurar tão longe?», pergunta um dos mouros, vindos do Magrebe. «Viemos buscar cristãos e especiarias», é a resposta histórica. O espanto dos navegadores aumenta ainda mais quando os magrebinos falam em português: «Buena ventura! Buena ventura! Muitos rubis, muitas esmeraldas! Muitas graças deveis dar a Deus, por vos trazer à terra onde há tanta riqueza!» A alegria geral é enorme, bem como a desilusão particular de Vasco da Gama ao saber que os magrebinos eram muçulmanos... Talvez tenha pensado como era «bom» demais para ser verdade?

Por incrível que pareça, continuaram a julgar que a Índia era uma nação cristã. Existiam certas semelhanças entre rituais hindus e cristãos, a língua local era desconhecida aos ouvidos dos portugueses, mas é curioso tal persistência no erro, já que havia muitos costumes pouco cristãos, como ídolos «feios como demónios» e mulheres de peito desnudado. De resto, os marinheiros tinham uma razão em particular para insistirem na fé cristã dos indianos: as mulheres de Calecute não tinham qualquer pudor ou castidade e era pecado ter relações carnais com pagãs...

Os produtos comerciais asiáticos eram inúmeros: ruibarbo chinês, açúcar e musselinas de Bengala, canela do Ceilão, incenso da Arábia, rubis de Ava, diamantes do Decão, enxofre de Samatra, a diversidade parece infindável, assim como o ouro e prata dos monarcas locais, o que não evitou a típica miséria que abunda em qualquer sociedade humana, e não mencionada nas lendas europeias relativas à Ásia, para o realismo não lhes tirar brilho. Também abundava o comércio de escravos, principalmente africanos, embora os brancos valessem mais, algo iniciado vários séculos atrás, sem a interferência europeia (exceto na forma de europeus escravizados).

Para impressionar o samorim (monarca) de Calecute, e não ser ignorado nem desprezados pelos asiáticos, algo nada recomendável para o negócio nem para a autoestima lusos, Vasco da Gama diz ser enviado de Portugal, um reino poderoso e abundante em ouro e prata. Infelizmente, era tradição local (e universal) os embaixadores estrangeiros oferecerem presentes ao governante de Calecute, e os portugueses estavam habituados a negociar com os pouco exigentes africanos. Uma caixa de açúcar, quatro colares de coral, seis chapéus, e outros exemplos de modéstia, escandalizam o enviado do samorim, ao ponto de afirmar que o mais pobre mercador de Meca nunca teria ofendido o monarca local (que só aceitava ouro). O almirante tenta dizer que os presentes são dele e não do rei D. Manuel e que trará melhor na próxima viagem, mas era tarde demais. Aliás, os mercadores mouros não desperdiçam a oportunidade para intrigar contra esses potenciais concorrentes comerciais cristãos, acusando-os de espionagem e de pirataria. O desprezo e chacota são gerais.

Outro motivo de conflito com as populações indianas era o desconhecimento português das tradições locais. Por exemplo, o samorim não interferia nas transações e nos conflitos comerciais, com base no princípio «a terra, o mar aos mercadores», exceto para cobrar taxas, e não fez nada contra a hostilidade e desprezo dos comerciantes em relação aos portugueses, aumentando assim o rancor destes.

De notar que os marinheiros de Vasco da Gama procuraram aprender a língua dos malaios, explicada por meio de gestos, tendo escrito um rudimentar manual de conversação malaio-portuguesa, o primeiro entre uma língua europeia e outra da Índia, com frases e expressões correntes, incluindo palavrões.

Na ilha de Angediva foram abordados por um homem que se dizia cristão mas que se fingia de muçulmano ao serviço do sultão de Bijapur. Suspeitando que era um espião, açoitaram-no até que ele confessou ser um aventureiro judeu polaco no Oriente. Aceita a oportunidade de se redimir e converte-se à fé cristã. Com o novo nome de Gaspar da Gama...

Uma vez regressado a Portugal, Vasco da Gama recebe de D. Manuel recompensas generosas, como os títulos de «Dom» e de almirante da Índia, e a alegria da nação por o principal objetivo dos Descobrimentos ter sido atingido não tem limites!

As viagens seguintes visarão instalar os portugueses como comerciantes e potência militar regional, mas os comandantes das armadas serão outros, mesmo quando D. Vasco da Gama regressa à Índia, em 1502.

O temperamento colérico e rancoroso de Vasco da Gama, descrito pelos cronistas, faz as suas vítimas: ataca um navio que transportava mais de 250 passageiros, principalmente peregrinos regressados de Meca. Obriga a tripulação a entregar parte das riquezas transportadas, mas exige mais, isto é, exige tudo. Nem as súplicas das mulheres com crianças nos braços o demovem, nem sequer a resistência dos mouros.

O almirante manda «queimar aquela embarcação com todas as gentes que nela se encontravam», de acordo com um tripulante português, levando os mouros a atirar toda a sua riqueza ao mar Vermelho. Se perdem a vida, então os portugueses ficam sem a fortuna do navio. Só são poupadas as crianças, enviadas para o Convento de Nossa Senhora de Belém em Portugal, além de um piloto corcunda.

O tio de Vasco da Gama, Vicente, não é mais pacífico e dedica-se a piratear mais navios com peregrinos muçulmanos, dado ser pouco arriscado atacar navios mal armados (o mesmo não se podia dizer das tempestades: morreu afogado).

Os serviços do almirante à Coroa permitiram-lhe conseguir o perdão para o seu irmão Paulo, em fuga por ter ferido um juiz.

❧ 1500 ❧

PEDRO ÁLVARES CABRAL DESCOBRE OFICIALMENTE O BRASIL

Primeiro passo para a conceção de uma sociedade cujo lado negativo não faz esquecer a sua célebre alegria de viver.

Páscoa, 22 de abril de 1500. Os marinheiros de uma armada proveniente de Lisboa avistam terra, mais precisamente, um monte a que deram o nome de Monte Pascoal, em homenagem à época do ano a decorrer. Mais tarde, os navios ancoram num outro lugar a que chamaram Porto Seguro.

O capitão-general (comandante da armada) era Pedro Álvares Cabral e a sua missão originalmente era dirigir-se à Índia para dar continuidade às trocas e interesses comerciais e militares portugueses, iniciados por Vasco da Gama.

Um dos navegadores era Pero Vaz de Caminha, que relatou pormenorizadamente a viagem e o que observou na expedição. A «prumagem» (diversidade) da fauna e flora locais causaram-lhe espanto, assim como o tamanho e abundância das árvores: «Arvoredo de tantas prumagens que o homem não as pode contar», «as árvores são muitas e grandes», «não podíamos ver terra senão com arvoredos».

Os papagaios e araras também lhe causam impressão, assim como os indígenas, que descreve até ao mais ínfimo detalhe: cor da pele (parda-avermelhada), faces («bons rostos e bons narizes»), cabelos (lisos, pretos e compridos, no caso das mulheres). Não são esquecidos o modo de vida e as atividades diárias, tendo Caminha concluído, por exemplo, acertadamente ou não, que os indígenas não possuíam estruturas hierárquicas, e relatando a sua curiosidade quando observam os objetos metálicos dos navegadores, desconhecidos nas suas sociedades recoletoras, quase neolíticas.

A descrição da nudez dos nativos era considerada inocência «que a de Adão não seria maior quanto a vergonha».

A reputação dos índios era de selvagens puros e inocentes, sem religião, mas descobrir-se-ia que possuíam os seus deuses, guerras tribais e até costumes violentos, para desilusão dos europeus que idealizavam criar com eles um paraíso cristão. Desilusão menos cruel do que os preconceitos dos racistas que descreviam os índios como «sanguinários», uma justificação para o seu extermínio ou escravidão às mãos dos colonos. Nas Caraíbas, a descoberta da tribo antropófaga dos canibes serviu de símbolo a esses estereótipos cruéis e às consequentes brutalidades dos europeus, dando ainda lugar à criação da palavra «canibal».

O número de navios da armada de Pedro Álvares Cabral mostra que a crença europeia de o número 13 ser causador de azar se aplicou aos índios locais. Ainda hoje, muitos brasileiros criticam a crueldade dos portugueses para com os nativos. Críticas irónicas, para não dizer hipócritas, pois o Brasil é independente desde 1822 e ainda hoje garimpeiros brasileiros, assim como empresas brasileiras de madeira, ou de construção de estradas e de barragens, cometem crimes contra os índios da Amazónia, para se apropriarem dos respetivos terrenos. Tais críticas parecem servir principalmente para desviar a atenção de injustiças mais recentes e para adormecer sentimentos de culpa.

Suspeita-se que a «descoberta» do Brasil não foi acidental, que a Coroa portuguesa queria oficializá-la sem admitir que já conhecia a sua existência, e que o referido anúncio tardio visava evitar que outros reinos europeus tentassem apoderar-se desses territórios. Motivos para tais suspeitas não faltam. Na rota marítima a percorrer existiam ventos fortes direcionados ao Brasil, o que teria levado à descoberta ocidental da futura nação, mas a dita descoberta poderia ter ocorrido antes.

Duarte Pacheco Pereira, explorador, cientista e militar notável, relata no livro *Esmeraldo de Situ Orbis*, que a armada de Bartolomeu Dias atravessou o «mar-oceano» (oceano Atlântico) e encontrou terras a ocidente, cujas latitudes e longitudes descritas correspondem às do Brasil. E o ano mencionado era o de 1498. Por outro lado, o livro foi publicado em 1500, levando a acusações sobre o autor estar a apropriar-se de feitos alheios...

A descoberta de terras, espécies animais e vegetais e sociedades humanas de que ninguém tinha conhecimento no Velho Mundo, nem mesmo os respeitados gregos e romanos antigos, levou Duarte Pacheco Pereira a escrever esta frase de sabedoria ainda atual e ignorada por aqueles que preferem acreditar antes no que gostam ou no que leem do que no que veem: «A experiência, que é a madre das cousas, nos desengana e toda a dúvida nos tira.»

Estaria também explicado porque não fez Caminha qualquer referência a tentativas dos navegadores para descobrirem especiarias, ou seja, já sabiam que o território onde desembarcaram não pertencia à Ásia (ao contrário do que Cristóvão Colombo acreditava). Seria ainda uma explicação para o enorme detalhe e diversidade de descrições na carta de Pero Vaz de Caminha, ao ponto de a sua qualidade ser digna dos tempos modernos: teria sido previamente informado e encarregado dessa tarefa.

A terra descoberta pelos portugueses (como se os índios locais não tivessem chegado primeiro...) recebeu o nome de Vera Cruz, mais tarde substituído pelo menos sacro nome de Brasil, derivado do pau-brasil. Árvore de cor vermelha intensa, que fazia lembrar brasa, o pau-brasil abundava na região, era explorado comercialmente devido à qualidade da sua madeira ser ideal para a construção de navios, e também por dela se extraírem corantes utilizados em tinturaria. Fernão de Noronha, um cristão-novo, foi o primeiro encarregado da exploração do pau-brasil, tendo-se comprometido a enviar seis navios repletos por ano. A fauna local era igualmente comercializada, fossem papagaios, macacos vivos ou peles de jaguares.

A plantação de cana-de-açúcar introduz outra atividade lucrativa no Brasil, ainda que exigente em mão de obra, composta principalmente por escravos importados de África em grande escala. Boa parte da população brasileira é constituída por negros e mulatos, como efeito dessas moralmente questionáveis atividades.

D. João III divide a colónia em capitanias hereditárias, tendo cada capitão a árdua tarefa de colonizar os territórios que lhe fossem atribuídos. Um grupo social da metrópole que imigrou de bom grado para as regiões selvagens do Brasil foi o dos cristãos-novos à procura de maior sossego. De notar que os portugueses que se instalavam no Brasil não tinham, frequentemente, intenções de regressar à terra-mãe, ao contrário dos que procuravam fama e fortuna na Ásia, para depois regressarem. Isto apesar de o novo lar, ao contrário das terras asiáticas, ser pouco povoado e de eles terem de edificar as povoações e casas onde viveriam. Talvez por quererem criar as suas próprias povoações na floresta virgem, em vez de se instalarem nas dos outros?

ᦉᦉ 1502 ᦉᦉ

GIL VICENTE EXIBE O SEU PRIMEIRO GRANDE ÊXITO TEATRAL

A sua carreira revolucionará o teatro nacional.

Séculos atrás, era tradição um rendeiro visitar o seu senhor, a fim de lhe oferecer presentes, sendo a dita visita designada de «visitação». Um dramaturgo elaborou uma peça de teatro como presente a D. Maria, rainha de Portugal, e ao marido, D. Manuel I, como forma de comemorar o nascimento do príncipe D. João, o futuro D. João III. A personagem era um Vaqueiro que apresenta os companheiros e os respetivos presentes e a peça em questão ficou conhecida como *Auto da Visitação* ou *Monólogo do Vaqueiro*, exibida em 8 de junho de 1502, cuja encenação seria repetida todos os natais, a pedido de D. Leonor, a rainha velha (rainha mãe, dir-se-ia hoje). E seria o início de mudanças revolucionárias na maneira portuguesa de fazer teatro.

Já então existia teatro de autoria portuguesa, essencialmente adaptações de peças estrangeiras, como os clássicos Plauto e Aristófanes (Roma e Grécia antigas, respetivamente), ou imitado do estrangeiro, excetuando as peças destinadas ao povo, encaradas frequentemente com desprezo pelas classes abastadas.

De data de nascimento incógnita, falecido em 1537, Gil Vicente possuiu a invulgar combinação de ocupações como poeta, autor de peças de teatro, ourives e mestre da balança da Casa da Moeda de Lisboa (esta última fruto dos favores reais, graças ao sucesso das suas peças).

As modas europeias da época (vestuário, penteados, etc.) eram determinadas pelos reis, logo não será causa de espanto

151

saber que muitas peças de Gil Vicente eram escritas e encenadas para comemorar algum acontecimento relativo à família real. Delas são exemplo o referido *Monólogo* e o *Templo de Apolo*, este último que será um «presente» de despedida da infanta D. Isabel, destinada a matrimónio com D. Carlos I de Espanha (e Quinto da Alemanha).

Aquando do terramoto de Lisboa de 1531, só ultrapassado em grau de destruição pelo de 1755, Gil Vicente criticou os clérigos que descreviam a tragédia como castigo divino, mostrando que as superstições antigas abundavam, mas não afetavam toda a gente. Numa carta dirigida a D. João III, defende o terramoto como um fenómeno natural, usando raciocínios lógicos, ainda que não expliquem a sua causa. O mundo terrestre, ao contrário do celestial, é imperfeito e tudo o que nele existe é transitório, por isso é natural que ocorressem sismos a destruir ou danificar edifícios. Citando a Bíblia, também defende que só Deus conhece o futuro, por isso, tanto a astrologia como as artes mágicas eram desprovidas de eficácia (pensamento renascentista em ação).

Apesar da pouca simpatia sentida pelos judeus, satirizados na sua obra, e que demonstra que ninguém é totalmente imune à mentalidade da época, o dramaturgo opõe-se às perseguições dos cristãos-novos, relembrando o logico e óbvio: conversões feitas à força não conquistam verdadeiros adeptos, além de condenar o hábito deplorável de os atacar como bodes expiatórios.

No *Auto da Barca da Glória*, os pecados de nobres e clérigos são perdoados pela graça divina, o que não espanta, já que estavam incluídos nessas classes o rei de Portugal e os seus ministros e aliados, que tinham tanto o poder de lhe dar patrocínios como ordem de prisão. No entanto, Gil Vicente pôde expor a cobiça, devassidão, egoísmo e ganância que neles abundavam, sendo ainda relembrados da sua condição mortal (como disse a Morte: «Vereis que a mim ninguém escapa, desde o conde até ao papa»).

A obra de Gil Vicente demonstra, por conhecimentos da cultura greco-romana e da Bíblia, algo característico do teatro europeu durante séculos tendo, porém, a particularidade de recorrer à linguagem popular, tornando-o mais acessível ao grande público. Mostra elevados conhecimentos da mentalidade humana, em especial dos vícios, e recorre à única forma de sermões e de críticas moralistas aos costumes, que beneficiam de enorme popularidade: a sátira.

As peças de Gil Vicente criticam tanto os vícios humanos como os da sociedade, sendo o exemplo mais conhecido o *Auto da Índia*, em que uma mulher infiel vive alegremente na ausência do marido, a viajar naquele país. Traiçoeira e falsa, ela fala simultaneamente com o amante castelhano e com um ex-amante na rua, cada um ignorando a identidade do outro, ao que a personagem Moça comenta: «Um na rua, outro na cama.» O regresso do marido é uma dupla desilusão: primeiro, por estar de volta; segundo, porque, apesar de tantos anos de sacrifícios, regressou pobre, graças a exploradores como o capitão da nau que serviu.

Na *Farsa de Inês Pereira*, a protagonista casa-se com Pero Marques, um astuto escudeiro que se revela um tirano e que se dirige ao Norte de África para ser ordenado cavaleiro, mas só consegue a morte às mãos de um pastor mouro, do qual tentou fugir sem sucesso. A alegria de Inês mostra desdém, tendo-se casado com um pretendente apaixonado, mas pouco dotado de inteligência, que ela engana. Não deve ignorar-se que Gil Vicente criou essa farsa para confirmar que a obra era da sua autoria, e não plagiada, tendo sido a peça inspirada no ditado popular «Antes asno que me leve, que cavalo que me derrube.» De notar que o hábito machista de agredir a esposa é ridicularizado nas palavras de Inês Pereira, quando comenta desdenhosamente a morte do primeiro marido: «Para mim é valente e matou-o um mouro só.»

Apesar de não poupar os vícios do clero (clérigos virtuosos são muito raros nas suas peças...), a sua obra defende os valores e dogmas cristãos, sendo motivo de glória morrer pela fé cristã, como indica a *Exortação da Guerra* e o fim do *Auto da Barca do Inferno*. O *Auto de Mofina Mendes* é uma versão da Primeira Anunciação, sendo a Virgem Maria a protagonista, e as suas amigas alegorias da Fé, da Esperança, da Humildade, etc.

A obra vicentina de maior popularidade é, sem dúvida, o *Auto da Barca do Inferno*, a primeira da trilogia *Autos das Barcas,* na qual, em todas as classes sociais, diversas profissões são criticadas. O frade possui uma concubina e vai para o Inferno depois de o Anjo se recusar a falar com ele. O fidalgo D. Anrique exige tratamento especial (ir ao Paraíso) por ser nobre, e cada um dos arrais (o infernal e o celestial) denuncia-lhe os seus defeitos, como o desprezo pelo povo. Tragicómico é o diálogo em que o arrais do Inferno denuncia a falsidade (e infidelidade) do amor da mulher e da amante pelo fidalgo. «Cant`a ela bem chorou» (no funeral), ao que o demónio responde: «E não há i lágrimas de alegria?» O fidalgo insiste: «E as lástimas que dizia?» Assim como o demónio: «A sua mãe lhas ensinou.» Gil Vicente não esquece os defeitos das classes humildes, mas atenua-os por serem de espírito simples e sem instrução. No caso do sapateiro João Antão, as suas queixas sobre ir à missa e confissão recebem a resposta de nada valerem por continuar a roubar os clientes. «Assim determinais que vá coser no Inferno?», questiona, ao que o Anjo responde com «escrito estais nas ementas infernais». O anjo confunde «coser» com «cozer» (ou sarcasticamente finge confundir).

Às sátiras de Gil Vicente não escapava nem sequer o próprio Gil Vicente! Velha: «Não me contenta.» Rascão: «Ele é bem sisudo!» Velha: «É logo mui barrigudo e mais passa dos sessenta.» *(Auto da Feira)*

Nem brejeira nem pretensiosa (em excesso), cómica e irreverente, sem ultrapassar limites, pouco conformista, conhecedora da natureza humana (até certo ponto), a obra de Gil Vicente ainda se mantém atual e universal em muitos aspetos, e, simultaneamente, revela muito sobre a época em que foi encenada.

Em 1536, Gil Vicente representa pela última vez (morrerá naturalmente no ano seguinte) uma peça em que se retrata como pensador amordaçado, o que não é de admirar, dado este ser o ano da instalação da Inquisição em Portugal.

De notar que, dado várias das rainhas de Portugal serem de origem espanhola, o castelhano era uma das línguas da corte, pelo que o *Monólogo do Vaqueiro*, esse marco do teatro português, era falado nessa língua...

ஃ 1506 ஃ

MASSACRE DE JUDEUS EM LISBOA

Tantas épocas, tantas mentalidades, sempre o mesmo ódio.

Para melhor compreender o trágico acontecimento desse ano, será conveniente explicar a maneira como os judeus foram vistos durante séculos. Na Antiguidade, já eram detestados pelos pagãos. Os reis selêucidas tentaram convertê-los à força à cultura e fé helenísticas, mas foram expulsos por uma rebelião. Os romanos discriminavam-nos, insultavam-nos e cometiam brutalidades com frequência, tendo ocorrido, naturalmente, revoltas judaicas em Israel e em Chipre (cruelmente reprimidas por Tito, Trajano e Adriano, universalmente descritos como imperadores «bons»). Aliás, em Alexandria, os gregos e egípcios foram pioneiros em atividades que muitos julgam ser de origem cristã medieval. Como *pogroms* e guetos, já que ali foram massacrados judeus, além de os terem encerrado num bairro miserável. E também muita intriga: Apião de Alexandria espalhou histórias sobre os hebreus assassinarem ritualmente um grego por ano, Moisés ter sido um sacerdote egípcio que criou a religião judia, os hebreus terem sido expulsos do Egito por serem traidores contaminados com doenças (sim, a famosa história de o judaísmo ser criação egípcia é obra de propagandistas racistas e não de intelectuais modernos!).

Quando a Europa se tornou cristã, continuaram a existir preconceitos e discriminação, agora baseadas no facto de os judeus não adotarem a fé cristã (algo muito parecido com os abusos sofridos por não fazerem sacrifícios aos deuses greco-romanos), por terem «matado» Cristo (apesar de Ele ser judeu e ter ressuscitado...)

e por se dedicarem à usura e ao comércio (isso levou a muitos rancores da concorrência e dos menos abastados). No entanto, perseguições em grande escala não foram a norma cristã durante séculos, nem na Alta Idade Média, sendo mais a exceção, até ao século XI. Eram. Mas discriminação era outra coisa! Décadas depois de serem promulgadas leis que os proibiam de ter cristãos como cônjuges, e como escravos, bem como de adquirirem cargos públicos, quando o futuro território português fazia parte do Reino dos Visigodos, o Concílio de Toledo, em 589, impôs muitas leis discriminatórias contra os judeus (e cristãos arianos).

O facto de a comunidade judaica incluir muitas personagens ricas e/ou com talentos úteis em direito, matemática, astronomia, etc., explica porque muitos reis, papas e bispos a protegeram de multidões e dirigentes cheios de sede de sangue e de saques. De notar que houve importantes clérigos medievais e da Antiguidade que defendiam que deviam ser convertidos pela persuasão e bom exemplo (e incentivos legais) e não pela força. Embora papas como Bento XIV fossem defensores do libelo de sangue, outros expuseram-no como uma falsidade, como Inocêncio IV e Gregório IX. Como tal libelo acusava os judeus de fazerem bolos com o sangue de crianças cristãs assassinadas, é de perguntar se tais papas a consideravam um insulto à caridade cristã ou à sua inteligência... O antissemitismo estava muito disseminado pela Europa, ainda que houvesse mentes mais racionais que o limitavam, algumas vezes por interesse. «Meus judeus» era o modo como os reis de Portugal chamavam aos seus súbditos hebreus, para lhes relembrar que precisavam da sua proteção, logo deveriam ser mais leais (e generosos). E isso não foi letra morta em casos como o de um grupo de jovens rufias que atacaram judeus na Ribeira, em 1449: foram açoitados perante o público, que respondeu com um ataque à judiaria local, havendo muitas mortes, saques e vandalismo, até os distúrbios serem reprimidos pelo conde D. Álvaro de Monsanto, sendo os castigos impostos numerosos e severos, incluindo a morte. O rei D. Afonso III recebeu queixas do clero por ignorar o desrespeito das leis antijudaicas e por conceder demasiadas licenças a quem as quisesse violar com toda a legalidade!

Que ironia a situação dos judeus agravar-se bastante com o fim da Idade Média e início da Idade Moderna! Pois em 1478 a Inquisição foi ressuscitada em Espanha para os perseguir, bem como aos mouros ainda existentes no reino, e os períodos de tolerância medieval, intercalados por outros de intolerância, tornaram-se mais raros. D. João II aceitou receber os refugiados judeus de Espanha – por um preço. Cada refugiado tinha de pagar a sua estada, que deveria ser de oito meses no máximo, sob pena de severos castigos. Foram concedidos navios para os refugiados serem enviados para Marrocos, no fim do prazo legal de estada, mas os marinheiros, assim como muitos marroquinos, não desperdiçaram a oportunidade para espancar, roubar, matar, violentar e escravizar muitos deles. Numerosos jovens que não abandonaram o reino a tempo foram deportados para a insalubre ilha de São Tomé, onde as condições de vida eram más.

Quando D. Manuel I contraiu casamento com uma filha dos reis D. Fernando e D. Isabel de Espanha, estes impuseram condições, como a conversão ou expulsão de todos os judeus e mouros de Portugal no prazo de dez meses. A condenação teológica das conversões forçadas já havia sido desobedecida no passado, mas agora era oficialmente abandonada (por culpa de os judeus não se terem convertido a bem!). Os conversos passaram a ser conhecidos como cristãos-novos, mas era óbvio que muitos continuavam a ser judeus em privado. Assim, eram denominados «criptojudeus» ou, pejorativamente, «marranos». Dividido entre a necessidade que tinha dos cristãos-novos e as pressões dos intolerantes, o monarca adota um comportamento contraditório. Por um lado, liberta os espanhóis aprisionados por ordem de D. João II, por outro, ordena o batismo forçado de todos os menores de 14 anos, apesar de a maior parte dos pais preferirem matar os filhos, às vezes suicidando-se depois, nem mesmo perante os protestos de personalidades como o futuro bispo de Silves, que preferia conversões sinceras. Embora o monarca proibisse a emigração de «conversos», também proibiu todo o tipo de ataques e tentativas de detetar marranos por um período de 20 anos. Sem dúvida, esperava que os cristãos-novos fossem deixados em paz por um período suficientemente longo a fim de se integrarem com sucesso na sociedade. Mas a realidade é cruel para com a esperança.

Em 1506, Portugal foi atingido pela fome e pela peste. Na Igreja de São Domingos, em Lisboa, reuniu-se uma multidão em oração por um milagre, ficando naturalmente extasiada quando uma cruz brilhou à sua frente. Um dos fiéis, não estando assim tão desesperado ao ponto de reprimir o seu ceticismo, comentou que a cruz provavelmente brilhava devido à proximidade de uma vela.

A resposta da multidão não se fez esperar: o cético foi acusado de ser marrano e espancado até à morte na rua, e o seu irmão sofreu o mesmo destino. Estimulada por dois monges dominicanos, Frei João Mocho e Frei Bernardo, uma multidão persegue todos os cristãos-novos que encontra em Lisboa. A populaça naturalmente queria descarregar o seu sofrimento e desespero por meio da violência, de preferência sobre alvos indefesos. O massacre aflige toda a cidade, algumas mulheres são violadas (de acordo com um cronista, um monge tentou violar uma mulher, mas esta matou-o à facada) e tanto os vivos como os mortos são queimados. As estimativas variam de um milhar a quatro mil mortos. Os marinheiros alemães e franceses, ao tomarem conhecimento das perseguições, juntam-se ativamente à populaça. Um dos mortos era o responsável pela cobrança das taxas alfandegárias que os navios estrangeiros eram obrigados a pagar, que deviam ser elevadas...

D. Manuel I enfurece-se perante tal crime e descarada desobediência às suas leis. Os dois monges são executados e muitos cúmplices enforcados (cerca de 50 mortos no total), vários são açoitados, é confiscado um quinto dos bens de inúmeros acusados e a cidade de Lisboa perde importantes privilégios. Um terceiro monge anónimo conseguiu refúgio em Arzila, onde morreu naturalmente, mas excomungado pelo prior local, que impediu que o enterrassem num cemitério cristão devido aos crimes de 1506. Mas a cólera real diminui com o tempo: em 1508, os privilégios perdidos são devolvidos à cidade, e em 1512 são proibidos quaisquer processos e represálias contra os responsáveis ainda vivos do massacre.

A criação da Inquisição Portuguesa marcaria uma nova época de intolerância, em que o Estado passaria a ser o autor ou promotor das perseguições. Os cristãos-novos não eram os únicos alvos do Santo Ofício, mas os favoritos: se não eram marranos, eram culpados de qualquer crime que estivesse sob a alçada do tribunal. A situação muda, porém, no século XVIII, com o marquês de Pombal, que não só aboliu todas as leis discriminatórias contra os cristãos-novos, como o casamento destes com cristãos-velhos foi tornado obrigatório em certos casos. Uma anedota descreve o Marquês a zombar das leis que proibiam os descendentes de cristãos-novos, mesmo que fossem cristãos-velhos, de ocuparem cargos públicos em nome da «pureza do sangue»: depois de ouvir a sugestão do inquisidor-mor ao rei D. José a respeito de obrigar

todo o cristão com sangue judeu nas veias a usar um chapéu ama-
relo, o ousado estadista vai buscar três e diz que deveriam ser
usados por todos eles! É um facto que proibiu as perseguições aos
cristãos-novos, com um espantoso sucesso! O Iluminismo, a filosofia da época que glorificava a razão e condenava todas a formas
de fanatismo, influenciou Portugal, como se pode ver.

As perseguições prejudicaram muito o país, ao levarem muitos
cristãos-novos à morte, ao exílio, e ao reprimirem a sua atividade.
A república calvinista da Holanda e o Império Otomano foram
dois dos principais locais de refúgio. Para que se tenha ideia do
potencial humano perdido, note-se que os refugiados que se espa-
lharam pela Europa tiveram entre os seus descendentes grandes
pensadores e empresários, como o filósofo holandês Espinoza, o
economista britânico David Ricardo, o primeiro-ministro britânico Benjamin Disraeli, Zacuto Lusitano, o médico da excêntrica
e invulgarmente inteligente rainha Cristina da Suécia, e muitos
mais.

A comunidade judaica pôde regressar às suas verdadeiras
crenças e crescer demograficamente, com a ajuda de imigrantes,
a partir do século XIX. Mas tal processo foi lento, em parte, por
o país ser subdesenvolvido, incluindo na mentalidade de alguns.

A descrição de tanto ódio aos judeus não está desatualizada.
O crescimento de ideologias seculares levou a que os judeus fossem odiados por motivos não religiosos, como por terem uma
cultura diferente ou por serem de uma raça diferente, tendo sido
o nazismo o resultado de tal racismo. Hoje em dia recorre-se ao
antissionismo: amaldiçoar e criticar os judeus voltou a ser respei-
tável, em nome das críticas ao Estado de Israel. Muitos garantem
não ter nada contra os judeus, mas o facto de frequentemente
defenderem «conspirações sionistas», idênticas às «conspirações
judias» do passado, de se queixarem de haver tantos judeus a
«controlar» o mundo das finanças e a imprensa, tira muito crédito
a tais negações. Há muitas pessoas bem-intencionadas, bem como
outras mais desprovidas de virtudes, que caem facilmente na armadilha da demagogia.

O único lado positivo dessa triste página de história de Portugal, que foi contraproducente para o catolicismo, foi a invenção
da alheira por marranos que podiam fingir que comiam salsichas
de porco. Irónico que, hoje em dia, as alheiras incluam tal ingre-
diente!

᪐ 1508 ᪐

AFONSO DE ALBUQUERQUE TORNA-SE VICE-REI DAS ÍNDIAS

Revela-se o verdadeiro responsável pela construção do Império Português na região.

Em abril de 1503, uma armada deixa os cais lisboetas, tendo como capitão-mor um fidalgo de baixa posição social, Afonso de Albuquerque, na altura ainda sem a longa barba que seria a imagem de marca dos capitães-mores dos Descobrimentos.

A missão das armadas portuguesas no chamado «Ultramar» consistia basicamente em comerciar, evangelizar, guerrear e conquistar. É sabido que Portugal conseguiu converter-se numa potência regional do oceano Índico, apesar de ser um pequeno reino pouco populoso e de a Ásia estar povoada por nações e impérios de elevado poder, riquezas e antiguidade. D. Manuel I acreditava que o seu pequeno reino era capaz de tal feito quando iniciou as expedições à Índia, depois de 1499. Não gostava ele de citar a Bíblia relativamente aos pequenos e humildes derrotarem os poderosos? A expressão «gigante de pés de barro» foi inspirada na Bíblia, na visão de Daniel, e aplicava-se a muitos reinos da região. Mais especificamente, os monarcas travavam sangrentas lutas de poder, fossem guerras entre reinos, guerras civis, golpes de Estado, assassínios ou execuções políticas, gerando instabilidade política e conflitos armados, que os portugueses não deixaram de aproveitar.

Se os poderosos impérios muçulmanos do Egito, dominado pelos sultões mamelucos, e da Pérsia, dominada pelos xás safávidas, não lançaram exércitos, em grande escala, contra os marinheiros e combatentes lusos, deveu-se ao facto de serem inimigos figadais e, como tal, estarem mais interessados em lutar entre si. Quando Afonso de Albuquerque ataca o reino islâmico de Ormuz, este debate-se com diversas lutas pelo poder: o monarca Salgur fora assassinado pelo filho mais velho, que depois ordenara que se tirasse a visão aos irmãos com ferros em brasa. Acaba por ser também assassinado e sucedem-lhe monarcas jovens, cegos e, portanto, sem grande capacidade para exercer o poder.

É também compreensível que não houvesse falta de hindus desejosos de se aliarem aos cristãos recém-chegados da Europa na luta contra os muçulmanos, cujas forças tentavam dominar a Índia e outros reinos hindus vizinhos havia séculos. Registaram-se ainda outros fatores importantes, como muitos portugueses serem mais pragmáticos e preferirem lucrar com o comércio, em vez de arriscarem os bens de que dispunham ou a vida, e as conquistas realizadas não abrangiam grandes territórios, mas cidades e pequenas povoações, bem como fortalezas, de considerável valor estratégico, permitindo o controlo das rotas comerciais.

O domínio dos mares índicos por parte dos navegadores portugueses torna-se sólido o suficiente para que estes imponham salvos-condutos aos navios que circulam pelas rotas comerciais que controlam. O documento inclui o nome do navio e do respetivo capitão e não é aplicável a quem transporte armas e especiarias provenientes dos Estados muçulmanos em guerra contra a Coroa. Foi atribuído a tal categoria de salvos-condutos um nome de origem árabe cujo significado é diferente do atual: cartaz.

Quando D. Afonso de Albuquerque, sob o comando de Francisco de Almeida, vice-rei da Índia, constrói uma fortaleza em Cochim, com a autorização do monarca local, um aliado, a sua obra é bem-sucedida. A reação do rei de Cochim revela muito sobre a mentalidade hindu: por um lado, admira a eficiência e rapidez dos portugueses, mas, por outro, acha escandaloso que façam todo o tipo de tarefas, sem hierarquias nem especialização rígidas, ao ponto de os alcunhar de «homens fazem tudo». A religião hindu divide rigorosamente a sociedade em castas, e os membros de cada casta só desempenham determinadas tarefas, estando proibidos de exercer ofícios ou qualquer tarefa acima ou abaixo da dignidade da casta a que pertence.

A diferença entre mentalidades podia ter consequências, como indica o exemplo da pouca lealdade dos vassalos asiáticos da Coroa portuguesa. Na Europa e no Médio Oriente, pagar tributos implica vassalagem do tributário ao reino recetor dos tributos, mas no Reino de Ormuz, o pagamento de tributos implicava que o reino tributário concedesse livre trânsito aos comerciantes originários da nação cobradora do tributo em questão. Imagine-se os mal-entendidos e as respetivas consequências. Uma desagradável consequência do desconhecimento dos hábitos e costumes locais, juntamente com a falta de efetivos armados, leva Afonso de Albuquerque a recorrer a uma estratégia simples, também utilizada por Vasco da Gama: à brutalidade. A conquista de Calaite, Soar, Curiate, Mascate e Orfacão, pertencentes ao Reino de Ormuz e situadas na costa da Península Arábica, é rápida e brutal, com pilhagens e mutilações, de orelhas e narizes, nas três últimas cidades, já que se tinham recusado à rendição.

Com os aliados e os inimigos que se rendiam (especialmente quanto mais fraca era a resistência), Afonso de Albuquerque era generoso e até afável. Ambas as técnicas eram faces da mesma moeda, isto é, estratégias para expandir e consolidar o poder português. Como disse dos compatriotas e de si mesmo: «Muito grandes amigos daqueles que eram seus, e assi eram mortais nemigos e destruidores daqueles que a nos procuravam destruir.»

No entanto, Afonso de Albuquerque tinha muitos «nemigos» entre os seus, devido ao seu temperamento rude e desobediente e às campanhas militares ambiciosas que levava a cabo, repletas de dificuldades, às quais resistia melhor do que muitos dos seus homens e oficiais (as deserções eram um problema sério durante batalhas difíceis). A sua personalidade e estratégias permitiram o sucesso militar e diplomático em diversas ocasiões, mas não eram infalíveis, como provam os fracassos nas tentativas de ocupar Calecute e a cidade de Ormuz.

Francisco de Almeida era uma personalidade popular e deu provas das suas habilidades como vice-rei das Índias, o que não o impediu de dar ouvidos aos inimigos de Albuquerque e colocá-lo em residência vigiada e, posteriormente, na prisão. O que não espanta assim tanto, quando se sabe que não era segredo a intenção de D. Manuel I de demitir Almeida e substituí-lo pelo polémico capitão-mor!

Mas a palavra do rei não voltou atrás e Francisco de Almeida recebe a desagradável confirmação dos projetos reais, pelo que só lhe resta obedecer. Morrerá na viagem de regresso, durante uma escaramuça com negros, perto do cabo da Boa Esperança.

Quanto a Afonso de Albuquerque, o antigo prisioneiro convertido no mais poderoso português do Índico, leva a cabo vários projetos ambiciosos.

Entre os de natureza militar, os que resultaram nos seus maiores sucessos foram as conquistas das cidades de Goa (Índia) e de Malaca (Malásia), que o tornam bastante temido. Na batalha de Goa, os principais inimigos eram os «mercenários brancos», persas, árabes, turcos, curdos e renegados europeus, principalmente venezianos e genoveses. Os povos do Médio Oriente sempre se consideraram «brancos», havendo frequente desprezo pelos de pele mais escura, apesar de as modernas ideias politicamente corretas e de o tradicional etnocentrismo europeu, discordarem.

Afonso de Albuquerque acreditava que para fortalecer e consolidar o poderio português nas Índias teria de construir fortalezas e controlar depois de conquistadas cidades estrategicamente importantes. Francisco de Almeida era da opinião de que uma poderosa armada a patrulhar o mar seria mais eficaz, o que deve ter contribuído para as dissensões entre ambos.

Apesar da sua severidade, Afonso de Albuquerque sabia irradiar carisma, sobretudo na véspera de batalhas importantes, em que a vitória ou a sobrevivência das forças portuguesas estavam em risco. Tragicamente, os portugueses não eram exceção a brutalidades cometidas em tempo de guerra, tal como os aliados e inimigos de que dispunham. O florentino Pietro Strozzi gabou-se da conquista de Goa nestes termos: «Matámos cerca de duas mil pessoas que tentaram resistir (…) ninguém nos escapou, homens, mulheres, as grávidas e as crianças ainda de cueiros», designando as pessoas massacradas como «cães», «ladrões» e «celerados». Os hindus aliados aos portugueses odiavam os muçulmanos ao ponto de exigirem o seu extermínio.

Os projetos de natureza cultural e religiosa incluíam o incentivo ao casamento entre portugueses e mulheres locais, ainda que sujeitos a regulamentação, como a obrigatoriedade da conversão das noivas ao cristianismo. Os portugueses pertencentes a casais mistos serão conhecidos como «casados» e os filhos batizados na fé cristã. Uma vez que o islão era o inimigo comum de cristãos e hindus nessa parte do mundo, Albuquerque concede cargos importantes na administração, exército e comércio, entre outros direitos, como liberdade de culto aos seguidores da religião dos brâmanes dos territórios sob domínio da Coroa portuguesa. O apoio de grande parte da população e o surgimento de uma comunidade de mestiços lusodescendentes serão bases e pilares essenciais para a manutenção da presença portuguesa na região durante mais de quatro séculos.

Os grandes projetos do vice-rei sofrem alguns fracassos: vários desertores juntam-se aos «mouros», destacando-se um antigo escrivão da feitoria de Cochim, convertido em conselheiro do sultão do Egito (no entanto, não foram raros os desertores em tempos de guerra, convertidos ao islão, que continuaram a colaborar com os portugueses e a afirmar-se secretamente cristãos); conversões recentes por motivos como «preencher a solidão» de navegadores portugueses geram frequentemente convicções religiosas duvidosas e apostasias; muitos servidores da Coroa sentem-se discriminados perante os privilégios dados aos «casados», em especial quando alguns adotam aspetos da cultura indiana; as conversões ao cristianismo são reduzidas; muitos projetos são demasiado ambiciosos e caros (chega até a pensar desviar o rio Nilo, para subjugar os egípcios, dependentes das suas águas).

Uma das virtudes do vice-rei trouxe-lhe consequências. Como não era vingativo para com os compatriotas difamadores, acusaram-no de ser manipulado pelos seus colaboradores judeus. E também de ter a intenção de se converter ao judaísmo, de passar longas horas com 40 prostitutas, e muitas outras suspeitas sem credibilidade e excesso de mesquinhez (brutalidades contra inimigos e disciplina severas eram mais aceites...).

Perante isto e após muita hesitação sua e pressões por parte dos inimigos de Afonso de Albuquerque, D. Manuel I ordena a sua demissão.

Doente, ainda antes da trágica notícia, o velho guerreiro comenta a sua queda em desgraça: «Certamente que são grandes os meus pecados perante el-rei. Pois estou mal ante ele por amor dos homens e mal com os homens por amor dele» (e não a citação mais famosa, mas incorreta «mal com el rei por amor dos homens e mal com os homens por amor del-rei»), ou seja, desagradava a uns, sempre que agradava a outros. «Bom é acabar», diz ainda, o que acontece, pouco depois, ignorando a notícia de ter sido reabilitado pela Coroa.

༄ 1519 ༄

FERNÃO DE MAGALHÃES INICIA A PRIMEIRA VIAGEM À VOLTA DO MUNDO

Ao serviço de Sua Majestade o rei de Espanha, e não do de Portugal.

No dia 19 de setembro de 1519, parte uma expedição marítima cujos objetivos eram entrar em contacto com as ilhas Molucas, para ter acesso comercial às especiarias aí produzidas em abundância, e fazer a primeira viagem ao globo por via marítima.

O líder da expedição, portador do título de capitão-general, era o fidalgo Fernão de Magalhães, veterano de guerra, responsável por vitórias militares a favor da Coroa portuguesa. O soberano a quem servia era Carlos I de Espanha e futuro imperador Carlos V, da Alemanha.

Oito anos de viagens e batalhas na Ásia empobreceram Magalhães, além de se ter tornado coxo, em virtude de ferimentos de guerra. Numa ocasião, ajoelha-se diante de D. Manuel I de Portugal e pede-lhe que aumente a sua modesta pensão ou que lhe seja concedido o comando de uma expedição ao Oriente. Ambos os pedidos negados. Desanimado, pede que seja autorizado a servir outro monarca. Pedido aceite, com o comentário do rei sobre ser indiferente para o que Magalhães fará...

Fernão de Magalhães propõe ao rei de Espanha que lhe permita comandar uma expedição às ilhas Molucas. Carlos I, de apenas 17, não desperdiça a oportunidade de utilizar a experiência e conhecimentos náuticos de um português cujo país natal zelava fortemente para manter tais vantagens exclusivas, por meio do segredo.

Foram precisos 18 meses para preparar a armada, em grande parte devido às intrigas de um rei vizinho que, para quem não queria saber do que Magalhães fizesse, se esforçava muito para o impedir de ajudar o reino rival...

Outras intrigas foram as do bispo de Burgos, D. Juan de Fonseca, que não queria ver uma armada espanhola cujas cinco naus fossem comandadas por capitães portugueses e que conseguiu que uma delas tivesse como comandante espanhol Juan de Cartagena, que «por acaso» era seu filho ilegítimo.

Na longa viagem, Cartagena critica o capitão-general por todos os problemas ocorridos, incluindo futilidades por não recorrer a «rotas espanholas». Numa ocasião, falta-lhe ao respeito. Como a reação de Magalhães foi um sermão, Cartagena deve ter julgado que este era «só conversa» e, poucos dias depois, diz-lhe que não obedecerá mais às suas ordens. Magalhães agarra-o pelo peitilho e diz-lhe que vai ser preso e substituído.

Acreditava-se que existia um estreito que ligava o oceano Atlântico ao Pacífico, o que permitiria os navios europeus atravessarem o continente americano. A descoberta da inexistência do referido estreito, a longa viagem, o crescente frio à medida que navegavam para sul, a recusa de Magalhães em passar o inverno num lugar temperado antes de recomeçar a expedição, e muitos outros fatores, levaram a um motim. Um capitão rebelde foi executado, outro foi morto na luta e o irredutível Cartagena foi abandonado no meio da natureza hostil, juntamente com um padre.

Uma descoberta famosa da expedição foi a de uma misteriosa tribo de índios de elevada estatura, de faces pintadas de vermelho e cabelos de branco, tendo o cronista da armada, o italiano Antonio Pigafetta, descrito, com o exagero tradicional dos viajantes, que «nós apenas lhe dávamos pela cintura». Os habitantes dessa região fria cobriam os pés com botas de pele, providas de folhas no interior, levando os espanhóis a denominá-los *patagones* (pés grandes) e ao local onde viviam, Patagónia.

Na longa viagem, a fome era constante, exceto quando tinham acesso a territórios ricos em caça, incluindo ovos de tartaruga, frutas ou a indígenas amigáveis. O alimento de maior duração, biscoitos, ficou cheio de vermes e aroma de urina de rato. Outro motivo para matar os ratos era a sua carne, pelo que podiam ser vendidos pelo preço de um ducado (moeda da época). A falta de vitamina C gerava o escorbuto, doença caracterizada por gengivas inchadas, queda de dentes e articulações doridas que prejudicavam os movimentos.

Alguns dos lugares que a armada alcançou foram a ilha dos Ladrões – assim chamada porque os indígenas levaram vários bens dos espanhóis sem qualquer pudor, por a propriedade privada ser um conceito diferente ou inexistente (os espanhóis que batizaram a ilha saquearam algumas aldeias em busca de alimento) – a Terra do Fogo, uma região gelada onde os marinheiros observaram várias luzes provenientes de fogueiras distantes – e ainda o famoso estreito de Magalhães.

Foi enorme a alegria geral quando chegaram ao arquipélago das Filipinas, pois significava que a Ásia tinha sido, finalmente, alcançada. Fernão de Magalhães adia a chegada às Molucas, por querer converter os filipinos ao cristianismo. Muitos chefes tribais, como o monarca de Cebu, convertem-se pacificamente, o que combinou com os discursos do capitão-general sobre desejar que se tornassem cristãos sem ser por medo ou para lhe agradarem.

O rei da pequena ilha de Mactan recusa a conversão e Magalhães ataca-o, juntamente com 50 homens armados. No entanto, as armas de fogo só disparavam uma bala de cada vez e o recarregamento era demorado, problema que não se aplicava às flechas, lanças, azagaias e pedras dos filipinos, que ganham a batalha. Magalhães combate com coragem mas sem prudência, sendo golpeado na cara, no braço direito e trespassado por vários inimigos.

O prestígio dos espanhóis é de tal modo abalado, que o rei de Cebu convenceu-se de que fora traído. A sua reação traduziu-se num convite para um banquete, que resultou no massacre da maioria dos oficiais da armada. Mais tarde, a nau *Trinidad* e a sua tripulação são capturadas pelos portugueses, abundantes nos mares asiáticos.

Quase três anos após a partida, 18 sobreviventes de uma expedição inicialmente dotada de 250 marinheiros, muitos provenientes de diversas nações europeias, veem o fim de um longo calvário, em dezembro de 1522, quando regressam ao porto de Sevilha.

O capitão Elcano recebe, entre outras recompensas, um brasão em que está representado o globo terrestre, com a legenda «ao primeiro que me circum-navegou». Para o público, quem o mereceu foi Fernão de Magalhães, embora tivesse morrido quase ano e meio antes do fim da expedição. Curiosamente, o maior merecedor pode ter sido um humilde escravo de Magalhães que percorreu o trajeto de Lisboa até às Molucas, passando pelo cabo da Boa Esperança, quando o amo servia o rei de Portugal, e o trajeto desde as Molucas até Sevilha, ao serviço do rei de Espanha. Assim, o primeiro homem a dar a volta ao mundo pode ter sido um escravo negro de nome Henrique!

ᵒᵍᵉ 1536 ᵉᵍᵒ

INSTITUIÇÃO DA INQUISIÇÃO POR D. JOÃO III

A sua influência em Portugal será enorme ao longo de três séculos.

D. Manuel e o seu sucessor D. João III tinham pedido ao papa Clemente VII que autorizasse a instituição do Tribunal do Santo Ofício no seu reino, sem sucesso. Com o papa Paulo III, a tarefa não foi fácil: os cristãos-novos apelavam-lhe para que recusasse o pedido dos reis portugueses, recorrendo a grandes quantias e ao apoio de clérigos que sabiam como a Inquisição abusava do seu elevado poder e era demasiado independente do Vaticano. Paulo III, que ninguém chamaria de santo, decretou que o rei de Portugal devia conceder perdão geral aos cristãos-novos e o direito de abandonarem o seu reino. Decreto a que D. João III se recusou a obedecer. A expressão «ser mais papista que o papa» baseia-se em casos como este... O papa sugeriu a D. João III que anulasse, por um ano, a proibição de os cristãos-novos abandonarem o Reino português, sendo autorizada a perseguição aos que ficassem, como prova de que o objetivo era erradicar a descrença e não confiscar os bens dos perseguidos. A proposta foi rejeitada pelo rei cognominado de *Piedoso* (devoto)... O objetivo foi alcançado em 1536, graças às quantias fornecidas do monarca e às pressões do imperador Carlos V da Alemanha. Talvez Carlos V tenha relembrado a Paulo III como as suas tropas causaram um banho de sangue e devastação em Roma, dez anos antes, e que o papa usava uma longa barba como sinal de luto por tal tragédia...

Calcula-se que a Inquisição portuguesa tenha levado perto de duas mil pessoas à fogueira num espaço de três séculos. O número de relaxados em Portugal parece reduzido (as estimativas mais credíveis falam de dezenas de milhares de mortos em todas as nações sujeitas ao macabro tribunal). Por outro lado, nem todos os prisioneiros eram torturados: a mais infame de todas as inquisições, a espanhola, torturou, de 1510 a 1615, 35 por cento dos seus prisioneiros. Uma curiosa categoria era a dos relaxados em estátua, ou seja, os condenados à fogueira à revelia, em cujos lugares eram queimadas imagens!

Os motivos de esses números serem mais reduzidos do que se julga eram práticos e nada humanitários: além de cada auto de fé ser de longa duração devido aos rituais envolvidos e à lentidão da morte pela fogueira, que exigia grande quantidade de lenha, a Inquisição visava subjugar as almas e conseguir lucros. Assim, os castigos mais frequentes eram confiscações de bens, sentenças de prisão (que podiam variar de poucos anos até à perpétua), galés ou rituais de humilhação pública. Os condenados às fogueiras eram quase sempre uma minoria que se recusava a renunciar às suas «heresias». Os condenados à fogueira tinham a «clemência» de serem garrotados se abjurassem durante o auto de fé (antes queimados mortos do que queimados vivos...). De notar que houve perdões gerais e suspensões temporárias dos processos inquisitoriais por ordem das autoridades nacionais e até de Roma, como no período de 1544 a 1548. A crueldade e abusos dos inquisidores não eram aceites cegamente, ao que parece, o que é explicado não apenas pelos idealistas e pelos subornos dos cristãos-novos, mas também pela importância destes últimos nas artes, nas letras e no comércio.

Quanto às torturas, muitos não as sofreram por razões cínicas: eram-lhes descritas as torturas a que seriam submetidos, com os instrumentos expostos à sua frente, caso não confessassem ao fim de três dias, tempo suficiente para tirar, à maioria, o desejo de heroísmo, para não mencionar que uma longa estada nas masmorras era uma alternativa eficaz à tortura (tortura psicológica era um conceito desconhecido...).

Curiosamente, o número de bruxas condenadas era reduzido nos países ibéricos, ao contrário da França, Alemanha e Inglaterra. Sem dúvida que os bens dos cristãos-novos eram abundantes o suficiente para que fossem os alvos favoritos... Outro crime sob a alçada do Santo Ofício era ser-se cristão protestante, e não havia falta de acusados. Um triste exemplo foi o célebre e talentoso humanista Damião de Góis, acusado de ser luterano, que morreu em prisão domiciliária, abandonado pela família, em condições suspeitas. Charles Dillon foi condenado a cinco anos nas galés, em Goa, por alegado calvinismo, embora tenha sido libertado ao fim de três anos e expulso para a sua França natal, onde registou as suas experiências.

Blasfémias também eram alvo do Tribunal: incluindo as mais duvidosas, como os casos de cristãos-velhos presos por terem dito que Santa Maria perdera a virgindade ao casar-se com São José (!). De notar que ocasionalmente os denunciantes, numerosos e anónimos, corriam riscos: em 1631, Diogo Rebelo, delator de cerca de 300 pessoas, foi queimado, por falsos testemunhos.

Crimes sexuais também eram alvo dos tribunais, como a sodomia, ao ponto de nem os padres serem poupados à fogueira ou ao degredo para locais insalubres. Foi o caso do padre João da Costa, queimado em 1667, por sodomia com meninos de 13 anos ou menos. Outro crime sexual era a bigamia, mais frequente do que nos dias de hoje. Sendo as viagens ultramarinas longas, muitos casais ficaram separados durante anos. Assim, era fácil para membros de ambos os sexos contraírem novos matrimónios na ausência dos cônjuges. Por outro lado, muitos viajantes morriam ou eram presos por reinos inimigos, pelo que havia muitas pessoas dadas como mortas, o que levou muitos a pensar que estavam viúvos e a contrair novo matrimónio, sem má-fé. A famosa peça de teatro *Frei Luís de Sousa*, de Almeida Garrett, na qual um prisioneiro de Alcácer Quibir regressa a casa, quando todos o julgavam morto, incluindo a «viúva» e o marido desta, retrata casos assim tão invulgares!

O Tribunal da Inquisição foi instalado em Goa, com o apoio dos jesuítas, devido ao abundante número de cristãos-novos que se deslocavam para essa cidade. Desde a sua criação, em 1560, até à sua extinção, em 1682, foram registados 16 172 processos, dos quais resultaram 57 condenados à fogueira. Sendo os portugueses em menor número em relação aos indianos, na sua maioria hindus e muçulmanos, optou-se por convertê-los por meio da pregação e de recompensas materiais (a coerção em grande escala seria um convite ao desastre). Assim, os indianos não sofriam perseguições, a menos que se convertessem ao cristianismo e cometessem algo que fosse considerado pecado, como heresia ou apostasia, ou incitassem os cristãos à renúncia da sua fé. Para evitar que as conversões fossem desencorajadas, atribuíam-se sentenças leves aos acusados indianos, embora estes fossem numerosos. Inevitavelmente, não havia falta de inquisidores que quebravam as regras, por interesse ou excesso de zelo. Revelador o facto de os marranos serem o grupo-alvo, com a proporção mais elevada de julgamentos, em Goa...

A Inquisição foi também responsável pela proibição, destruição e censura de muitas obras literárias e bloqueou a introdução de ideias estrangeiras, contribuindo para o atraso do país. De notar que o dramaturgo António José da Silva, renovador do teatro nacional, apesar da colaboração com o padre músico António Teixeira, foi queimado em 1739, com a mãe e a esposa, por alegado judaísmo (as sátiras à sociedade devem ter influenciado a condenação). Os seus defensores afirmaram que pelo menos conseguiu impedir a introdução do protestantismo em Portugal, que levaria a guerras civis cruéis como as de França e da Alemanha. Mas se se tiver em conta que os Estados protestantes se tornaram os mais desenvolvidos da Europa (veja-se a Suécia e a Suíça)...

O marquês de Pombal proibiu a confiscação dos bens dos acusados pela Inquisição, exceto no caso dos condenados à morte, tendo as sentenças de morte de ser aprovadas pelo rei – e nunca eram. O fim de tal fonte de rendimento e poder arbitrário foi um golpe fatal para o Santo Ofício. Ironicamente, o último condenado à fogueira foi o padre jesuíta Malagrida, em 1761, por defender que o terramoto de 1755 era um castigo divino pelos pecados dos homens, pois o Marquês procurava suprimir as crendices. Habilmente, recorreu-se como argumentos às bulas de papas medievais, que tinham proibido a discriminação e perseguição de conversos à fé cristã, bem como o exemplo de clérigos que se opunham à Inquisição, como o famoso António Vieira, embora estes tenham sido minoritários no clero português: Martins Monteiro Paiva, cónego da Sé de Lisboa, Frei João da Conceição, António Pegado, todos estes foram presos por ajudarem cristãos-novos à fuga ou por criticarem os métodos do Tribunal.

A Inquisição foi, finalmente, extinta em 1821. A medida foi motivo de festejos (e de saques das sedes desta), mas foi simbólica: desde o reinado de D. José e do seu ministro Pombal que era uma sombra do que fora. O poeta Bocage deixou-se prender, anos antes da abolição, pela curiosa razão de as prisões inquisitoriais serem mais brandas do que as seculares.

✑ 1543 ✑

OS PORTUGUESES CHEGAM AO JAPÃO

Os portugueses são os primeiros europeus a contactar com os japoneses. As trocas culturais beneficiarão muito o Japão.

O primeiro contacto entre o Japão e Portugal dá-se em 1542, correndo diferentes versões sobre quem eram os súbditos da Coroa portuguesa que o protagonizaram, havendo quem diga que o protagonista terá sido António Calvão, embora seja mais popular a versão de Fernão Mendes Pinto, descrito pelo próprio, no seu livro *Peregrinação*, satirizado pelos céticos por meio da expressão popular «Fernão, mentes? Minto!»

A instalação dos portugueses em Macau oferece-lhes um porto comercial que facilita consideravelmente o comércio com o Japão, cuja prata era usada para importar sedas chinesas. Cedo surgem outros produtos trazidos de várias zonas do mundo por aqueles que os nipónicos denominaram de «narigudos» ou *namban*, derivado de *namban-ji* («bárbaros do Sul alcunhas depois aplicadas a todos os brancos. Não é modesto o espanto local perante os moçambicanos, uma vez que nunca se tinham visto negros no arquipélago. O dáimio (senhor feudal) Noda Nobunaga ordena a um negro que se dispa até à cintura, para se certificar de que a cor da pele era natural e não pintura.

Nunca há falta de motivos de perturbação dos nipónicos, pois ignoravam que muitos povos não utilizavam «pauzinhos» para comer e que não escreviam frases de cima para baixo. Muitas pessoas ajuntavam-se para ver o «narigudo» com quatro olhos (o padre Francisco Cabral, que usava óculos).

Graças aos intermediários portugueses, passaram a ser importados algodão, lã, relógios, veludo, açúcar, vinho, etc., vindos de várias regiões do mundo. Mas as importações mais famosas e decisivamente históricas foram as das armas de fogo, cuja utilização em grande escala levou ao fim das famosas guerras civis japonesas. Nobunaga utilizou a estratégia de recorrer a várias filas de homens armados de mosquetes, permitindo que sempre que uma fila recarregava as armas, outra disparava, e, como resultado, torna-se o mais poderoso dáimio do Japão. É caso para perguntar: como a vizinha China já usava armas de fogo havia séculos, porque é que o Japão só toma conhecimento delas graças aos *namban*?...

As relações comerciais entre portugueses e japoneses eram lucrativas para as duas partes, ao ponto de os japoneses imporem leis e regras rigorosas sem afastarem os comerciantes. Um caso conhecido era o do «sistema de pancada», consistindo na venda de seda a preços previamente fixados e apenas a cinco mercadores japoneses, o que era favorável ao volume de impostos cobrados e ao controlo estatal, embora fosse prejudicial para os mercadores portugueses.

E havia ainda a respondência, através da qual se emprestava prata aos comerciantes portugueses, com o objetivo de ser utilizada na compra de seda chinesa. Além da devolução do capital emprestado, era necessário pagar juros elevados aos negociantes nipónicos, na ordem dos 30 a 50 por cento – e multas se os portugueses não trouxessem o pagamento na viagem de regresso. Para reduzir os riscos de sanções devido às perdas causadas por tempestades e piratas, abundantes na região, optou-se pelo transporte das mercadorias em diferentes navios. A respondência era uma atividade privada de legalidade duvidosa, bem como um exemplo de como os japoneses controlavam ferreamente o comércio nas suas ilhas, qualquer que fosse a legalidade das transações comerciais.

A chegada dos jesuítas não demora muito desde os primeiros contactos, ocorrendo em 1549, sendo um deles o missionário Francisco Xavier, autor de enormes esforços para evangelizar o Japão. Os esforços da Companhia de Jesus e do futuro santo dão frutos: em 1570, existem ali 30 000 convertidos e 36 igrejas.

A conversão de um dáimio costumava implicar a dos seus soldados, servos e camponeses, por motivos como agradar ao seu senhor, ou esperarem que a nova fé lhes servisse de proteção aos caprichos dos seus senhores. As vantagens do comércio com os «narigudos» também ajudavam a adquirir novos prosélitos. Para não mencionar a caridade para com os pobres e doentes. Um exemplo é o do padre Luís de Almeida, ex-comerciante próspero e financiador da construção de escolas e hospitais para os necessitados, e introdutor da medicina ocidental na região. Foi concedido um território para os jesuítas se instalarem, tendo a povoação local crescido até se converter na cidade de Nagasáqui.

A presença e a atividade dos jesuítas foram aceites de bom grado por Oda Nobunaga, cuja atitude simpatizante levou-os a acreditar, com uma elevada ingenuidade, na sua eventual conversão. Na realidade, Nobunaga precisava das armas de fogo vendidas pelos portugueses, pelo que era aconselhável ter boas relações com eles. Outro motivo era a existência de ordens de monges guerreiros budistas, participantes ferozes nas infindáveis guerras civis, os quais contribuíram para que não se sentisse grande afeto pelos budistas, tendo dado uma ajuda os escândalos de monges entregues aos prazeres da carne, ou das comidas não vegetarianas, em desobediência aos votos realizados. Isto, para não mencionar que seria pouco coerente e pouco convincente o poderoso dáimio aceitar o exemplo de Jesus sobre paz e amor, sabendo que ordenou a destruição pelo fogo de povoações e fortalezas, matando dezenas de milhares dos seus habitantes.

O suicídio de Nobunaga, devido à revolta de um general mais vingativo do que leal, permite a subida ao poder de um dos seus melhores generais, Toiotomi Hideioxi, apodado de «macaco», devido à beleza física com que a natureza não o abençoou. Dava-se bem com os clérigos católicos e de súbito ordena a expulsão de todos os missionários cristãos do país, em 1587.

Os missionários portugueses foram tolerados durante anos, com restrições variáveis, pelos governantes do Japão, devido a razões de ordem prática: os mercadores eram importantes para o comércio e prestavam apoio aos pregadores, assim como a numerosa minoria cristã, pelo que a sua expulsão seria prejudicial para a economia, para não mencionar que poderia estimular guerras contra os dáimios cristãos. De resto, como os missionários eram japoneses ou estavam adaptados à cultura japonesa, serviam frequentemente de intérpretes dos mercadores. Assim, o édito de 1587 não era aplicado com rigor, quando o era, e provavelmente era mais um aviso e ameaça aos portugueses, caso provocassem distúrbios, sendo a crucificação dos *Vinte e Seis Mártires de Nagasáqui* indicativa de quão cruel podia ser.

༄༅ 1557 ༄༅

«NEGÓCIO DA CHINA» – PARA PORTUGAL!

O Império do Meio oferece o «lugarejo» de Macau aos portugueses.

Desde que Jorge Álvares chegou à China, o primeiro português a fazê-lo, que os seus compatriotas se esforçaram para estabelecer relações diplomáticas com os governantes dessa nação. Na década de 1540, vários portugueses instalaram-se em Tamau, Sanchão, Nimpó e Chincheu, mas os abusos cometidos levaram à sua expulsão violenta por arte das autoridades imperiais, sem dúvida enfurecidas por a sua extensa nação sofrer tais ataques de tão pequeno reino longínquo.

Mas a insistência dos portugueses permite a sua instalação num lugar insignificante chamado Macau, autorizada pelos imperadores da China – a troco de uma renda anual.

Os cronistas de Portugal afirmam que Macau foi uma espécie de presente do imperador Chetseng, como recompensa pela erradicação dos piratas liderados por Chan-si-Lau. Muitos autores modernos chineses afirmam que Macau foi antes roubada, mas o elevado poder da China da época e a abundância de piratas nos mares da Ásia (numerosos e poderosos ao ponto de o Império do Meio ter concedido amnistias a muitos, uma vez que não podia vencê-los pela força) tiram crédito a tal versão, popular entre os historiadores da China comunista moderna, que recorrem à história mais para a causa patriótica do que para a causa da verdade…

A origem da palavra Macau tem como explicação mais popular o nome derivar de *A-Ma-Gao*, expressão cantonesa para «baía da deusa Ma» (deusa padroeira dos marinheiros), havendo teorias alternativas, como derivar de *A-Ma-Hau*, cantonês para «enseada da deusa Ma». Em qualquer dos casos soa a ignorância, ou a sentido de humor oculto, o nome oficial da colónia portuguesa de Macau durante séculos: Santo Nome de Deus de Macau!

Macau foi escolhida por ter uma posição estratégica útil para as transações comerciais com países como o Japão. Naturalmente que houve outras nações cobiçosas a almejar conquistar Macau, incluindo os holandeses, repelidos com sucesso. O ataque holandês de 1622 foi poderoso o suficiente para que um relato posterior do acontecimento afirmasse que a vitória foi «ajudada pelo favor do Omnipotente», embora não resista à tentação universal de alterar os números das baixas para dar um aspeto ainda mais glorioso à batalha: 500 holandeses mortos e/ou capturados e somente quatro portugueses mortos, sem contar com alguns escravos e dois espanhóis.

As relações entre portugueses e chineses podiam ser violentas. Um exemplo foi o do energético governador João Ferreira do Amaral, que fortaleceu o poder das autoridades portuguesas recorrendo a um autoritarismo que lhe valeu um elevado número de inimigos, assim como a sua falta de tato aquando da construção de estradas, pois isso implicou a remoção de sepulturas numa terra onde os autóctones respeitam muito os antepassados. O imposto de uma pataca aplicado aos faitiões, barcos transportadores de cargas e passageiros, levou a uma revolta, reprimida com violência. O governador era um mutilado de guerra, sem vergonha, mas com sentido de humor (as cartas à esposa eram assinadas com «o teu marido maneta»...). Em 1849, fazia o seu passeio habitual, quando assassinos decepam a sua mão remanescente e a cabeça. Sabe-se que pertenciam a uma tríade (grupo mafioso chinês), a Sociedade dos Rios e Lagos. A fúria portuguesa levou o governador de Cantão, Hsu Kang-Tsin, o mesmo que contratou a tríade para a suja tarefa, a decapitar um bode expiatório e a ordenar a devolução da cabeça e mão de Amaral, embalsamadas como troféus macabros. O exército colonial atacou e derrotou as tropas chinesas em Passaleão, como represália pelo assassínio!

Os jesuítas portugueses, e de outras nações, estabeleceram boas relações com os chineses por serem bons em matemática, astronomia, entre outras ciências, e por respeitarem as tradições chinesas ao ponto de haver quem se vestisse à mandarim. Quando o papa proibiu os chineses conversos de prestar culto aos antepassados, sob pena de excomunhão, os jesuítas discordaram, alegando que tais rituais eram de natureza civil e não religiosa, valendo-lhes mais ataques dos inimigos. Interessante notar como os jesuítas, atacados por atitudes reacionárias, também o eram quando se mostravam progressistas (veja-se o caso dos índios guaranis).

Macau era um local de contacto das culturas chinesa e europeia. Um exemplo era o bazar chinês, onde viviam os chineses, com o seu vestuário, construções e ritos tradicionais, habitando os ocidentais na cidade cristã, com um modo de vida mais «europeu», incluindo as cerimónias católicas. Mas é preciso ter em conta que a maioria desses exotismos, particularidades locais incluídas, foi gradualmente abandonada na segunda metade do século XX, devido à modernização e ocidentalização da cidade. Uma das mudanças mais famosas e simbólicas foi a criação de uma abundante indústria de casinos, o que parecia inevitável, pois nos tempos em que os chineses ainda usavam as famosas tranças manchus, os de Macau caracterizavam-se pelo seu intenso amor aos jogos locais.

A mestiçagem foi um lugar-comum em Macau: os colonos casavam-se com chinesas e até com mulheres de nações vizinhas (malaias, indianas, japonesas, indonésias). A miscigenação de etnias teve causas de romantismo e erotismo questionáveis, uma vez que as chinesas das classes abastada ou média eram educadas na timidez, obediência, trabalho e caseirismo. As de classe humilde eram tão pobres que as suas famílias as vendiam na esperança de os compradores serem generosos no sustento destas (e no preço de venda). Para os europeus, sustentá-las e convertê--las à fé cristã justificavam moralmente tão polémico comércio. Uma importante razão de Macau ter permanecido sob domínio de Lisboa por tantos séculos foi o facto de um enclave controlado por estrangeiros ser útil para refugiados políticos chineses, fugitivos de guerras civis e lutas e poder. Um famoso exemplo foi o Dr. Sun-Yat-Sen, fundador da República Chinesa, perseguido pelas autoridades monárquicas e pelo primeiro ditador republicano da China, Yuan-Shi-Kai, o «general traidor». E não faltaram refugiados quando o Japão, dirigido por militares fascistas pró-nazis, invadiu a China, o que não impediu o *gangster* Wong Kong Kit de se aliar ao invasor e dar caça aos resistentes escondidos em Macau (depois da derrota dos japoneses, foi abatido pela polícia portuguesa).

ঞe 1572 ঞ⊷

PUBLICAÇÃO DA 1.ᴬ EDIÇÃO DA OBRA DE CAMÕES *OS LUSÍADAS*

A Eneida portuguesa.

Sobre a figura de Camões, a sua personalidade, juventude, estudos e relações sociais, não existem muitos documentos em que se possa confiar. Uma biografia da autoria de Teófilo Braga, intitulada *A História de Camões*, início de aturado estudo que este tema lhe suscitou, fazendo dele um especialista na figura e obra do poeta, foi fortemente contestada pela falta de rigor histórico, sendo o autor acusado de recorrer mais a uma imaginação prolífera do que a uma investigação séria.

Efetivamente, Teófilo Braga relata factos, como os que dizem respeito à vida escolar e universitária de Camões, que, feitas as contas, não parecem aceitáveis. Por exemplo, é do senso comum que Camões terá nascido em 1524, estudado no Mosteiro de Santa Cruz e, mais tarde, na universidade, apenas transferida para Coimbra em 1537. Mas Teófilo Braga afirma que a «sua formatura fixa-se até 1542», uma data relevante para o biógrafo, já que permitiu a Camões fugir «à esterilizadora acção dos jesuítas», pois foi nesse ano em que foi fundado o Colégio de Jesus em Coimbra, destinado à formação dos membros mais novos da ordem, e um republicano que viveu nos séculos XIX e XX não tinha grande afeto pelos jesuítas, como anticlericalista que se prezasse. Fazendo as contas, Camões teria 13 anos em 1537, o que parece de exagerada precocidade para que tenha iniciado os estudos universitários nessa juvenil idade. Se Camões tivesse completado os estudos em 1542, isso significava que aos 18 anos já estaria licenciado.

Tamanha precocidade poderia ter sido publicitada na época, mas não existem relatos antigos de um Camões universitário provido de tamanha juventude. Aliás, nunca foram encontrados registos da mais leve passagem do poeta pela Universidade de Coimbra, sendo a sua vida escolar totalmente ignorada até hoje, um pormenor no mínimo intrigante.

Após a saída dessa publicação, Camilo Castelo Branco escandaliza-se com as incoerências de Teófilo Braga e, no seu habitual jeito azedo e contundente, escreve: «Em que veias gira o sangue de Camões?» E continua em tom acidulado: «O livro mais extravagante que a tal respeito viu a luz é a *História de Camões*, pelo Sr. Doutor Theóphilo Braga.» O ilustre camonista parece ter aceitado sem questionar o duvidoso acervo biográfico proposto por vários autores dos séculos XVII e XVIII, já à época bastante contestadas e alvo de suspeitas. E tal como estes, parece ter recorrido à imaginação pessoal, entre outras fontes questionáveis. Várias imprecisões sobre os ascendentes do poeta, relações familiares e certas interpretações biográficas não são devidamente fundamentadas.

Também no que concerne à sua admissão no Paço da Infanta D. Maria e às suas relações tanto conviviais, como amorosas – em que se destaca o nome de Catarina de Ataíde –, Teófilo Braga refere-se aos despeitos e intrigas, ciumentas emulações de outros poetas, que o teriam incriminado e levado ao desterro, incriminações movidas pelo «beatério da Rainha». E, ao ser convidado para prefaciar a edição comemorativa do tricentenário do poeta, em 1881, o escritor continua a ignorar os estudos precisos de Storck e Carolina Michaëlis, a qual já dizia que ficavam «abertas as portas a todas as arbitrariedades». Esse prefácio parece pois resumir tudo o que de «irreflexivo e indocumentado» veio até hoje à luz sobre a vida de Camões.

Parece que, devido à rigorosa tradição da corte, Camões teve de se separar da sua amada Catarina, que viria a tratar pelo nome de Natércia nos seus poemas de amor. Após ter sido afastado da corte para o Ribatejo, onde permaneceu algum tempo, alistou-se para combater em Ceuta, onde como se sabe perdeu um olho na luta contra os mouros, dando-lhe um aspeto que o tornou mais fascinante para o público. Mais tarde, e por força de vários episódios rocambolescos, como um duelo em que foi preso, conseguiu a liberdade real, com a condição de embarcar para a Índia como militar, partindo para Goa, em 1553. Daí mudou para Macau, onde presumivelmente escreveu a maior parte dos cantos d'*Os Lusíadas*. Foi ao ser novamente chamado a Goa que o barco onde viajava se afundou junto à foz do Mekong, vindo daí a famosa imagem em que se vê o poeta nadando para a costa com um só braço, enquanto segurava o manuscrito d'*Os Lusíadas* no outro. Foi pois devido à «punição» acima referida que apareceu este poema épico, a obra-prima cujo nome, *Os Lusíadas* («filhos de Luso», isto é, portugueses), parece ser referido pela primeira vez num poema latino de André Falcão de Resende, amigo de Camões, acerca da fundação de Roma.

Camões regressou a Lisboa em 1569, tendo-lhe sido concedida por D. Sebastião uma tença anual de 15 mil réis que só recebeu durante três anos, pois faleceu no dia 10 de junho de 1580 em Lisboa, na miséria, vivendo de esmolas que se dizia terem sido angariadas pelo seu fiel criado Jau, seu companheiro de Macau. O enterro parece que foi pago por uma instituição de beneficência, a Companhia dos Cortesãos. Um triste e ainda atual exemplo das recompensas concedidas aos talentos mais apreciados.

Enquanto relatam toda a história de Portugal até ao tempo do próprio autor, *Os Lusíadas* contam em pormenor, a descoberta do caminho marítimo para a Índia por Vasco da Gama. São compostos por dez cantos, onde se misturam divindades pagãs (que ajudam ou prejudicam a expedição ao longo da viagem), a expansão da fé cristã e o ardor de conquista e de possessão do mundo. Os lusos acabam por chegar à meta, dando «novos mundos ao mundo». O herói é Vasco da Gama, protegido pela deusa Vénus, alternando a narrativa entre fogosidade e esperança e o reconhecimento da mesquinhez humana, «mísera sorte, estranha condição». A obra teve enorme sucesso e suscitou grande entusiasmo e popularidade, tanto em Portugal como no estrangeiro, pela sua semelhança com as obras de Homero e de Virgílio, granjeando a admiração dos eruditos da época. Resumidamente, descrevem a viagem que levou à descoberta da Índia, iniciada a 8 de julho de 1497.

O herói d'*Os Lusíadas*, Vasco da Gama, não foi um marinheiro por vocação espontânea: chega a ser tonsurado, pensando seguir a carreira eclesiástica, mas a certa altura decide optar pelo mar e pela carreira das armas. Conduz várias missões bem-sucedidas e que lhe conferem fama de valentia e capacidade de comando, assim como de crueldade e ferocidade. D. Manuel I convida Paulo da Gama, o seu irmão mais velho e o herdeiro do brasão e da fortuna do pai, Estêvão da Gama, a comandar a primeira expedição à Índia. Paulo está já doente, talvez tuberculoso, e declina a favor do irmão, em quem aprecia as fúrias e caráter irrascível. Pede, porém, o comando de uma das naus a fim de o proteger em caso de perigo. Já no regresso e aquando de forte tempestade, a nau de Nicolau Coelho é afastado da de Gama e o capitão decide continuar viagem, sendo assim o primeiro a regressar e a entrar no Tejo, onde dá as notícias do sucesso da missão.

Os Lusíadas relatam que, após passarem o cabo da Boa Esperança e ilha de Moçambique, seguiram para Mombaça, onde o rei pretende destruí-los e planeia atraiçoá-los por detrás de fingida amizade. Conseguem escapar a esses perigos e chegam a Melinde, onde são recebidos benignamente. Vasco da Gama faz ao rei uma descrição da Europa e relata-lhe não só os feitos da história de Portugal, mas também a própria viagem desde a saída de Lisboa, a passagem do cabo da Boa Esperança, a lenda do gigante Adamastor, imaginado a partir dos famosos titãs que desafiaram os deuses e perderam a partida, estabelecendo-se, no fim, uma grande amizade entre Gama e o rei. Continuando a rota, avistaram a primeira terra da Índia, Calecut, onde são bem recebidos pelo samorim. Paulo da Gama explica a origem da palavra «Lusitânia», mostra bandeiras onde estavam representados muitos heróis e relata-lhes as biografias de alguns famosos portugueses. Mas o samorim desconfia, indaga os arúspices sobre as intenções dos portugueses, é informado contra eles e pretende destruí-los.

Conseguindo livrar-se das traições, Vasco da Gama sai de Calecut em direção ao reino. Finalmente, no regresso da frota, encontram a Ilha dos Amores, onde são acolhidos hospitaleiramente por Tétis, que narra aos navegadores a futura história de Portugal, até ao tempo de Camões. Assim se encerra nos dez cantos todo o ciclo da história portuguesa. Seria difícil resumir no âmbito deste tema a história da célebre viagem e mencionar as dezenas de personagens históricas do poema. Destacam-se, no entanto, para além do herói, as tágides ou ninfas do Tejo, Vénus, a deusa do amor e da sexualidade, o seu irmão Baco, deus da embriaguez, que se salva de todos os inimigos e perigos por que passa devido às perseguições de Juno. Calíope é a mais eminente das nove musas que presidem à poesia épica e à eloquência e a quem Camões pede ajuda.

As referências de Camões à mitologia greco-romana não eram nada invulgares, pois as culturas clássicas sempre serviram de inspiração aos autores europeus, em especial os do Renascimento, o qual ainda estava a decorrer na Itália da época e a influenciar as nações vizinhas. O facto de os autores europeus tentarem combinar a sua fé cristã com semelhantes mitos pagãos é um sinal do fascínio e importância destes na cultura europeia. *A Divina Comédia*, de Dante, contém diversas personagens das lendas e da história greco-romanas, além de ter sido inspirada na *Eneida,* de Virgílio, na qual o protagonista desce até aos infernos e é elevado até aos Campos Elísios (paraíso). Repare-se que a *Eneida* e *Os Lusíadas* são poemas épicos que glorificam as nações a que os autores pertenciam, Roma e Portugal, respetivamente. É óbvio de onde veio a inspiração de Camões, cuja obra é um exemplo de que a literatura clássica não era um modelo imitado sem originalidade, mas que favorecia a imaginação do autor – dependendo do talento deste, é claro. O modelo clássico impunha que os escritos fossem agradáveis e que estimulassem à virtude, objetivo concretizado na sua obra, defensora da coragem, patriotismo e das restantes virtudes adequadas a um país que precisava de marinheiros empreendedores e de combatentes corajosos. Outra regra da literatura em questão inclui possuir uma elevada erudição, demonstrada n'*Os Lusíadas*, com várias referências bíblicas, conhecimentos de geografia, história e (logicamente) da mitologia greco-romana.

As duas primeiras edições de'*Os Lusíadas* foram impressas em Lisboa, por António Gonçalves, em 1572, sendo possível, mas duvidoso, que as alterações inseridas na segunda sejam da autoria do próprio poeta. Num fragmento de um muito longo alvará de privilégio é dito: «Eu el-rei faço saber aos que este alvará virem que eu hei por bem e me praz dar licença a Luiz de Camões para que possa fazer imprimir, nesta cidade de Lisboa, uma obra em oitava rima chamada *Os Lusiadas*, que contém dez cantos perfeitos, na qual por ordem poetica em versos se declaram os principaes feitos dos portuguezes nas partes da India depois que se descobriu a navegação para ellas por mandado de el-rei D. Manuel, meu visavô...»

Mas o mais interessante é o parecer que segue este alvará real, assinado por Bartolomeu Ferreira, um membro da Inquisição: «Não achei nelles cousa alguma escandalosa, nem contraria á fé e bons costumes, sómente me pareceu que era necessario advertir os leitores que o autor para encarecer a difficuldade da navegação e entrada dos portuguezes na India, usa de uma ficção dos deuses dos gentios.» Acrescentando: «Todavia como isto é poesia, e fingimento, e o autor como poeta não pretenda mais que ornar o estylo poetico, não tivemos por inconveniente ir esta fabula dos deuses na obra, conhecendo-a por tal, e ficando sempre salva a verdade de nossa santa fé, que todos os deuses dos gentios são demonios. E por isso me pareceu o livro digno de se imprimir, e o autor mostra nelle muito engenho, e muita erudição nas sciencias humanas.» Até a Inquisição elogiou o livro! Quando uma obra literária é aprovada tanto por um inquisidor como pela classe intelectual moderna, com uma elevada proporção de laicos, tal concordância de opiniões diz muito acerca da obra (ou dos apreciadores).

Das personagens d'*Os Lusíadas*, a mais famosa entre o público é anónima e tem uma presença consideravelmente reduzida na obra. É o célebre Velho do Restelo, que simboliza os pessimistas que nunca veem as coisas pelo lado positivo, ou aqueles que não se deixam contaminar pelo otimismo exagerado e preveem problemas que os «eufóricos» não repararam, ou não querem reparar. Prevendo os perigos das viagens e a ganância perdulária que a descoberta da rota marítima para a Índia trariam, lamenta-se: «Ó glória de mandar! Ó vã cobiça/Desta vaidade, a quem chamamos Fama!/Ó fraudulento gosto, que se atiça/C'uma aura popular, que honra se chama!/Que castigo tamanho e que justiça/Fazes no peito vão que muito te ama!/Que mortes, que perigos, que tormentas,/Que crueldades neles experimentas!» (L, IV, 95-96)

❦ 1578 ❦

DERROTA DO EXÉRCITO PORTUGUÊS EM ALCÁCER QUIBIR

Uma nação morrerá e um mito nascerá.

D. Sebastião não era exceção ao hábito de os monarcas de todas as nações se considerarem superiores aos restantes mortais: conhecido como *o Desejado*, por o seu nascimento ter provido o trono português de um herdeiro legítimo, cedo lhe foi inoculada a ideia de ter salvado o reino da extinção. Os ideais de cavalaria, a vontade de ser digno dos seus antepassados guerreiros, a crise que Portugal enfrentava e a sua juventude devem ter-lhe estimulado o desejo de ser um grande guerreiro e o salvador da nação.

Marrocos parecia o lugar certo para atingir as suas ambições, pois corria o risco de se tornar num Estado vassalo ou província do Império Otomano, na altura, uma grande ameaça para a cristandade europeia. A vizinha Argélia era território otomano e um viveiro de piratas, os «barbarescos», e o apoio de Marrocos poderia agravar tal praga.

D. Rodrigo de Carvalho é um exemplo de como a obediência cega a um dirigente ansioso por grandes feitos dá maus resultados: recém-casado e recém-governador de Tânger, falhou em conseguir grandes vitórias contra os mouros, pelo que D. Sebastião o acusa de preferir «as delícias do leito nupcial aos perigos da guerra», levando-o ao desespero e a uma batalha em que luta ferozmente até à morte, com dezenas de feridas. Triste exemplo de como é melhor fazer amor do que fazer a guerra...

Um costume assaz popular nas famílias reais islâmicas determinava que houvesse lutas de poder sangrentas entre parentes, nas quais tudo valia para alcançar o trono. O sultão do momento era Mulei Mohamed, descrito como depravado, cruel e ganancioso com os impostos, tal como o pai, tendo ordenado o assassínio de um tio, por ser um governador demasiado popular. Os cronistas marroquinos que descrevem os seus vícios referem-se ao facto de a sua mãe ser uma escrava negra, num claro exemplo de racismo, ao qual não existem sociedades imunes. É caso para perguntar se Mulei Mohamed foi sujeito a um racismo que estimulou a sua crueldade e vícios, ou se as crónicas os exageraram. Deposto pelo tio Mulei Abdel Malik, «aportuguesado» para «Mulei Maluco» por cronistas portugueses pouco simpáticos, o ex-sultão pede o apoio do rei de Portugal.

D. Sebastião não desperdiça o pretexto e prepara um grande exército, apesar dos avisos sobre a expedição militar ser demasiado arriscada e insuficiente. Melhor/pior exemplo de imprudência do monarca é o facto de se arriscar numa batalha sem ter esposa nem filhos que herdassem o trono, apesar de conhecer os riscos de Filipe II, rei de Espanha, aproveitar a sua eventual morte em combate para anexar Portugal. E a crueldade deste monarca para com os mouriscos espanhóis, reprimidos aquando da revolta contra os constantes abusos, bem como a influência que exerceu nas políticas da sua falecida esposa Maria Tudor, rainha de Inglaterra (alcunhada de «Maria, *a Sangrenta*»), não mostravam um currículo de governante muito animador.

Com uma força militar de 17 000 combatentes, incluindo 5000 mercenários italianos, alemães e espanhóis, o inexperiente rei, de 24 anos, desembarca no Magrebe, recusando-se a ouvir os conselhos dos comandantes dotados de maior experiência militar. O combate decisivo é travado em Alcácer Quibir, onde «Mulei Maluco» morre de doença natural, sem que isso seja comunicado às suas forças, para não as desanimar. O que dá resultado, pois os exércitos inimigos são derrotados e D. Sebastião não voltará a ser visto vivo. «Morrer mas devagar» terá sido a frase que proferiu para mostrar que lutaria até ao fim. Mulei Mohamed foge pelo rio, o que seria uma boa ideia se este não estivesse em fase de cheia e lamacento nessa altura do ano, e se tivesse aprendido a nadar quando teve oportunidade. A morte de três monarcas em Alcácer Quibir justifica o nome alternativo do confronto: batalha dos Três Reis.

Cerca de 14 000 portugueses morreram e a maior parte dos restantes tornou-se cativa, destinada à libertação em troca de resgates, ou à escravatura, na falta destes, de acordo com a lei islâmica. A morte de tantos guerreiros e fidalgos e a gratidão ou dependência das famílias dos cativos para com Filipe II, dado que pagou os resgastes com a sua fortuna, reduziram muito o número de potenciais adversários da anexação espanhola.

É nessa altura que surge o fenómeno nacional do sebastianismo, a crença de que D. Sebastião ainda estava vivo e voltaria para salvar o país dos iníquos, aparecendo numa «manhã de nevoeiro», como diz o chavão. Só mesmo num país dominado por estrangeiros é que semelhante lenda ganharia popularidade! E o desejo de expulsar os senhores espanhóis contribuiu para que muitos céticos se esforçassem pouco, ou mesmo nada, para dissuadir os crédulos. Os que se tentavam para mostrar que o monarca morrera eram ignorados ou tratados como mentirosos. Um sapateiro da vila de Trancoso, Gonçalo Anes Bandarra, enveredou por uma atividade profissional diferente, tornando-se profeta ou adivinho, elaborando profecias em verso, qual Nostradamus, inspiradas na Bíblia, na cultura popular e até em lendas do rei Artur. Ambíguos e confusos, como toda a profecia que se preze, os versos de Bandarra foram, inicialmente, interpretados como o anúncio de um Messias que salvaria os cristãos-novos da opressão da sociedade. Com a coroação de D. Filipe I, passaram a ser uma mensagem de esperança sobre o regresso do rei da nação e o fim da opressão espanhola.

A expulsão dos espanhóis e dos Filipes tornou o mito do *Encoberto* menos popular, mas não o extinguiu, ressuscitando sempre em tempos de crise. O padre António Vieira reformulou-o, incorporando-o nas suas teorias filosóficas e teológicas da criação de um império universal, onde haveria reconciliação entre judeus e cristãos.

O sebastianismo é considerado um exemplo da mentalidade portuguesa e de como este povo tem o mau hábito de esperar por um «salvador» que resolva todos os problemas, ao mesmo tempo que é também um exemplo de como os portugueses que criticam a sua sociedade possuem o vício de julgar que ela é péssima e todas as outras são melhores. Afinal, muitos muçulmanos xiitas ainda hoje acreditam que um *Mahdi*, o décimo segundo imã (líder religioso descendente de Maomé), será o enviado divino no fim dos tempos, os ingleses acreditaram que o rei Artur regressaria da ilha de Avalon, para ajudar o seu reino em tempos de crise, e lendas alemãs avisavam que o imperador Frederico, chamado de *Barba-Roxa* pelos portugueses (quando devia ser Barba-Ruiva), estava adormecido no túmulo, de onde se ergueria para salvar o seu povo. De resto, mesmo independente, no Brasil o sebastianismo teve adeptos, com resultados trágicos, como a rebelião dos Canudos, exterminada brutalmente pelo Governo em 1893.

ঙ্গে 1581 ঙ্গে

FILIPE II DE ESPANHA É COROADO
FILIPE I DE PORTUGAL

Houve semelhanças com a Revolução de 1383-1385, mas nem sempre a história se repete: por exemplo, o condestável era do lado invasor (e ninguém o chamou de santo).

Após a provável morte em combate de D. Sebastião, D. Henrique tornou-se o novo rei de Portugal, infante, cardeal e tio do precedente, cujo feito mais famoso consistiu em ser o primeiro inquisidor-geral do reino... O cardeal não renunciou ao cargo eclesiástico para poder contrair matrimónio e fornecer herdeiros ao trono porque tinha 64 anos e estava doente (por alguma razão recebeu o apodo de *Casto*). A sua morte era esperada para breve e havia vários candidatos ao trono, dos quais, o mais polémico, e com maiores meios para triunfar, era o rei Filipe II de Espanha. A Espanha era a maior potência europeia, ou antes, superpotência, dizendo-se que o Sol nunca se punha sobre o seu império, constituído pelas colónias da maior parte das Américas Central e do Sul, Países Baixos, boa parte da Itália, além de beneficiar da íntima aliança do Império Alemão (os dois Estados eram governados pela família dos Habsburgos) e de elevados recursos coloniais, como o ouro e a prata do Peru e do México.

Ter um monarca poderoso e rico como Filipe II bastou para conseguir o apoio de um elevado número de portugueses à sua causa: os comerciantes teriam acesso aos mercados do Império Espanhol, os nobres pertenceriam a uma corte próspera, onde o monarca podia conceder recompensas mais generosas, o Exército de Espanha defenderia as possessões portuguesas de ataques inimigos (e as classes dirigentes de revoltas populares), entre outras vantagens. E sendo Filipe II um dos principais defensores do catolicismo contra as igrejas protestantes, não era o clero português que se iria opor à sua coroação, jesuítas incluídos.

D. Henrique procurou uma solução pacífica para a decisão da escolha do sucessor, mas morreu em 1580, sem que esta tivesse sido alcançada. A indecisão do cardeal-rei não excluiu Filipe II da linha de sucessão, e a sua consequente impopularidade foi expressa por versos cantados aquando da sua morte como: «Viva el-rei D. Henrique, no inferno muitos anos,/pois deixou Portugal aos castelhanos.»

Os restantes candidatos tinham grandes desvantagens na corrida ao trono: D. Catarina, duquesa de Bragança, era mulher, e D. António, prior do Crato, era filho ilegítimo, ainda por cima de uma mãe de condição humilde, Violanda Gomes, com a alcunha de *Pelicana*. Como os caluniadores diziam que era cristã-nova, essa comunidade tornou-se partidária de D. António. A bastardia do pretendente à Coroa não o impediu de seguir os costumes paternos: sendo clérigo por imposição familiar, e não por devoção, terá tido seis a dez filhos ilegítimos de diferentes mulheres (alguns com rumos profissionais semelhantes ao do pai, tornando-se freiras e monges). Ocorre uma revolta popular liderada por D. António, aclamado monarca por meio da frase tradicional «real, Real, por António, rei de Portugal», mas a situação era diferente da crise de 1383, pois o adversário não era a Castela devastada por guerras internas, mas um império extenso, e a burguesia estava do lado do invasor. O comandante das tropas espanholas era o famoso duque de Alba, um ancião cujos 73 anos não atenuavam a sua reputação de crueldade. A brutalidade demonstrada na repressão dos revoltosos dos Países Baixos atingiu tanto os protestantes como os católicos locais, incluindo os nobres de elevada estirpe, que lhe valeu a alcunha de *Duque de Ferro* (vejam-se as sentenças do «Tribunal de Sangue», mas estimulou muito o crescimento da rebelião, e Alba cai em desgraça, pelo que a repressão dos partidários do prior do Crato era uma oportunidade de reabilitação que não iria desperdiçar. Além de derrotar as forças inimigas, o duque de Alba recorre a numerosas execuções e à pilhagem dos arredores de Lisboa, pelo que o reinado de D. António só durou um verão no continente (junho a setembro, altura em que Coimbra foi conquistada). Refugiou-se na Terceira, nos Açores, onde continuou a resistir ao invasor com o apoio francês, mas a inferioridade material e numérica põe fim ao pequeno reino insular do prior.

Nas Cortes de Tomar, no ano de 1581, Filipe II de Espanha é coroado Filipe I de Portugal, uma vez que havia peste em Lisboa (agravada ou causada pelas privações da guerra), inaugurando a dinastia filipina, nome adequadíssimo, pois todos os seus reis possuíam o nome do fundador. O novo condestável de Portugal é o oposto de Nuno Álvares Pereira, tanto em termos de reputação como do lado a que pertence: é o duque de Alba.

D. António tenta iniciar uma nova revolta em 1589, quando desembarca com o apoio de soldados ingleses, comandados pelo famoso Francis Drake, corsário da rainha Isabel, mas o povo recusa apoiá-lo, pois os ingleses eram protestantes anglicanos, logo «heréticos», e considerava inaceitável que um prior se aliasse a estes. D. António morrerá em França (1595), exilado e pobre. Portugal tornou-se espanhol porque muitos portugueses assim o quiseram...

As riquezas de Filipe não estimularam somente sentimentos baixos entre os portugueses, como a sede de lucro, estimularam também necessidade e gratidão, pois serviram para pagar os resgates de vários cativos de Alcácer Quibir.

Direito de herança, uso de exércitos violentos, elevados montantes de riquezas despendidas: foram estes os métodos de Filipe II para se tornar Filipe I, o que explica as frases históricas que lhe atribuíram: «Portugal é meu porque o herdei, o comprei e o conquistei» ou a menos famosa «Herdei-o, comprei-o – conquistei-o, para tirar dúvidas!»

No seu leito de morte, Camões previu o fim de Portugal como nação soberana e teria dito que morria com a sua pátria. Esta ressuscitará 40 anos depois, ao contrário do poeta, ainda hoje morto.

ᨄᥫᥭ 1588 ᨄᥫᥭ

UMA DAS MAIS IMPORTANTES BATALHAS NAVAIS DA HISTÓRIA

Portugal começa a sentir os efeitos da união com Espanha: – a Invencível Armada foi derrotada e Portugal, um dos perdedores.

A união das coroas portuguesa e espanhola converteu Filipe II de Espanha, ou Filipe I de Portugal, no governante do maior império europeu da época, um «império onde o Sol nunca se punha». Naturalmente, que um Estado tão poderoso atraiu inúmeros inimigos, especialmente os cristãos protestantes, já que era dedicado à sua erradicação.Um reino protestante era o da Inglaterra, cuja rainha era a famosa Isabel I, antiga cunhada do monarca espanhol. A morte da rainha Maria, *a Sangrenta*, esposa de Filipe, e a brutalidade manifestada por meio de cerca de 300 mortes na fogueira durante o seu curto reinado tinham levado ao fracasso da tentativa de restaurar o catolicismo. Filipe ainda tinha esperança que uma conspiração católica levasse ao assassínio de Isabel e à sua sucessão pela sua prisioneira, Maria Stuart, ex-rainha da Escócia e ex-rainha de França, além de não almejar pôr em risco a vida de tão importante refém de Isabel por meio da invasão da Inglaterra. Contudo, uma conspiração fracassa, fornecendo pretextos para que Maria Stuart fosse enviada para o cepo. Filipe toma uma decisão cuja ambição era desmedida: invadir Inglaterra, um reino que nunca tinha sido ocupado por tropas invasoras estrangeiras depois de 1066.Uma poderosa armada foi construída para atingir esse objetivo, tendo sido designada por «Invencível Armada» devido à sua grandiosidade, e ao poder bélico, embora outra versão afirme que a dita alcunha era um sarcasmo dos inimigos. Indiscutível é o fato de a Invencível Armada, também chamada «Felicíssima Armada», ter sofrido uma infeliz derrota esmagadora, que tornou ambas as alcunhas bastante inadequadas e motivo de chacota. A participação de Portugal no projeto filipino é consideravelmente ignorada, mas não foi modesta, uma vez que uma nação dedicada às viagens marítimas, e recém-unida a Espanha, estava bem preparada para a construção de uma armada e para o recolhimento dos respetivos materiais e trabalhadores. Tendo Lisboa uma elevada importância para as rotas marítimas que circulavam no Atlântico, além de fornecer alimentos, armamento e outros materiais essenciais para o empreendimento, seria a cidade onde se reuniria a armada. No Cais do Carvão de Lisboa, foram construídas fundições, destinadas a produzir canhões. Os soldados que iriam invadir Inglaterra foram instalados desde Vila Franca de Xira até Belém, onde seria mais fácil embarcá-los.

Nove galeões, considerados alguns dos melhores navios da armada, dois galeões pequenos, 11 caravelas abastecidas de mantimentos e 3705 marinheiros e militares de terra firme, presentes nos referidos galeões: assim foi a pouco modesta contribuição portuguesa para a invasão.

Os serviços médicos, essenciais para a expedição, foram em grande parte fornecidos pelo Hospital Real de Todos os Santos e pelo Real Hospital Militar de São Jorge e Santiago.

Como não podia deixar de ser, recorreu-se aos conhecimentos de muitos pilotos e cartógrafos portugueses na «Jornada de Inglaterra», como foi oficialmente designada a expedição (aparentemente, pensava-se que a conquista seria rápida, a julgar pelo nome...).

O comandante da Invencível Armada era o duque de Medina Sidónia, um espanhol corajoso e disciplinado. Contudo, por ser dotado de um bom senso superior à sua ambição, tenta convencer Filipe a não o nomear, alegando enjoar facilmente e não ter experiência naval, mas o monarca insiste. Mau augúrio, dado o que aconteceu depois.

No dia 25 de abril, realiza-se uma procissão em Lisboa para celebrar a conclusão da Felicíssima Armada, sendo hasteada a bandeira real no navio do capitão-geral, ou navio-capitânia, de nome *São Martinho*, pertencente à Coroa portuguesa (meses depois, Medina Sidónia tentaria novamente convencer o rei a mudar de ideias, sem resultado...).

No total, era composta por 130 navios armados, 2400 peças de artilharia, 124 000 cargas de munições, 8000 marinheiros e

19 000 soldados: não admira que a armada fosse considerada «invencível». Mas construir a maior armada da época é uma tarefa complexa e árdua, logo inúmeros fatores correram mal.

Por exemplo, a expedição parte de Lisboa a 9 de maio de 1588, quando a data inicial era supostamente outubro de 1587, um atraso de oito meses que não teve bons resultados na preservação dos alimentos armazenados, sobretudo no peixe, na carne e nas bolachas, já meio apodrecidos, nem na da água, já inquinada.

Boa parte dos navios luso-espanhóis transportava o exército que invadiria Inglaterra e ocuparia Londres, o que implicava que fossem enormes e pesados, logo, lentos, além de que muitos desses soldados não eram marinheiros. Os navios ingleses eram mais leves e rápidos (não tinham exércitos a transportar), e podiam atacar as forças espanholas a uma distância segura do alcance dos canhões. Por outro lado, beneficiavam da tecnologia militar da época, destacando-se os brulotes, pequenos navios carregados de substâncias incendiárias e explosivas, uma invenção da autoria dos holandeses, quando se rebelaram contra o mesmo Filipe II de Espanha.

Ao contrário de Medina Sidónio, o comandante Francis Drake era um marinheiro de longa experiência e conhecimentos, adquiridos por meio de uma bem-sucedida carreira de corsário. Aliás, os ataques que fez contra as possessões espanholas contribuíram para a guerra entre as duas nações. Sendo um corsário, um pirata ao serviço do Governo do seu país, pode dizer-se que a diferença entre um corsário e um pirata é que o primeiro é um funcionário governamental e o segundo um membro de uma empresa privada...

Outro fator que levou ao fracasso da vencível armada foram fortes tempestades ocorridas com frequência no canal da Mancha. Diz-se que o rei ibérico teria lamentado: «Mandei os meus navios lutar contra homens, não contra os ventos e vagas de Deus!» Ao passo que Isabel compõe uma canção em que se vangloria: «Deus levantou os ventos e as águas, para dispersar todos os meus inimigos». Ambos concordaram sobre a causa dos temporais, embora as reações tenham sido opostas.

Parte dos combates ocorreu na periferia da costa holandesa (era suposto transportar as tropas espanholas locais para serem utilizadas na Jornada de Inglaterra). Naturalmente, houve navios que encalharam nessa costa, sendo o caso do *São Mateus*, um navio português, cujos sobreviventes foram capturados e mortos pelos rebeldes (exceto os mais importantes identificados a tempo, já que valiam resgates consideráveis).

A viagem de regresso foi feita por uma rota considerada mais segura, mas com o inconveniente de ser longa, pelo que os navios restantes navegaram ao longo do Norte da Escócia e da Irlanda, e quando alguns sofriam naufrágios na costa irlandesa, sob domínio inglês, os sobreviventes eram aprisionados e até decapitados.

Perderam-se 37 navios (por captura, naufrágio, combate), derrota que custou bem caro ao Império Espanhol, não só materialmente (só a manutenção da Armada em Lisboa custava 700 000 ducados por mês!), como também psicologicamente, pois perdeu a aura de invencibilidade de que até então dispunha.

A Jornada de Inglaterra marcou o início da decadência da Espanha colonial e um grande avanço para o império colonial inglês, e ambos os fenómenos seriam importantes para o futuro da união luso-espanhola.

෯ 1614 ෯

ÉDITO DE EXPULSÃO DOS CRISTÃOS DO JAPÃO

Para que o Japão mantenha a cabeça erguida frente à Europa,
muitas cabeças são cortadas.

O tempo não estava do lado dos missionários e portugueses em geral, uma vez que, à medida que o País do Sol-Nascente era reunificado, o poder do Governo central crescia, bem como a sua capacidade em aplicar as leis nos territórios dominados. Além disso, os holandeses possuíam uma «vantagem» inexistente nos portugueses: não procuravam fazer conversões no Japão, pelo que eram parceiros comerciais mais convenientes.

Quando Hideioxi morre, ocorrem sangrentas lutas de poder entre os seus generais e parentes, tendo sido Iesudi Tokugawa, o vencedor, proclamado xógum. A presença de sete padres cristãos numa das fações derrotadas e o facto de Konishi Yukinaga, um dos dáimios rivais, ser um batizado (preferiu ser executado a cometer o pecado do suicídio, ou seja, haraquiri, ao contrário do filho, xintoísta de Hideioxi) fornecem outro motivo, ou pretexto, ao novo xógum para desconfiar da lealdade da comunidade católica japonesa.

Em 1614, o xógum promulga um novo édito de expulsão dos missionários cristãos, que era para ser respeitado rigorosamente. Outros decretos foram anunciados por Tokugawa, como um recenseamento da população cristã, em 1613, e a promessa de recompensas monetárias a quem denunciasse cristãos ao Governo central. Um exemplo extremista foi o de uma lei imposta em Nagasáqui, segundo a qual toda a família que albergasse cristãos seria queimada viva, sendo mortas também quatro famílias vizinhas da prevaricadora. As leis do Bakufu (governo do xógum) não eram menos cruéis do que as da Inquisição e fizeram mais vítimas no espaço de algumas décadas do que em três séculos de história portuguesa. Só no período de 1614 a 1622 foram supliciados 2128 cristãos, antes das perseguições generalizadas.

Um evento determina o início das perseguições em grande escala, a revolta de Ximabara. Os camponeses eram oprimidos por impostos excessivos e por cobradores dispostos a recorrer à tortura, para não mencionar a abundância de *ronins* (samurais desempregados), insatisfeitos com o fim das guerras civis, responsável pelo termo da sua atividade profissional. A revolta foi reprimida com tamanha brutalidade, que chegou ao ponto de o dáimio local, Matsukura Katsuie, um dos responsáveis pela repressão da mesma, ter sido forçado ao suicídio por Tokugawa, pela incompetência demonstrada na maneira como criou e lidou com os revoltosos.

O Bakufu explicou a revolta popular armada à maneira típica dos Estados autoritários, culpou a população e as influências estrangeiras, em vez de culpar leis injustas, taxas fiscais e abusos de poder das autoridades. Como a maioria dos rebeldes era cristã, estavam justificadas mais perseguições e a expulsão dos «conspiradores» portugueses. Em 1639, logo após a repressão e massacre da revolta de Ximabara, foi publicado um édito segundo o qual os portugueses são expulsos do arquipélago (sem ao menos pagar as dívidas aos credores nipónicos!).

A principal razão invocada pelos xóguns e dáimios para justificarem as perseguições contra os cristãos era a acusação de estes serem agentes e espiões dos europeus e parte de um plano para conquistar o Japão. Nesta época de críticas ao imperialismo ocidental, essa justificação é aceite por diversos historiadores modernos, apesar de ter sérios inconvenientes, como os portugueses nunca terem conquistado uma nação asiática, mas, no máximo, algumas cidades de países politicamente fragmentados, como a Índia e o Japão, que estava em processo acelerado de unificação. Outro seria o facto de Portugal ser um país demasiado pequeno em tamanho e população, além de distante, para pensar em planos de conquista tão ambiciosos, antes e depois da anexação pelos espanhóis. E, com inúmeras guerras difíceis a travar, não faz sentido que planeassem a conquista de uma nação populosa e belicosa...

Os piores perseguidores eram os apóstatas, desejosos de serem «perdoados pelos erros passados», como foi o caso do dáimio de Omura, Yoshiaki, antigo cristão sem vontade de ser um mártir como o pai, nem de perder os seus domínios e riqueza. O número de apóstatas diminuía à medida que os cristãos eram mais pobres, ou seja, com menos a perder.

Uma das torturas utilizadas foi a famosa e famigerada tortura da cova, onde um prisioneiro era suspenso de cabeça para baixo, enfiada num buraco cheio de matérias putrefactas, tormento sofrido pelo jesuíta António Ishida. Esta tortura foi introduzida pelo governador de Nagasáqui, o perseguidor de cristãos Takenaka Uneme-no Sho, forçado ao suicídio por ordem do Bafuku, por corrupção, o que demonstra o grau de veracidade das afirmações de inúmeros carrascos de somente obedecerem a ordens. Muitas torturas tinham como objetivo forçar os cristãos à apostasia, e os padres que cediam, como Cristóvão Ferreira, eram publicitados como vitórias, ao contrário dos padres e leigos apóstatas, que retratavam a apostasia e regressavam à prisão.

A xenofobia e a paranoia das autoridades japonesas foram causas determinantes para tão extrema intolerância, mas não as únicas. A diferença de valores cristãos e japoneses soava a ameaça à cultura japonesa, bastante conservadora. Exemplos desse conflito são as crenças cristãs de que a obediência a Deus é mais importante do que a dirigida aos governantes humanos, e a condenação do suicídio como pecado, contrastantes com a obediência servil ao xógum e dáimios e com o conceito de haraquiri, ou *seppuko*, defensor do suicídio de um guerreiro como forma de expiar a sua vergonha e desonra. E a solidariedade e a camaradagem entre cristãos de exércitos rivais não deviam agradar muito aos comandantes, durante as guerras civis.

Os comerciantes portugueses eram os menos afetados pelo terror anticristão, por razões, logicamente, económicas, desde que não interferissem na proteção das vítimas, como o caso do capitão Duarte Correia, executado por ajudar um frade agostinho.

O comércio com o País do Sol-Nascente era lucrativo o suficiente para que se tentasse reatar relações com o xógum, em março de 1640, por meio de uma embaixada. Dos 74 membros que a compunham, só 13 não foram decapitados, sendo expulsos por meio de um junco, para avisarem os compatriotas de como o édito de 1639 era para ser cumprido. Mesmo na época em questão, matar embaixadores era contra a lei internacional. Mas a Coroa portuguesa era teimosa e envia D. Gonçalo de Siqueira em 1644. Desta vez, os japoneses são mais diplomáticos, interrogam intensamente o embaixador e comunicam-lhe a resposta negativa e a ordem de regressar ao país natal.

Só os holandeses, sujeitos a limitações e controlo severos, podiam fazer transações comerciais com o Japão (até 1865).

Estava confirmado: a época conhecida no Japão como «Século Cristão» tinha terminado.

ᨠᢩᥤ 1640 ᥤᢩᨠ

RECUPERAÇÃO DA INDEPENDÊNCIA NACIONAL

Restauração: Início da guerra contra Espanha. A monarquia era oficialmente dualista, mas teoria e prática não costumam combinar...

Nas Cortes de Tomar, D. Filipe I prometeu governar Portugal como um reino independente e separado de Espanha, à semelhança do antigo Reino de Leão e Castela. Por exemplo, todos os cargos da corte e da administração do reino, incluindo o recém-criado cargo de vice-rei de Portugal, seriam concedidos somente a portugueses, e a língua e moedas oficiais continuariam a ser as nacionais.

D. Filipe I manteve (mais ou menos) a palavra, não se podendo dizer o mesmo dos sucessores, Filipe II e III, tendo nomeado castelhanos para cargos importantes em Portugal, à custa dos fidalgos nacionais.

Tais abusos não foram motivo de revoltas devido às riquezas espanholas que beneficiaram o reino, assim como à estabilidade política (já que a corte e principais governantes viviam fora de Portugal, também se podia dizer o mesmo das lutas de poder), embora isso se aplicasse às elites e não ao povo, cujas condições de vida se agravaram bastante.

Mas em 1620, no reinado de D. Filipe III, o estado do país agravou-se, assim como diminuiu a sua autonomia. As minas de prata da América esgotaram-se devido ao excesso de extração, a deportação de todos os mouriscos para o Norte de África privou Espanha de muitos artesãos e agricultores úteis, e as despesas militares aumentaram devido às guerras com o resto da Europa, o que teve um efeito semelhante nos impostos e no recrutamento

forçado de soldados. Só o nome dos conflitos é sinal das dificuldades enfrentadas: a Guerra dos Oitenta Anos, contra a Holanda,
e a Guerra dos Trinta Anos, que devastou a Europa Central (só a
Primeira Guerra Mundial a ultrapassou em brutalidade e extensão). Sendo Portugal parte de Espanha, inimiga dos ingleses e
holandeses, estes sentiram-se no direito de atacar as possessões e
navios portugueses e de apoiar os seus rivais, como foi o caso da
Pérsia, que conquista Ormuz, com o apoio inglês.

Crise económica, guerras e desabamento do império: tragédias
que levam a motins populares em Portugal, dos quais se destacam
os de Évora, em 1637, onde se queimaram registos e se libertaram
prisoneiros, extinguindo-se, porém, sem necessidade de repressão.
É nessa altura que ganha fama um certo «Manuelinho», suposto
rapaz de 16 anos, que ninguém viu e que afixava escritos subver-
sivos em locais públicos. No entanto, esses escritos mostram uma
erudição religiosa e, por exemplo, sobre a Roma e Grécia antigas,
que indicam uma educação refinada, talvez de origem jesuítica.
Aliás, suspeitou-se que os professores jesuítas da Universidade de
Évora eram os autores, dada a sua oposição aos Filipes, frequente na ordem. O que é irónico, sabendo que esta forneceu grande
apoio à coroação de D. Filipe I. Mudar de opinião é um direito e
um dever quando foi cometido um grande erro.

Um dos alvos de «Manuelinho» é o bispo do Porto, pró-espanhol,
comparado a Nero, que ignorou as lições de virtude e sabedoria do
filósofo Séneca e matou a mãe (mãe-pátria, no caso do bispo), e
que pregava a virtude e a ciência, sem praticar nenhuma delas.

Não é somente Portugal que é oprimido: em 1640, ocorre uma
revolta, em grande escala, na Catalunha, provocando o aumento
do peso tributário e dos recrutamentos em Portugal, mas mostrando ser possível que venha a ocorrer o mesmo. Aliás, o acréscimo de outra frente de guerra a várias já existentes reduz a disponibilidade das tropas espanholas na repressão de um movimento
separatista português. Vários fidalgos conspiram para proclamar
a independência do reino e oferecer a Coroa a D. João, duque de
Bragança, descendente da mesma D. Catarina que a tinha perdido, a favor de Filipe II.

Perante a ousadia e riscos elevados do projeto, D. João hesita.
Mas D. Luísa de Gusmão, sua esposa, é uma mulher de garra e
incita-o a arriscar (algo ainda mais admirável, já que, durante
milénios, a inferioridade das mulheres perante os homens foi

considerada um facto por todos!) com frases dignas de registo, embora de veracidade questionada: «Antes ser rainha por uma hora do que duquesa toda a vida» e «Antes morrer reinando do que acabar servindo.» As hesitações também foram removidas pela ameaça dos conspiradores de proclamarem uma república de aristocratas, como na Roma antiga, antes de Augusto. É tentador imaginar o que aconteceria se o duque se tivesse mantido indeciso! Portugal poderia ter sido um dos pioneiros das repúblicas europeias, ou a experiência republicana poderia ter sido um fracasso, e a monarquia poderia ter sido mantida até hoje, como foi o caso da Inglaterra, graças a Cromwell.

Quarenta fidalgos armados e os seus servidores entram no palácio real no dia 1 de dezembro de 1640 e forçam a duquesa, D. Margarida de Mântua, à rendição, bem como a ordenar a rendição das guarnições espanholas. O secretário de Estado, Miguel de Vasconcelos, é abatido e defenestrado, o que faz lembrar a defenestração de Praga, embora os diplomatas deste último caso tenham sobrevivido. As semelhanças dos dois atos de rebelião incluem serem dirigidos contra os Habsburgos, a mesma família que governava tanto o Império Alemão como o Espanhol, e geraram guerras duraram três décadas.

Na altura foi convenientemente «descoberto» um documento pelos monges do Mosteiro de Alcobaça que descrevia as Cortes de Lamego e as regras da sucessão real, que excluíam a maneira como Filipe II adquiriu a Coroa portuguesa, ilegitimando-o como monarca, bem como os seus descendentes. Claro, que a «descoberta» foi uma invenção feita por patriotismo, e sem qualidade, enganando somente os portugueses, e até ao século XIX.

A notícia da revolução ganha o apoio generalizado de todo o país, que se mobiliza na luta pela independência, exceto alguns membros da alta nobreza e da alta burguesia que conspiram a favor de D. Filipe III. Os planos são descobertos e os conspiradores executados, incluindo o duque de Caminha, o marquês de Vila Real e o conde de Armamar. Os únicos conspiradores cujas vidas são poupadas são os pertencentes ao clero, como é o caso do inquisidor-geral...

Como as elites abastadas odeiam ver os seus membros sofrer punições severas, a sua fúria é elevada, pelo que é sacrificado um bode expiatório, o secretário de Estado, decapitado com o mesmo cutelo que decapitou os conjurados que tinha condenado.

✢ 1646 ✢

JOSEFA DE ÓBIDOS CONCLUI O SEU PRIMEIRO DESENHO OFICIAL

Religiosidade feminista?

Uma obra escrita em 1696 homenageia uma personagem da pintura portuguesa, incluindo-a numa seleta (ou antes, reduzida) lista de 20 autores nacionais, os quais «foram mais celebrados pela excelência da sua arte». A personagem em questão era uma mulher, Josefa de Ayala y Cabrera.

Nascida em Sevilha, no ano de 1630, Josefa de Ayala estava no lugar certo, com a família certa e no século certo. Filha do pintor português Baltazar Gomes Figueira, e com o talentoso pintor Francisco de Herrera, *o Velho*, como padrinho, pode dizer-se que o meio ambiente foi ideal para o desenvolvimento das suas faculdades e interesses artísticos. O local e época de nascimento também contribuíram, uma vez que o Reino de Espanha vivia a época conhecida como «Século de Ouro», uma época de prosperidade a vários níveis, incluindo as artes, dotada de talentos inovadores como Velázquez. E é preciso mencionar a explosão artística vivida em Portugal aquando da Restauração, sem dúvida por orgulho e afirmação nacionais, embora a maioria dos artistas e das obras da época esteja atualmente esquecida, excetuando a pintora alcunhada como «sevilhana de Óbidos».

Ainda criança, Josefa migra com a família para a terra natal do pai, na altura sob domínio espanhol, mais precisamente Óbidos, onde viverá o resto da sua vida. A lenda dirá que Baltazar Gomes Figueira regressou a Portugal para participar na luta pela independência e os registos escritos de Sevilha dirão que o regresso ocorreu pouco após ter sido sujeito a um processo judicial devido a dívidas por pagar.

O facto de ser mulher, num meio profissional onde o elemento feminino normalmente só posava, já era uma novidade em Portugal, e uma raridade nos outros países europeus, apesar de se estar numa época em que surgiu um número razoável de pintoras em Itália e noutros países europeus.

A admiração por uma mulher ter mostrado talento em tal arte masculina pode ter sido uma das razões da popularidade e respeito rapidamente adquiridos. E como boa parte dos quadros pintados eram de temática religiosa, não seria a Igreja a condená-la por trabalhar em «tarefas masculinas». Aliás, muitos admiradores, que até divulgaram histórias favoráveis a respeito do seu talento, algumas de veracidade duvidosa, eram clérigos. O facto de ser um tanto mística e de gostos simples e austeros, incluindo o apreço pela vida no campo, pode também ter contribuído para a sua popularidade.

Como foi corrente durante séculos, boa parte da temática das pinturas a óleo era religiosa, e Josefa de Ayala foi um exemplar típico, mas não no respeitante à mitologia greco-romana ausente nos seus quadros, apesar de ser um tema popular nas artes europeias. Uma das originalidades da obra da «sevilhana de Óbidos» é um certo sabor a feminismo em pleno século XVII, já que uma grande parte das personagens desenhadas e pintadas eram femininas, essencialmente santas.

A Virgem Maria era a mais representada, naturalmente, mas a favorita da artista parece ter sido Santa Catarina. Afinal, foi em 1646 que Josefa fez a sua primeira gravura «oficial», intitulada *Santa Catarina*, tinha somente 15 anos! A sua primeira pintura a óleo é terminada em 1647, *Casamento Místico de Santa Catarina*. Ora, como Santa Catarina é considerada uma princesa, filósofa e doutora em teologia, elogiada pela sabedoria de que deu provas, a abundância de quadro e gravuras que a recorrem como tema indica um certo fascínio de Josefa por essa mulher independente e respeitada pelos homens. Aliás, Josefa nunca se casou, sustentava-se a si própria, não se sujeitando às ordens de nenhum marido, já que a ideia da esposa obediente sempre foi glorificada em quase todas as sociedades e épocas. A dedicação de uma mulher à fé cristã, ao ponto de viver no celibato, trazia muitas vezes respeito, sustento e maior independência em relação à autoridade masculina, o que explicaria a abundância de santas...

De notar que houve quem se recusasse a acreditar que Josefa tivesse somente 15 a 17 anos quando criou essas duas obras.

O Menino Jesus Salvador do Mundo beneficia de elevada popularidade, pois o aspeto de «boneca de cerâmica» do Menino Jesus agrada ao público, assim como a longa cabeleira loira (!). Tanto que a «sevilhana» pinta várias versões desse quadro, fazendo o mesmo com alguns dos seus temas. O quadro, ou o conjunto das versões pintadas, é elogiado pelos contemporâneos: «É doce coberto/é manjar divino/e quando tirita nuzinho/um caramelo parece» (os clérigos mais severos não gostam de um Menino Jesus com tal aspeto, mas o povo só lhes dá ouvidos quando convêm).

Nem todas as obras de Josefa eram de natureza religiosa: foi autora de vários *bodegones*, quadros com naturezas-mortas, que tinham significados simbólicos percetíveis por conhecedores. Um exemplo é o das perdizes e coelhos, símbolos de vícios humanos, respetivamente a fraude e a luxúria (a fecundidade dos coelhos levou a essa associação), pelo que os quadros que os representam mortos numa cozinha, destinados a refeições, simbolizam a derrota dos ditos vícios. Quanto às imagens de cordeiros mortos, destinados a refeições, como é natural, simbolizam o Cordeiro de Deus (Jesus Cristo), morto para a salvação dos homens. Várias das naturezas-mortas de Josefa são consideradas as suas melhores obras.

A popularidade de Josefa crescerá até ser exagerado o talento e a autoria das obras atribuídas, ao ponto da autoria de quase todas as pinturas seiscentistas que incluíssem naturezas-mortas, cordeiros pascais serem atribuídas à «sevilhana de Óbidos» (não esquecer os restantes pintores portugueses seiscentistas). Teve vários imitadores e algumas das obras destes foram-lhe atribuídas.

Josefa de Óbidos não teve falta de homenagens e de respeito, que cresceram após a sua morte, ocorrida prematuramente em 1684, aos 54 anos, das quais destaca-se a seguinte: «Uma mulher, que valeu mais do que muitos homens, a famosa Josefa de Ayala, chamada vulgarmente Josefa de Óbidos.»

ᕤᕤ 1654 ᕤᕤ

O BRASIL PERMANECE NA AMÉRICA LATINA: EXPULSÃO DOS HOLANDESES

Primeira guerra mundial e primeira guerra moderna: duas definições aplicáveis a este conflito.

Quando Filipe II foi coroado D. Filipe I de Portugal, é natural que utilizasse o seu novo reino para enfrentar as Províncias Unidas (Holanda), que se tinham rebelado contra o domínio espanhol em 1568. Assim, proíbe os portugueses de estabelecerem negócios com a nova nação, cujos mercadores tinham previamente feito grandes investimentos na indústria do açúcar do Brasil. Também é natural que os holandeses atacassem Portugal, agora aliado do inimigo espanhol e cujo império colonial consistia em vários entrepostos comerciais e cidades pouco numerosas, presentes no litoral, e como consequência mais suscetíveis a ataques armados, como foi o caso de São Tomé e Príncipe, em 1598.

Quando Portugal regressa ao estatuto de país independente, em 1640, inicia uma longa guerra contra Espanha – mas a invasão do Brasil em 1641 pelos holandeses mostra que tal evento só estimulou a guerra contra as Províncias Unidas! Afinal, era mais fácil atacar os portugueses, uma vez que estes pelejavam contra os exércitos de Espanha.

É, pois, confirmado que o verdadeiro motivo dos ataques holandeses às colónias portuguesas é o domínio das lucrativas rotas comerciais locais: cravo-da-índia, noz-moscada (ilhas Molucas), canela (Ceilão), pimenta (Malabar), ouro (Guiné, Monomotapa), açúcar (Brasil), escravos negros (África, como é lógico), só para mencionar alguns. Uma das principais entidades envolvidas no conflito em questão era a Companhia Holandesa das Índias

Orientais, que visava controlar as referidas rotas, existentes em diferentes continentes, o que possui sérias semelhanças com as multinacionais modernas e a elevada importância destas em diversas guerras.

As batalhas e escaramuças luso-holandesas são travadas em África, nas Américas, na Ásia e, em menor escala, na Europa. Pode dizer-se que essa foi a primeira à escala mundial, e não a Grande Guerra de 1914-1918, apesar de, felizmente, o número de vítimas ter sido muito inferior.

O Nordeste do Brasil, a maior zona produtora de açúcar da colónia, é ocupado, mas os habitantes rebelam-se contra os novos senhores em 1645, por meio da chamada Insurreição Pernambucana ou Guerra da Luz Divina. Embora ambos os lados tenham recorrido à ajuda de ameríndios locais na sua luta, é curioso e agradável, especialmente para as mentes modernas, que as tropas portuguesas tenham sido multirraciais. Negros, índios, mulatos, mestiços, brancos, fossem livres ou escravos (desejosos de serem recompensados com a liberdade), chegam a atingir o cargo de comandantes de regimento, como o negro Henrique Dias, o índio puro camarão, e João Fernandes Vieira, filho de uma mulata (e de um nobre, «cliente» da mãe...). Claro que os cristãos-novos preferem os conquistadores holandeses, muito mais tolerantes...

Os holandeses foram forçados a abandonar o Brasil em 1654, mas aprenderam as técnicas de cultivo e moagem do açúcar, tendo ultrapassado os seus «professores» nas plantações das Antilhas, que fizeram grande concorrência às portuguesas. De resto, no acordo de 1654, eram poderosos o suficiente para exigirem indemnizações pelas despesas feitas nas campanhas do Brasil – com sucesso!

No continente asiático, o desenrolar da guerra revela-se favorável aos Países Baixos: Ceilão, as Molucas, Malaca, Malabar, as chamadas Índias Orientais (atual Indonésia) são todas ocupadas.

Em África, o sucesso é bastante mais reduzido do que na Ásia, tendo fracassado nas tentativas de ocupar Moçambique e sido expulsos de Angola e de São Tomé e Príncipe, embora tenham retido, como prémio de consolação pouco modesto, a Costa do Ouro, cuja principal atividade comercial é fácil de deduzir.

Porque triunfaram os holandeses em várias das suas campanhas? Superioridade numérica, pois recrutaram alemães e escandinavos, semelhantes em termos culturais étnicos, linguísticos e religiosos (cristianismo protestante). De resto, a Alemanha de então era famosa pelos seus mercenários (*freelance* hoje significa «trabalhador por conta própria», mas inicialmente significava «militar por conta própria», ou seja, mercenário, pois era a alcunha inglesa dada aos mercenários alemães, sendo «lanças livres» a tradução literal da expressão). Superioridade em termos económicos, o que permite a recruta de mais combatentes, construção de mais armadas, maior disponibilidade de alimentação dos exércitos (um holandês vale mais do que três portugueses, afirmam estes últimos – numa referência aos seus corpos magros e esfomeados!). E a mentalidade: a Holanda era a única república democrática a surgir em vários séculos, o que favorece a promoção de indivíduos competentes e experientes para cargos de chefia, ao passo que, em Portugal, prevalecia o costume internacional de nomear para tais cargos quem pertencesse às melhores famílias da alta sociedade. De resto, a disciplina militar dos Países Baixos superava, e muito, a dos inimigos.

Como é que Portugal consegue obter vitórias importantes e definitivas contra a Holanda? Como os portugueses tinham chegado primeiro, havia várias gerações, estavam mais habituados aos climas tropicais e à luta no mato. Também souberam ganhar mais e melhores apoios das populações, uma vez que, quando se instalavam nas colónias e entrepostos comerciais, tencionavam adotá-los como lares, em vez de regressarem à terra natal, quando o serviço militar findasse, como os holandeses (o que diz muito da vida que tinham na terra de origem); casavam-se em maior número com as indígenas, malgrado a abundância de racismo (mas a sexualidade pode ser uma boa exceção para esse tipo de discriminação); o catolicismo ganhou muitos adeptos (mais ou menos) convictos, apesar da violência lusitana, ao contrário do calvinismo holandês; a língua portuguesa era mais fácil de aprender do que o neerlandês (ainda hoje, por exemplo, muitas palavras malaias são de origem portuguesa); embora os holandeses fossem mais dotados como comerciantes, os portugueses eram mais apreciados nesse aspeto, uma vez que recorriam a maior proporção de trabalhadores indígenas remunerados, além de serem menos exigentes na partilha dos lucros com os comerciantes locais.

É tentador imaginar como seria o Brasil atual se fosse um país de cultura neerlandesa. Os holandeses possuem uma mentalidade mais «aberta» (até em demasia, diriam alguns!), mas, por outro lado, os colonos que se instalaram na África do Sul (graças à expulsão dos portugueses locais) originaram os bóeres, cujo racismo contribuiu para o *apartheid* (que aliás é uma palavra africânder, a língua bóer, proveniente do neerlandês, e que significa «segregação»). Eis o tipo de questão que estimula a imaginação, sem nunca conseguir uma resposta.

✒ 1668 ✒

FIM OFICIAL DA GUERRA DA RESTAURAÇÃO

Tantos anos de guerra para convencer os espanhóis a reconhecer a independência de Portugal!

Os conflitos militares contra a Coroa espanhola iniciam-se em 1641, e duram 28 anos, sendo a mais longa guerra a que Portugal foi sujeito, durando quase tanto como a contemporânea Guerra dos Trinta Anos, começada também com a defenestração do representante de um monarca Habsburgo. Muitos espanhóis estavam convencidos de que a guerra seria tão curta que alcunharam D. João IV de *Rei de Um Inverno,* presumindo que seria essa a duração do seu reinado! Durante vários anos, os combates contra os espanhóis foram sobretudo fronteiriços e em escala reduzida. O motivo era compreensível: a guerra contra a França, a Guerra dos Oitenta Anos e a Guerra dos Trinta Anos drenaram extensos recursos aos Estados governados pelos Habsburgos, para os quais Portugal não era um problema prioritário.

A Coroa espanhola assina a paz com a França em 1659 e com os adversários da Guerra dos Trinta Anos em 1648, aumentando a disponibilidade das suas forças armadas na luta contra Portugal, sendo o novo comandante o conde de Schomberg, portador de imensas inovações da tecnologia militar e pensamentos estratégicos, cujo desenvolvimento foi acelerado pelos combates na Alemanha. No entanto, a devastação e exaustão dos recursos disponíveis, bem como as perdas territoriais a que o Reino de Espanha fora sujeito, devido a essas guerras perdidas, dificultaram muito os planos de Madrid para recuperar o reino vizinho. A França deixa de apoiar Portugal, apesar dos acordos estabelecidos, ao contrário da Inglaterra, que só apoiou o seu velho aliado em troca de grandes cedências, como Tânger e Bombaim... Portugal beneficiou ainda da energia e determinação do conde de Castelo Melhor, o verdadeiro governante do país, uma vez que o rei D. Afonso VI era semiparalítico e tinha problemas mentais, devido a um ataque de meningite sofrido na infância.

Naturalmente que com tais mudanças a intensidade da guerra em território português aumenta consideravelmente, e a concentração da economia no esforço de guerra e as devastações por ela provocadas empobrecem o país.

Portugal não sofreu horrores semelhantes às brutalidades cometidas na Alemanha, o que não evitou outras, como a degolação de cerca de 70 portugueses na aldeia de Moimenta, por terem resistido tenazmente, usando a igreja como fortaleza. Ou o massacre de todos os defensores do Forte de Santa Luzia, nas proximidades de Elvas. Claro que seria um milagre se os portugueses saíssem moralmente incólumes desse longo conflito... De resto, os cronistas da época não esconderam a existência de vários nobres que faziam jogo duplo, apoiando o vencedor do momento: «Jogam com um pau de dois bicos (...). Cá tem um pé, e lá outro, cá o corpo e lá o coração.»

A batalha de Montes Claros, em 1665, garantiu a independência do reino, tendo sido um marco da guerra moderna na Península Ibérica, em termos de uso de armas de fogo e de artilharia, da maneira como se sustentariam exércitos e de novos pensamentos estratégicos, embora o número de combatentes não tenha sido dos mais elevados na história das lutas ibéricas. Outra vitória portuguesa, de ocorrência anterior (1663), merece ser referida, por ter sido tão imprevisível, que o príncipe D. João de Áustria afirmou ser a primeira vez que um exército foi derrotado por outro que se esforçou ao máximo para evitar a batalha. E D. João de Áustria era o comandante das tropas espanholas!

A insatisfação do povo, desejoso de paz, como seria de esperar, o crescente ódio aos nobres devido ao seu comportamento pouco nobre nos combates e privações, etc., foram motivos de tumultos populares e causa de críticas ferozes a Castelo Melhor, que, apesar das vitórias decisivas obtidas, prosseguiu a guerra, em busca de maiores vantagens num acordo de paz. Como resultado, ocorre um golpe de Estado sem derramamento de sangue, mas com humilhações.

Além dos referidos problemas mentais e físicos, D. Afonso VI não conseguia dar um herdeiro ao trono, pretexto para uma comissão investigar eventuais problemas de fertilidade. Muitas testemunhas, como criadas, fidalgas e até prostitutas, descreveram as deficiências e limitações sexuais do rei (incluindo pormenores físicos), que levam à sua exclusão do trono, e consequente substituição pelo irmão, D. Pedro II, como monarca e como marido da rainha D. Maria de Saboia, após decretado o divórcio desta e do deposto monarca. Tirar o reino e a mulher ao irmão não valeu a D. Pedro II um lugar nas histórias de amor da vida real, como o seu antecessor homónimo. E D. Pedro II proclamou ainda que foi «forçado» a fazê-lo, pelos pares do reino e para o bem deste, com uma sinceridade tão discutível como o amor fraternal que era capaz de sentir... A conspiração, conhecida como «cabala francesa», teve a colaboração do Reino de França, ou não fosse a rainha francesa. D. Afonso II tinha já feito o mesmo ao irmão, D. Sancho II, no ano de 1248, sem, porém, o sujeitar a uma humilhação de tal nível, podendo, pois, dizer-se que a semelhança destes dois golpes de Estado, nos quais o nome da vítima de um é o do conspirador de outro, demonstra que Karl Marx estava certo quando afirmava que a história acontece como tragédia e repete-se como farsa. De notar que o testamento de D. Maria incluiu o pagamento de 20 000 missas pela sua alma, o que leva a pensar na tranquilidade da sua consciência.

O acordo de paz é assinado com Espanha no ano seguinte, a 13 de fevereiro de 1668, mediante a cedência de Ceuta, um sacrifício de elevado valor simbólico, uma vez que esta conquista marcou o início da expansão ultramarina de Portugal. O chão desgastado do quarto onde foi aprisionado D. Afonso VI, no Palácio de Sintra (não tinha outro local para caminhar), é uma recordação da tragédia que o infeliz pagou em nome da paz. Afirma-se que D. Afonso foi apodado de *Vitorioso,* por no seu reinado ter sido finalmente vencida a guerra contra Espanha, mas mais parece uma ironia de mau gosto!

‹∞◦ 1695 ◦∞›

FIM DO QUILOMBO DE PALMARES

Uma página pouco conhecida da história do Brasil português
(e da escravatura mundial).

Quando se fala da escravatura nas Américas, refere-se sempre o tráfico negreiro e a crueldade dos proprietários de escravos. Mas a resistência dos escravos africanos mal é mencionada, em especial a existência dos quilombos.

A palavra «quilombo», proveniente do banto, significa fortaleza ou acampamento e designava as povoações erigidas por escravos fugitivos ou, mais frequentemente, pequenos grupos de fugitivos de vida ambulante ou nómada. Outro nome dado a tais grupos era «mocambo», de origem quimbunda (um dos vários idiomas do grupo banto). Os membros dos quilombos eram apodados de «quilombolas» ou «mocambeiros» e é assim que serão doravante chamados.

Palmares era um nome português derivado de «palmeiras», mas os quilombolas chamavam à região onde viviam «Angola Janga» (Pequena Angola), o que indica a proveniência de muitos dos seus habitantes. O quilombo de Palmares é o mais famoso, não só por ser especialmente populoso (segundo as estimativas, variam de 6000 a 20 000 habitantes) como também por ter durado cerca de um século. Os mocambos não costumavam possuir longevidade e populações tão elevadas como os de Palmares, devido às constantes expedições portuguesas (como as famosas bandeiras), o que explica o nomadismo e o número reduzido de membros da sua maioria.

A história dos quilombos não é um exemplo de guerras raciais convencionais: muitos eram multirraciais, assim como vários dos seus inimigos. Os fugitivos que procuravam refúgio nos quilombos incluíam brancos, assim como mulatos e negros de condição livre, uma vez que na sociedade colonial portuguesa não havia falta de fugitivos à justiça, fossem delinquentes ou desertores do Exército. As guerras que os portugueses travavam contra os outros colonizadores europeus facilitaram tais evasões, bem como as atividades do quilombolas, como libertar mais escravos, atacar antigos senhores e capatazes, saquear para sobreviver, etc.

As milícias e restantes grupos armados que perseguiam os mocambeiros incluíam índios assimilados, negros, fosse a sua condição servil ou livre, mulatos e mamelucos, o que é fácil de compreender, sabendo que, além das óbvias punições, muitos queriam ser aceites como súbditos da Coroa portuguesa ou receber a alforria, no caso dos escravos.

As tribos índias também guerreavam ferozmente os mocambos, pois estes atacavam as suas aldeias para raptarem mulheres, uma vez que a percentagem de mocambeiras era reduzida (menos de 20 por cento, e os homens queriam «companhia». Uma solução alternativa utilizada era a poliandria (mulheres com haréns masculinos), mas por alguma razão não era muito popular entre os homens... Obviamente que muitas expedições de resgate de escravos tinham como principal motivação as escravas! O motivo dessa disparidade homem-mulher entre os quilombolas devia-se a que os escravos tinham maior facilidade em fugir, graças aos seus trabalhos rurais, e a que as funções domésticas e sexuais (amantes/concubinas) das escravas dificultavam o seu acesso aos matos e florestas. Palmares, no entanto, beneficiou de tempo suficiente para que a população feminina pudesse crescer e reduzir muito esse rácio.

Os quilombolas, se capturados, arriscavam-se a ser açoitados, à marcação com ferro em brasa da letra F (de fugitivo) ou à decapitação, seguida de exibição da cabeça decepada, como aviso. Mas os proprietários preferiam recuperar as «propriedades» evadidas (os mortos não trabalham). Tantos os sentimentos humanitários como a utilidade de ter trabalhadores saudáveis evitaram punições excessivamente severas a vários cativos: por exemplo, rejeitou-se a proposta do conde de Assumar de cortar o tendão de Aquiles dos capturados, tornando-os permanentemente coxos.

A baixa densidade populacional do Brasil colonial, o isolamento das zonas rurais, as guerras contra índios e outros europeus, o combate ao contrabando do ouro, dificultaram muito as tentativas de erradicar os quilombos. E havia ainda a cooperação dos cidadãos livres de diferentes raças: por exemplo, os estalajadeiros e os taberneiros lucravam bastante com o comércio com os mocambeiros, proveniente de pilhagens, produção agrícola (quando lhes era possível instalar-se num território e dedicar-se à lavoura), produtos obtidos da caça e pesca, etc.

De notar que havia quilombolas que se tornavam garimpeiros na esperança de acumular ouro suficiente para comprar a sua liberdade e deixar de ser perseguidos pelas autoridades (nada como o ouro para amolecer muitos corações...).

O reduzido número de revoltas escravas, como a de 1814, foi influenciado pelo facto de os quilombos serem um meio alternativo de adquirir a liberdade e mais seguro do que uma revolta facilmente reprimível por colonos cruéis, apesar de os riscos de captura, seguida de morte em combate, execução, ou regresso à escravidão, serem consideráveis (não esquecer a curta duração de muitos quilombos). É caso para perguntar se os mocambos nunca foram erradicados por, além das razões descritas e de servirem de refúgio dos escravos, serem alvo das tensões sociais.

Desde 1612 que os «pequenos angolanos» resistem aos vários ataques dos portugueses, mesmo com a utilização de espiões (nem todos negros, pois havia uma minoria branca em Palmares), mas um adversário de tamanha dimensão não podia ser ignorado impunemente, pelo que uma poderosa ofensiva armada destruiu o quilombo em 1695, com a ajuda valiosa das violentas lutas de poder dos quilombolas. Zumbi, o último rei de Palmares (os colonos atribuíram os nomes de «reis», «rainhas» ou «capitães» à generalidade dos líderes dos quilombos), tenta fugir, mas é capturado e morto pelo bandeirante Domingos Jorge Velho. O dia da morte de Zumbi, 20 de novembro, é atualmente o Dia da Consciência Negra no Brasil, que homenageia Zumbi e todos os que lutaram contra a escravidão.

A independência do Brasil não melhorou a situação, pois os escravos continuaram a formar quilombos e a resistir aos ataques e brutalidade dos brancos locais, fenómeno que só terminou com a abolição da escravatura brasileira, em 1888. Os quilombos mais isolados eram os que tinham maiores possibilidades de sobreviver: atualmente, existem no Brasil cerca de duas mil comunidades de origem quilombola.

༫ 1697 ༺

DESCOBERTA DE OURO NO BRASIL

A maior era de prosperidade económica desde o reinado de
D. Manuel. Há bens que vêm por mal.

A serra da Mantiqueira fica a menos de 600 quilómetros do Rio de Janeiro, onde se situa a nascente do rio São Francisco. No ano de 1697 foi descoberto ouro fluvial nessa região, para grande alegria dos colonos portugueses, que o procuravam nos seus territórios americanos havia dois séculos. Outra feliz descoberta foi a de diamantes, em 1729, numa região que ainda hoje mantém o nome dado na altura: Minas Gerais. E merecem ser mencionadas povoações com denominações como Ouro Preto e Diamantina.

Até então as principais produções do Brasil foram o café, o tabaco, o açúcar e madeiras, como (logicamente) o pau-brasil. Com semelhantes descobertas mineiras, Portugal viu-se inundado de riquezas inesperadas que permitiram compensar o pesado saldo negativo das trocas com o exterior. Antes de 1697, o reino adotara medidas para combater o problema do saldo negativo, baseando-se no mercantilismo.

O mercantilismo pode ser descrito, de maneira simples, como a teoria económica que defende que a economia de um reino devia acumular a maior quantidade possível de ouro e prata por meio de uma balança comercial positiva, isto é, com as exportações superiores às importações, uma ideia popular nos séculos XVII e XVIII. Foi defendida por muitos estadistas europeus, como o francês Colbert, ministro de Luís XIV de França (o pouco modesto *Rei-Sol...*), e o sucesso dessas medidas levou o quarto conde da

Ericeira, D. Luís de Xavier de Meneses, a seguir o seu exemplo. O conde da Ericeira foi um dos defensores do mercantilismo em Portugal e pôs em prática várias medidas, na sua qualidade de superintendente das fábricas e manufaturas do reino, contratando especialistas de Veneza, Espanha, França e Inglaterra e concedendo-lhes privilégios especiais, além de empréstimos, para criar uma indústria têxtil nacional forte, obtendo algum sucesso. As vigorosas medidas tomadas incluíram a proibição da importação de produtos manufaturados de outros países.

A abundância de ouro e diamantes brasileiros levou os portugueses a reforçar o hábito de querer soluções rápidas e fáceis para os seus problemas. Mais precisamente, as riquezas disponíveis de além-mar fizeram com que a sociedade preferisse importar os produtos que lhe aprouvesse e se entregasse ao luxo. A consequência lógica foi indiferença e apatia perante os projetos do conde da Ericeira, que acabaram por fracassar. Aliás, todas as companhias comerciais criadas de 1669 a 1992 (Cabo Verde, Grão-Pará, Maranhão, Índia, Guiné) foram dissolvidas. Obviamente, que os ingleses também contribuíram para que o mercantilismo português fracassasse, pois queriam vender os seus produtos têxteis. Ao ver a ruína dos seus grandes projetos, o conde da Ericeira entra em depressão, ou melancolia, como se dizia na época, e comete suicídio. Dado que viver no luxo e à custa das importações foi a maneira como o país aplicou o ouro e os diamantes do Brasil, e que se assemelha bastante ao uso dado às riquezas da Índia, nos tempos manuelinos, e aos subsídios da União Europeia, nos tempos contemporâneos, repare-se como determinadas características nacionais nunca mudam!

Como a Coroa extraía enormes rendimentos das minas brasileiras, os impostos perderam importância. Como o debate sobre o regulamento, lançamento e abolição de impostos perde importância, os monarcas de Portugal deixaram de convocar cortes, desde 1698 até à Revolução Liberal, em 1820. O que significa que o absolutismo foi favorecido pelo ouro do Brasil.

O crime também foi favorecido: como o fisco saía caro, o contrabando de ouro e de muitas outras mercadorias provenientes do Brasil sofreu uma enorme expansão – à custa dos cofres do Estado, é claro. Impostos elevados, como o quinto real, uma taxa correspondente a um quinto do valor do ouro e diamantes transacionados, não estimularam muito o respeito pela lei!

A economia do sertão brasileiro acabava de sair da troca direta de bens, pelo que os comerciantes recorriam ao crédito, e se demorassem a pagar as prestações, os comissários volantes (mercadores itinerantes), quer fossem locais ou do Continente, recorriam aos tribunais e à violência na sua maneira de lidar com tal problema. Não admira que o marquês de Pombal os tenha ilegalizado e perseguido.

Outra atividade económica de natureza criminosa, mas legal, foi o tráfico de escravos negros: o crescimento económico do Brasil levou à necessidade de mão de obra barata, o que originou o aumento da importação de escravos dos reinos de África (os europeus não capturavam os negros: compravam-nos aos monarcas africanos, que tinham abundância de prisioneiros de guerra), que recebiam os produtos manufaturados portugueses e o vinho considerado impróprio para o mercado europeu, o «rebotalho» da economia portuguesa.

Aliás, a dependência da economia portuguesa dos produtos agrícolas e mineiros e dos comerciantes das suas colónias levou ao comentário de um inglês: «É mais uma província do que um reino. Pode dizer-se que o rei de Portugal é um potentado das Índias que se hospeda numa sociedade da Europa.» Ou como disse Martinho de Melo e Castro, ministro do Ultramar, sem rodeios nem floreados e com brutal franqueza: «Sem o Brasil, Portugal é uma potência insignificante» (o futuro deu-lhe plena razão).

Um dos maiores exemplos, literalmente falando, da má gestão das riquezas mineiras brasileiras é o Aqueduto das Águas Livres, no reinado de D. João V: a construção de tal infraestrutura permitiu aos habitantes de Lisboa beneficiarem de um elevado e tão necessário abastecimento de água, porém, construído com o dinheiro dos impostos cobrados à população, e não com os dos rendimentos do ouro e diamantes...

Uma das recordações positivas do ouro brasileiro foi a construção do palácio-convento de Mafra, uma verdadeira obra de arte. Claro que D. João V foi alvo de piadas e chistes por tal feito, graças à sua lamentável vida privada. Pois é sabido que gostava de freiras, sendo pai dos filhos de algumas, como a famosa abadessa Paula, o que é menos espantoso ao saber-se que, na época, o convento era um lugar de castigo para raparigas com comportamentos condenáveis, sobretudo sexuais, ou intrigas políticas. Ou seja, muitas freiras eram-no não voluntariamente, nem por serem devotas e almejarem a pureza, mas antes pelos motivos opostos! O célebre filósofo francês Voltaire satirizou a construção do Convento de Mafra com o comentário: «Quando quis um edifício novo, mandou fazer um convento. Quando quis uma amante, escolheu uma freira.» Independentemente dos motivos da construção do Convento de Mafra, este é uma obra-prima da arte barroca em Portugal, ao ponto de merecer a classificação de Monumento Nacional, em 1910, e de ter sido um dos finalistas do concurso das Sete Maravilhas de Portugal, em 2007.

Razão teve Oliveira Martins, historiador do século XIX, quando afirmou: «O ouro e diamantes do Brasil foram a transfusão de sangue num corpo anémico.»

1703

TRATADO DE METHUEN

Uma história que se repetirá vezes sem conta, em muitos aspetos...

O Tratado de Methuen, também chamado «Tratado dos Panos e Vinhos», é considerado como um dos que mais prejudicaram a economia portuguesa. Há quem acredite que a tornou dependente da britânica, mas na realidade era resultado de um processo em andamento já começado havia muito tempo.

Sendo o Reino de Portugal inferior ao Reino da Grã-Bretanha, em termos de poder económico e militar, é natural que os acordos comerciais que as duas nações assinassem fossem mais favoráveis à Grã-Bretanha. Já tinham sido estabelecidos tratados comerciais entre Portugal e Inglaterra em 1642, 1654 e 1661, que atribuíram aos comerciantes ingleses privilégios especiais, como não serem sujeitos à legislação portuguesa, terem acesso aos mercados das colónias portuguesas (não esquecer que a nação colonizadora costumava possuir o monopólio do comércio com as suas colónias, na Europa daquele tempo), entre outros.

Pode concluir-se que, tal como nos referidos tratados, a Inglaterra já estava numa posição suficientemente forte para impor as suas condições quando foi assinado o Tratado de Methuen, assim chamado por ter sido assinado por John Methuen, o cônsul inglês (outro signatário foi o rei D. Pedro II de Portugal), no dia de 27 de dezembro de 1703. O conteúdo do acordo consistia basicamente no compromisso de a Coroa portuguesa comprar os produtos têxteis ingleses (estava-se no início da Revolução Industrial e estes eram a principal produção das tecnologias recentemente adquiridas pelos britânicos), e, por outro lado, a economia britânica passava a cobrar aos vinhos de Portugal o equivalente a dois terços das taxas alfandegárias impostas aos vinhos franceses.

O Princípio das Vantagens Comparativas, formulado pela britânico David Ricardo, defende que cada país deve concentrar-se na produção de um bem cuja produção tenha um custo menor e//ou seja mais eficiente, com o objetivo de o tornar num importante produto de exportação. E, por outro lado, importar os bens cuja produção é mais cara ou menos eficiente. A teoria em questão foi formulada pelo britânico David Ricardo, usando o vinho português e têxteis britânicos como exemplo de que ambos os países serão mutuamente beneficiados ao concentrarem os seus recursos na especialização de tais produtos. Ironicamente, o exemplo referido, na prática, só mostrou as falhas da teoria, pois importar produtos relativamente caros e exportar produtos relativamente baratos revelou-se desvantajoso para a economia portuguesa. Outra ironia, relativa à Teoria das Vantagens Comparativas, foi o facto de ter sido elaborada por um lusodescendente, mais precisamente, descendente de judeus perseguidos e exilados pela própria sociedade portuguesa (o que talvez diminua a ironia...).

A desvantagem para a economia lusitana é simples de compreender: importar produtos industriais caros e, em troca, vender produtos de origem agrícola, de valor de venda relativamente mais barato, faz com que o saldo da balança comercial seja negativo. Teve a vantagem de garantir um mercado seguro para os vinhos nacionais, mas também garantiu o falhanço dos projetos de tornar Portugal num país mais industrializado. Como atrás foi descrito, a descoberta do ouro brasileiro criou a ilusão de haver capital suficiente para resolver o problema do saldo negativo, mas o esgotamento das minas de ouro e diamantes mostrou que só se desperdiçou uma oportunidade única e que o risco de se entrar em bancarrota foi apenas adiado. O Tratado de Methuen foi respeitado pelos empresários e Estado portugueses porque não tiveram uma visão de futuro a longo prazo a dar aos recursos auríferos brasileiros. Como, por exemplo, investi-lo no desenvolvimento da indústria nacional.

A indústria manufatureira de lanifícios nacionais não foi extinta, mas permaneceu subdesenvolvida, sendo os seus produtos mais baratos e de pior qualidade, em comparação com os ingleses, e acessíveis às populações mais pobres e isoladas do interior, que acabaram por ser a sua tábua de salvação. Citando um autor: «Todas as obrigações ficavam a Portugal, todas as vantagens a Inglaterra.»

A agricultura portuguesa também foi prejudicada pelo tratado e pelos outros acordos e fatores mencionados: deu-se prioridade à cultura da vinha, que beneficiou de maiores investimentos, o que levou ao abandono da cultura de cereais. Portugal era, como hoje, um grande importador de produtos agrícolas.

Quando o marquês de Pombal assumiu o controlo dos destinos do país, conseguiu diversificar as exportações e desenvolver a indústria manufatureira. Uma das suas medidas para pôr fim às consequências negativas de Methuen foi desenvolver a viticultura, para a tornar mais independente dos compradores britânicos. As medidas do marquês de Pombal para favorecer a produção de vinhos visavam, em grande parte, erradicar ou atenuar os efeitos negativos do Tratado de Methuen, como a excessiva dependência do mercado inglês. Além de também visarem combater o constante e elevado decréscimo anual dos preços de 1750 a 1755. As medidas que mais se destacaram consistiram na criação da Companhia Geral da Agricultura das Vinhas do Alto Douro e na criação da primeira região demarcada para a produção de vinhos, pelo que a casta de vinho destinado a exportação só poderia ser cultivada nessa região, o vinho do Porto. A Companhia das Vinhas do Alto Douro, como é vulgarmente conhecida, detinha o monopólio das vendas na cidade do Porto e subúrbios, bem como no Brasil. As medidas pombalinas mostram quão elevada era a importância da viticultura, algo que Methuen acentuara.

Os membros da companhia eram os grandes produtores de vinho, fidalgos e ordens religiosas, uma vez que esta também visava proteger estes últimos da forte concorrência dos pequenos produtores – que foram excluídos da Companhia. Além dos pequenos proprietários, outros prejudicados foram os tanoeiros (construtores de barris) e taberneiros. O escândalo da arraia--miúda leva a protestos populares, conhecidos como a «Revolta dos Borrachos». As mansões dos dirigentes da Companhia e os arquivos desta sofrem pilhagens e vandalismo por parte da turba popular. A resposta da Coroa foi uma forte repressão, como era hábito. Quatrocentas e setenta e seis pessoas foram julgadas: 13 homens e uma mulher são enforcados, 59 homens e mulheres são deportados para as colónias africanas e indianas. Só 36 acusados são absolvidos. O restante é condenado a flagelamento público, às galés ou à prisão.

As medidas e brutalidade pombalinas mostram quão elevada era a importância da viticultura portuguesa, acentuada pelo Tratado de Methuen.

✎ 1750 ✎

TRATADO DE MADRID E INÍCIO DA GUERRA GUARANI

Outra utopia destinada ao fracasso.

Em janeiro de 1750, Portugal e Espanha assinam o Tratado de Madrid, no qual são delimitadas as fronteiras das suas colónias americanas, numa tentativa de pôr fim a séculos de conflitos. Ao Reino português foram concedidos territórios no Uruguai, em troca da Colónia do Sacramento e das terras a norte do rio da Prata. No Uruguai existiam índios e missionários para os quais o tratado simbolizou o fim de uma política de cristianização dos nativos sem massacres nem escravatura. E de sonhos de criar uma sociedade «ideal».

A peculiar ideia de «justiça» de algumas pessoas em relação às colónias europeias nas Américas defendia que era condenável escravizar os ameríndios, pelo que se devia importar escravos da África Negra. Muitos colonos eram mais coerentes: para eles todos os não brancos podiam ser escravizados, pelo que atacavam regularmente as comunidades locais, apesar da oposição de alguns, incluindo membros das autoridades. No caso do Brasil, destacam-se os bandeirantes, nome dado aos membros das expedições destinadas a procurar ouro nas profundezas das florestas tropicais, mas o fracasso desse objetivo (antes de 1697) converte-os em bandos de saqueadores e escravagistas das povoações nativas como principal «fonte de rendimento» das expedições. Nem todos eram brancos: os mamelucos eram os mestiços com sangue índio e branco, com uma reputação de brutalidade que lhes valeu a sua alcunha (retirada do nome dado a uma força militar

233

islâmica composta por escravos e ex-escravos aguerridos). Como se dizia no Brasil da época, «se os etíopes podem ser cativados, porque não podem sê-lo no Maranhão» (cativar naquele tempo não significava sentir-se «escravo» ou «prisioneiro» do amor ou do carisma de alguém, era ser-se aprisionado ou escravizado, no sentido literal do termo).

Entre os jesuítas houve vários que apoiaram as brutalidades contra os nativos e os africanos, bem como o racismo da época. Usar a violência contra os nativos que não se deixassem persuadir à conversão era frequente. Mas houve outros que preferiram cristianizar os ameríndios e mantê-los livres. O objetivo de muitas missões era proteger os ameríndios, além da conversão à fé cristã, naturalmente, o que os levou a serem expulsos em duas ocasiões por parte dos colonos. Mas os jesuítas regressavam sempre e acabaram por conseguir a proteção dos monarcas ibéricos.

Para os padrões de hoje, os territórios dominados pelos jesuítas tinham sérias desvantagens: eles eram as autoridades locais e os índios trabalhavam para os jesuítas, como agricultores, caçadores, pescadores, artesãos, entre outras atividades. No entanto, as vantagens eram elevadas: podiam viver nas suas terras, com muitos dos seus costumes e tradições preservados, enquanto os jesuítas se esforçavam para conter ou evitar as pressões dos colonos, muito mais violentos. Os próprios rendimentos das missões financiavam os hospitais e colégios locais da Companhia, além de contribuírem para a economia brasileira e da metrópole. Claro que seria um milagre a inexistência de missionários imunes à sede de lucro ou à má gestão: nenhuma instituição é desprovida de semelhantes males universais. Nas missões do Paraguai, para facilitar a comunicação, foi imposta uma língua comum aos índios guaranis, mas que tinha a curiosidade de ser local, o guarani (ou tupi). Aliás, os próprios missionários também eram forçados a falar o tupi, sem exceção. Os guaranis tiveram de renunciar a várias tradições «pagãs», algumas devido a preconceitos injustos, outras merecedoras de abolição, como o canibalismo de inimigos mortos, a poligamia (mais benéfica para os homens abastados do que para as mulheres e homens sem meios). Claro que eram tratados como crianças que precisavam de «adultos» (jesuítas) para sobreviver, mas a alternativa eram os colonos, muito mais violentos e exploradores, que nem sequer queriam dar-lhes o direito ao uso dos dialetos locais. Se os direitos que os guaranis tinham já escandalizavam muitos, imagine-se se fossem tratados como iguais, algo inimaginável para a mentalidade da época!

Um dos membros da Companhia de Jesus que contribuíram para a proteção dos ameríndios foi o famoso padre António Vieira, grande orador (o seu famoso «Sermão aos Peixes» é uma sátira às mentes empedernidas dos homens) e defensor dos direitos dos cristãos-novos, o que lhe valeu muitos inimigos, incluindo na Igreja (a Inquisição investigou-o, sem conseguir, no entanto, levar à sua queda).

Existiam cerca de sete reduções (missões) onde viviam 30 000 guaranis, e outras tribos, no Paraguai, sujeito ao domínio espanhol, as quais eram conhecidas como Sete Missões. Tanto Portugal como Espanha disputavam essa região, entre outras, e os colonos locais visavam destruir as missões para se apoderarem das terras, bem como do milhão de cabeças de gado ali existente. Muitos membros das autoridades também tinham os seus motivos para as missões lhes serem desagradáveis: uma das ideias sugeridas para combater o problema da falta de colonos consistia em incentivar a miscigenação entre brancos e índios, pelo que permitir a estes últimos viver em comunidades separadas era um obstáculo aos seus planos. Quando o marquês de Pombal quis expulsar a Companhia de Jesus do Brasil, muitos apoiaram a ideia Os métodos utilizados também eram desprovidos de nobreza: as missões eram descritas como uma «república jesuítica» onde eles viviam no maior dos luxos e os guaranis na miséria, pelos mesmos indivíduos que queriam escravizar, ocupar e saquear as supostas «vítimas» nativas.

Os ameríndios sempre resistiram às invasões europeias e os conversos e aliados nativos das missões não foram exceção, pelo que travaram uma luta de guerrilha contra os colonos e autoridades coloniais. Muitos jesuítas tentaram ajudá-los, falando com as autoridades, mas houve quem incitasse à rebelião, ou ainda participasse nesta. Criou-se a imagem do jesuíta armado, usado na propaganda contra eles, embora o seu papel tenha sido exagerado. Mas não podiam enfrentar a união dos exércitos portugueses e espanhóis, cujas armas eram mais avançadas (e eram perto de 3700 contra cerca de 2000 guaranis...). O filme *A Missão*, com Jeremy Irons e Robert de Niro, merece ser mencionado, pois é uma raríssima referência a tais acontecimentos históricos pela indústria cinematográfica.

O Reino de Espanha anulou o Tratado de Madrid em 1761 e devolveu as Sete Missões à Companhia de Jesus, mas os massacres e expulsões já tinham sido feitos e os colonos não queriam abrir mão das suas conquistas. Quanto ao Reino de Portugal, o marquês de Pombal, o mesmo que assinou o tratado, ordenou a expulsão dos jesuítas de todo o país, colónias incluídas, sendo mais tarde o seu exemplo imitado por Espanha.

Quando o Governo de D. José publica a *Relação Abreviada*, na qual são descritas todas as acusações contra os jesuítas nos territórios do Brasil, verdadeiras, falsas e exageradas, incluindo como os índios eram tão «infelizes» e os jesuítas eram guerreiros de arma em punho... E ainda publica as Leis do Pará, em que se declara a dissolução das missões e é proclamada a liberdade dos índios, desprovidos dos seus protetores frente aos colonos (não há decisão injusta ou até criminosa que não seja descrita por belos discursos como «virtuosa»...).

ஒஓ 1755 ஓஒ

TERRAMOTO DE LISBOA: A EUROPA FICA CHOCADA

E as ciências naturais e mentalidades iniciam um período de grandes mudanças como consequência.

1 de novembro de 1755, Dia de Todos os Santos. As igrejas, mosteiros e conventos de Lisboa, assim como as do resto do mundo cristão, enchem-se de fiéis. Como se a natureza tivesse um sentido de humor doentio, ocorre, nesse mesmo dia, em Lisboa, um terramoto de magnitude 8,5 a 9 graus na escala de Richter, e duração de sete minutos, ainda por cima, na véspera do Dia de Finados, em que se reza pelas almas dos mortos. Edifícios de todos os tipos, pontes, muros, etc., desabam sobre habitantes e viajantes. Um terço da cidade é destruído, ouvindo-se os típicos exageros no estrangeiro sobre a capital de Portugal ter sido arrasada e varrida do mapa. Morrem milhares de pessoas, falando-se em 40 000, sendo a estimativa mais provável, de 10 000 a 15 000. Desaparecem para sempre edifícios históricos, como o Palácio Real e a Casa da Índia. Desde 1531 que não ocorria um terramoto tão devastador em Lisboa, o que é explicável pelo facto de este ter sido, de acordo com os registos, um dos que tiveram maior magnitude na história da humanidade!

E ocorre ainda um maremoto: no estuário do Tejo, as águas recuam, para depois subirem de nível seis a nove metros, originando várias e enormes ondas que espalham devastação e morte até ao Rossio.

Como se não bastasse a cólera terrestre e marítima, ocorrem grandes incêndios, consequência inevitável da combinação de um tremor de terra com uma cidade cujas casas, na sua maioria, eram de madeira, e onde abundavam candelabros, castiçais, fogões e lareiras.

Quando D. José I pergunta ao futuro marquês de Pombal, Sebastião José de Carvalho e Melo, o que deviam fazer, a resposta é histórica: «É preciso sepultar os mortos e cuidar dos vivos», embora haja quem atribua a autoria a D. Pedro de Almeida, marquês de Alorna, outro ministro real. A frase em questão é muito semelhante a outra atribuída a Fernão Lopes: «Soterrar os mortos e pensar os feridos» (pensar = colocar pensos), mas pode ser uma coincidência ou significar que o que o Marquês respondeu à pergunta de D. José, qualquer que tenha sido, pode tê-lo lido e adaptado.

Os cadáveres são um problema grave, pois a sua putrefação é inevitável e convertê-los-á em fontes de epidemias, pelo que Carvalho e Melo ordena que sejam enterrados com a máxima rapidez, ou até deitados ao mar sem os ritos fúnebres, mesmo que isso implique «obrigar aos que repugnarem», referindo-se aos encarregados de tão desagradável tarefa. Ordena que se deite cal viva nos escombros, a fim de destruir as carnes dos mortos soterrados, antes que se decomponham.

O terramoto mostrou a verdadeira face de muitas pessoas, das quais as que mais ficaram nas memórias foram as que abandonaram familiares, amigos, e apaixonados para salvar a pele, levando um comentador da época a relembrar um adágio: «Não há pai por filho, não há filho por pai» (ou seja: quando há problemas, é cada um por si).

O futuro marquês de Pombal toma medidas radicais e brutais para erradicar os saqueadores: decreta que todo o que for apanhado em flagrante será enforcado sem julgamento e decapitado, sendo a sua cabeça exibida publicamente «para que servissem de terror, e emenda aos costumes perversos». A brutalidade de tal medida não é desprovida de bons motivos: os saqueadores que aproveitam a devastação e confusão para roubar os bens das vítimas, também aproveitam para matar e violar. O caso mais chocante é o de um indivíduo que ouve os gritos por socorro de uma mulher soterrada, desenterra-a, rouba-lhe as joias e volta a enterrá-la!

A maneira como os ingleses descrevem o desastre demonstra uma xenofobia frequente, como foi o caso de Thomas Chase, nascido em Lisboa, mas que divide os portugueses em negros e católicos (os ingleses são maioritariamente anglicanos). Ou um observador que afirma que só morreram cerca de 20 súbditos da Coroa inglesa, mas que na sua maioria eram irlandeses anónimos e sem importância...

O rei fica tão abalado com o desastre que nunca mais conseguirá viver num edifício de pedra ou de madeira no resto da sua vida (vinte e dois anos), tal como muitos outros nobres e burgueses de elevada condição, que passarão a habitar em tendas, tendo o monarca dado o exemplo. Imagine-se o espanto e piadas dos visitantes, especialmente, os estrangeiros!

Como de costume, os pregadores afirmam que o terramoto foi fruto da cólera divina para com os pecados dos homens, mas estava-se no século XVIII, famoso pelos filósofos do Iluminismo, que defendiam a razão e o ceticismo, ao ponto de alguns criticarem abertamente o cristianismo, sendo maioritariamente deístas (crentes em Deus, mas sem religião, como parece ter sido o caso de Voltaire). Aliás, havia uma pergunta embaraçosa: porque é que 35 das 40 igrejas lisboetas foram destruídas (282 frades mortos), e foram poupados todos os bordéis da Rua Formosa (haverá uma relação entre o nome e as atividades locais?), atual Rua de O Século? Naturalmente, muitos insistem na explicação teológica tradicional, como é o caso do jesuíta Malagrida, queimado por blasfémias, como afirmar-se capaz de milagres e previsão do futuro. Parecia mais insanidade do que blasfémias propositadas, mas os sermões de Malagrida estimulavam as superstições tradicionais relativamente aos terramotos, como fazer jejuns de penitência pelos pecados, em vez de alimentar os desalojados. Mas a tomada de consciência de que os terramotos e outros desastres naturais eram fenómenos naturais, e não castigos divinos, começa a ganhar adeptos. Aliás, a corte de Lisboa realizava cerimónias religiosas regularmente, contudo, na resposta ao desastre, deu-se prioridade à reconstrução da cidade e à resolução dos restantes problemas, relativos à penitência dos pecados, para evitar outro terramoto.

Um dos mais importantes filósofos da época, Voltaire, comenta o sismo de Lisboa, mostrando como afetou as mentalidades. No poema sobre o desastre, questiona as superstições sobre a tragédia, perguntando que pecados cometeram os bebés recém--nascidos para merecerem semelhante castigo e, sempre com sarcasmo, porque é que a cidade destruída foi precisamente Lisboa, e não Londres ou Paris, mais ricas e populosas, com muito mais pecadores. Na novela *Cândido, ou o Otimismo*, várias crenças e convenções são impiedosamente satirizadas, sendo a mais famosa a filosofia de Leibniz, que defende serem a natureza e o universo bons e justos, e que tudo o que ocorre, ocorre pelo melhor. Segundo este filósofo, até as tragédias neste mundo acontecem como alternativas a outras ainda piores. Assim, sempre que se verifica algo cruel nas aventuras dos protagonistas, como estes serem torturados e assassinados (ressuscitam sempre...), o professor Pangloss insiste que «tudo está bem, no melhor dos mundos possíveis», mesmo quando assistem, e sofrem, os horrores do terramoto de Lisboa, dos saqueadores e da Inquisição. A novela é morbidamente pessimista, o que é adequado a uma sátira ao otimismo, embora atinja momentos de mau gosto.

A ideia dos restantes europeus sobre Portugal ser um país atrasado, de ignorantes supersticiosos, foi confirmada pelas notícias das reações à catástrofe e pela ignorância ou indiferença à ação enérgica de Carvalho e Melo, que lhe valeria o título de conde de Oeiras (o de marquês de Pombal viria depois) ... O ministro real convoca os mais importantes engenheiros militares da nação para que sugiram planos de reconstrução de Lisboa: o general Manuel da Maia, Carlos Mardel, húngaro, e o coronel Eugénio dos Santos (Maia e Mardel já tinham colaborado juntos na construção do Aqueduto das Águas Livres).

São sugeridos seis projetos, desde o mais moderado, que propunha a reconstrução da cidade como era dantes, excetuando alguns pormenores, até ao mais radical, que sugere a construção de uma Nova Lisboa, situada desde Alcântara até a Belém (hoje partes da Lisboa moderna). O projeto aceite era radical o suficiente para alterar para sempre a cidade, pois incluía casas com mais dois andares, ruas e edifícios ordenados e retos, ruas mais largas para facilitar o movimento da população (e para que os edifícios, agora mais altos, não desabassem sobre outros, caso ocorresse outro tremor de terra), materiais de construção modernos e mais resistentes, etc.

Um importante consultor contratado para melhorar o saneamento e saúde pública na reconstrução de Lisboa foi Ribeiro Sanches, cujo regresso ao Portugal dos antepassados cristãos-novos foi decerto encorajado pelas leis que puseram fim à discriminação da sua comunidade e ao poder da Inquisição (Voltaire não imaginava que os autos de fé que satirizou na sua obra viviam os seus últimos dias). Ribeiro Sanches foi o introdutor das saunas na Europa Ocidental, tendo-as «importado» da Europa Oriental (Rússia, para se ser mais preciso).

Destaca-se uma inovação tecnológica nos novos edifícios: a «gaiola», uma estrutura de madeira suficientemente flexível para oscilar perante um novo terramoto, sem desabar (pelo menos, com facilidade).

A reconstrução foi rápida, para os padrões de então, provindo boa parte do financiamento da confiscação das riquezas dos jesuítas e famílias da alta nobreza que Pombal perseguiu.

ఞ 1759 ఞ

A EXPULSÃO DOS JESUÍTAS
E O PROCESSO DOS TÁVORAS

«Cair Sebastião José? Só quando o rei morrer».

O absolutismo era uma forma de governação segundo a qual o monarca tinha poder absoluto e sem limites, só devendo prestar contas a Deus pelos seus atos, já que tal poder era de «origem divina». Com base nesse pensamento dos séculos XVII e XVIII, os reis da Europa impuseram a sua autoridade às classes e instituições poderosas, recorrendo à repressão. No caso de Portugal, o maior expoente do absolutismo não foi o rei D. José, mas o principal ministro, o Marquês de Pombal, um indivíduo cheio de projetos de reforma e disposto às maiores brutalidades para os concretizar, à semelhança do famoso cardeal Richelieu, de França. Naturalmente que o Marquês ganhou muitos inimigos por causas políticas, aliado ao facto de pertencer a uma família da pequena nobreza e não de uma linhagem de longa data (essa modesta origem valeu-lhe ser chamado pelos seus inimigos de «Sebastião José», à guisa de desprezo). Talvez tenham sido essas origens relativamente humildes que levaram o rei a apontá-lo como principal ministro, já que a base de poder deste dependeria do apoio real. Assim, quando o rei é gravemente ferido a tiro por três cavaleiros, em 3 de setembro de 1758, crê-se que foi para pôr fim à carreira de Sebastião José. O monarca sobrevive e a repressão começa. O futuro marquês (curiosamente, o seu célebre título só seria concedido no final da sua carreira) aproveita para acusar os poderosos de estarem envolvidos no atentado, para assim os perseguir. Os Távoras eram a família da aristocracia mais rica do país, e uma das que possuíam linhagem mais antiga, tinham aliados importantes, sendo ainda rivais de Sebastião José: em suma, os alvos ideais de repressão. O marquês de Távora (juiz do Supremo Tribunal, o que lhe deve ter valido o ódio de muitos), o duque de Aveiro (antigo vice-rei das Índias), o conde de Atouguia, o marquês de Alorna e muitos outros são acusados do atentado e julgados. Se, eventualmente, havia Távoras entre os conspiradores, é óbvio que muitos dos seus parentes e aliados eram inocentes. Mas Pombal não quis desperdiçar esta oportunidade para os eliminar. É sabido que D. José era amante da nora do marquês de Távora, a chamada *Marquesa Nova*; aliás, foi alvejado quando regressava de um dos seus encontros sexuais. Esta ligação extraconjugal com uma Távora pode ter fortalecido a ligação dessa família com o rei, o que a tornaria ainda mais excessivamente poderosa. Há também quem diga que o atentado era uma represália dos Távoras, desonrados por esse caso adulterino, ainda que a nobreza europeia costumasse ignorar ou mesmo aprovar essas ligações, que até podiam ser úteis. De notar que o marido traído, na altura vice-rei das Índias, era tio da esposa (não admira que esta não levasse muito sério os laços matrimoniais, ainda por cima impostos pela família, num casamento arranjado)... A *Marquesa Nova* foi encerrada num convento, mas o resto da família teve um destino horrendo: 12 acusados confessam-se culpados, para depois admitir que mentiram devido às torturas sofridas, e são condenados à morte. A 13 de janeiro de 1759, a execução é feita em público, com requintes de crueldade, como, por exemplo, a tortura da roda, que consistia em fraturar com uma marreta os braços, pernas e tórax do condenado, o que era uma morte à qual só um sádico podia assistir. A idosa D. Leonor, a matriarca da família, apodada de *Marquesa Velha*, é degolada. Tais mórbidos espetáculos não eram raros, exceto que não costumavam ter nobres de tão elevada linhagem e tamanho poder como vítimas. Muitos outros nobres, e os seus servidores, iriam passar longos anos nos cárceres de África (Angola e Mazagão). Os castigos judiciais muito severos eram normais quando impostos a plebeus, mas acontecer o mesmo a elementos da alta sociedade ainda hoje é invulgar em Portugal! A Companhia de Jesus foi acusada de cumplicidade, já que tinha grande influência sobre a sociedade, e riquezas igualmente elevadas eram motivo para a sua erradicação e confiscação dos respetivos bens. Em 3 de setembro de 1759, um decreto real acusa-os de várias malfeitorias e ordena a sua expulsão. Entre os jesuítas presos houve um que não seria deportado para Itália. Trata-se do padre Malagrida, que insistia em ver no terramoto de Lisboa punição divina pelos pecados dos que haviam renunciado à «verdadeira fé». Os relatos da estada de Malagrida na prisão apresentam-no como mentalmente perturbado: tinha visões de santos, da Santa Virgem, de anjos e de Jesus. O que não o salvou da pena de morte: aliás, essas visões foram utilizadas como provas de como Malagrida era «herético», pelo que foi interrogado pela Inquisição, dirigida por um irmão de Pombal! Na lista de acusações foi até incluída a «miséria de Onan» (masturbação), o que prova que *tudo* é aceitável para denegrir o caráter de alguém e justificar perseguições. Assim, esse padre católico extremista ganha a duvidosa «honra», e indiscutível ironia, de ser o último condenado ao auto de fé queimado pela Inquisição portuguesa, ao lado de um boneco representando o Cavaleiro de Oliveira, talvez o último queimado em estátua, no país (e foi-o por ser luterano e defender ideias opostas às de Malagrida!). Comentário de Voltaire, sobre o julgamento de Malagrida: «Assim, o excesso de ridículo e de absurdo juntou-se ao excesso de horror.»

Naturalmente que a Coroa recorreu a muito mais acusações contra os jesuítas, culpando-os de tudo o que Portugal tinha de negativo e afirmando que o país era, antes de chegada da ordem, «culto, próspero e poderoso» (acreditar em tal acusação implicava uma enorme ignorância de história). Tantas acusações e ataques deram fruto: o papa Clemente XIV ordena a extinção da Companhia de Jesus em 1773, e as terras, edifícios e riquezas que possui passam para as mãos do Estado e de outros aproveitadores. As missões nas Índias brasileiras são extintas, bem como o modo de vida dos nativos (e a vida de muitos índios). Para persuadir o papa, a Coroa portuguesa teve o apoio dos inimigos dos jesuítas entre os clérigos da cristandade, que incluíam muitos cardeais.

Na sequência do processo dos Távoras, a aristocracia e Igreja nacionais são subjugadas pelo Estado e deixam de se opor às reformas do ministro, incluindo a redução dos seus privilégios. No caso de Carvalho e Melo, dá-se o oposto, pois o ainda futuro marquês de Pombal é nomeado conde de Oeiras e a respetiva família ganha riquezas, propriedades e sobe de estatuto social. O Marquês deu o exemplo nos esforços que realizou para permitir maior mobilidade social que beneficiasse os de condição mais modesta! A repressão de Estado não resulta de questões criminais, mas de «razões de Estado», expressão tão cara a Richelieu e a Pombal, para os quais era a justificação suprema para todas as suas políticas. O sucesso de ambos na tentativa de desenvolverem os respetivos reinos, em termos económicos, culturais, educacionais, etc., é apontado como justificação dos atos praticados. Infelizmente, muitos ditadores recorrerão a semelhante raciocínio para justificarem a sua sede de poder e de sangue, em nome de uma sociedade melhor, destacando-se os fascistas e comunistas, que influenciarão toda a Europa, séculos depois.

✤ 1777 ✤

VIRADEIRA: MORTE DE D. JOSÉ E QUEDA DO MARQUÊS DE POMBAL

O mito de que a queda do «responsável por tudo» fará as coisas regressarem ao que eram sofre outro golpe...

Desde que sofreu um derrame cerebral em 1765, e vários outros em 1774, D. José foi forçado a passar os últimos anos de vida no leito, com o corpo paralisado. O estado precário da sua saúde levantou uma questão: o que aconteceria ao marquês de Pombal? O poderoso ministro do reino devia todo o seu poder ao monarca: nada era feito sem o seu apoio, a sua autorização ou, pelo menos, a sua indiferença. Aliás, era difícil que D. José ignorasse importantes e polémicos assuntos, como o do processo dos Távoras. Como dizia o povo, «o rei ao torno, Pombal no trono», significando que o rei preferia o seu passatempo de carpintaria, enquanto o Marquês tomava todas as decisões. Obviamente, isso era porque D. José preferia o lazer aos pesados deveres da governação. Sem ele, o Marquês estava politicamente extinto.

Por tal razão, Pombal tentou casar o filho da princesa D. Maria com a sua tia (!) Maria Benedita, como parte de um plano para que este se tornasse no novo monarca (a Lei Sália não permitia que as mulheres herdassem o trono), pois aquela era uma fervorosa apoiante das suas reformas e políticas. Mas D. Maria descobre o plano, que acaba gorado. Um próximo do Marquês, José Seabra da Silva, é exilado para Angola como castigo por (alegadamente) ter denunciado o plano, de propósito ou por acidente. E a varíola não ajuda, ao pôr termo à vida do jovem príncipe...

Quando o tormento em que D. José vivia termina, junto com a sua vida, sobe ao trono D. Maria I, *a Piedosa*, que merecia esta alcunha ao ponto de recear pela alma do pai, devido aos crimes pombalinos que aprovou. Ocorre a Viradeira: a reação do novo reinado contra Pombal e as suas políticas. O Marquês é abandonado pela maioria dos seus partidários, um dos quais assina o decreto real que ordena a sua demissão. Pina Manique, apesar da sua brutalidade, era dotado de tamanha eficiência que é mantido no cargo de chefe da polícia. Nem todos os novos secretários e intendentes da rainha eram «vira-casacas»: alguns eram inimigos de longa data do marquês de Pombal. Um deles era o visconde de Vila Nova de Cerveira, cuja oposição às reformas pombalinas levou Ribeiro dos Santos, um dos homens do Marquês, a afirmar, em privado, que o dito visconde preferia ver o país a ser governado pelos quatro is, sendo estes «Inquisição, Infidelidade, Ignorância e Indigência».

Sebastião José de Carvalho e Melo é julgado, mas tinha quase 80 anos, e a sua embaraçosa justificação de que os atos realizados receberam o apoio e até ordens do rei, o que era, em grande parte, verdade, significava que condená-lo era o mesmo que condenar o falecido pai da rainha. Adotou-se, então, uma decisão que desagradou a gregos e a troianos, que consistiu em decidir que o marquês de Pombal merecia um «castigo exemplar», mas beneficiaria da clemência real devido à sua avançada idade e à fragilidade da sua saúde. Seria somente afastado dos seus cargos, expulso da capital e proibido de se aproximar das altas figuras do Estado. Os prisioneiros políticos, cerca de 800, são libertados e a população celebra a queda do tirano, com pilhagens e sátiras (como o poema «Patrícios meus, clamai sobre o tirano/Saiba o mundo que foi o tal Marquês/Ladrão, traidor, cruel e desumano»). Os Távoras sobreviventes recusam-se a sair da prisão enquanto não forem publicamente reabilitados, o que acontece em relação a eles, mas não aos executados (antes manter uma mentira do que admitir a execução de inocentes). Doente, abandonado por muitos (nem todos) e solitário, o ex-estadista ainda mantém o orgulho, exceto quando se dirige ao bispo de Coimbra e lhe pede a bênção. Este era o mesmo bispo que esteve preso durante anos, numa cela subterrânea, por ordem do Marquês, que o tinha proclamado «civilmente morto»! A bênção é aceite e o bispo faz-lhe uma visita de cortesia.

No entanto, a maior parte das suas reformas são mantidas e até incentivadas, pois eram consideradas benéficas para o reino, necessitado de ultrapassar a abundância de mentalidades anti-quadas e a falta de infraestruturas eficientes. A abolição das companhias foi um das poucas mudanças radicais em relação ao reinado anterior, parecendo um mito a crença de que o reinado de D. Maria foi um regresso ao passado reacionário. Por exemplo, no reinado de D. José, a indústria manufatureira beneficiou da construção de 96 oficinas, mas durante os dois primeiros anos do reinado «retrógrado» de D. Maria foram criadas 263. Foram também feitas expedições científicas para estudar a natureza da Amazónia, de Angola e Moçambique. A classe dos comerciantes, enriquecida pelas decisões de Pombal, como as companhias fundadas por ordem deste, e que incluía muitos novos-ricos, alguns deles vindos da pequena nobreza (como a própria família do estadista), continuou a prosperar e a ser essencial para Portugal. De resto, remover tantos empresários e funcionários seria nocivo para o funcionamento do aparelho estatal e económico.

A renegociação dos preços dos contratos dos monopólios do sabão e do tabaco e os contratos de preços fixos de outras atividades, como a gabela do sal, enriqueceu muitas personagens – à custa do Estado. A corrupção e a extravagância do discutível gosto dos novos-ricos levaram à rima popular: «Boas maneiras e muito dinheiro / fazem de qualquer tratante um cavalheiro.»

A corrupção agravou-se após a queda do Marquês e não havia falta de arrogância nem de reacionários entre os «novos» governantes do país. A infeliz e melancólica rainha sofre de perturbações mentais e é substituída, na condução do reino, pelo seu filho D. João, na qualidade de regente. Adiantam-se várias explicações para o seu estado mental, como o alegado fanatismo religioso, que a fez ficar aterrorizada pelos tormentos infernais que a alma do seu antecessor e pai, D. José, estaria a sofrer; o trauma da morte de tantos entes queridos ao longo da sua vida teria sido demasiado para a sua mente frágil, etc. E ouviu-se ainda a cómica sugestão de que a causa seria o trauma provocado pela execução de Luís XVI de França, durante a Revolução Francesa!

É mais provável ter sido uma combinação, nada fortuita, de vários fatores. Um deles terá sido a frequência de casamentos consanguíneos na sua família, pois o seu amado esposo, D. Pedro III, era o seu próprio tio (!), não esquecendo os planos matrimoniais para o falecido príncipe D. José. É óbvio que tamanha sucessão de incestos gerou fortes problemas mentais não só na rainha como em vários membros da realeza ibérica, como D. Afonso VI, *o Glutão,* o rei D. Carlos II de Espanha, tão deficiente física e mentalmente que era conhecido por *Embruxado,* D. Fernando VI e ainda a rainha D. Isabel de Espanha, esta de origem portuguesa.

Finalmente, a combinação da importação de têxteis britânicos mais baratos e a devastação provocada pelas invasões napoleónicas arruinaram muitos dos possíveis avanços económicos do século XVIII.

Naturalmente, sentiu-se saudades da mão forte do Marquês e da maneira como ele perseguiu os poderosos, pelo que se dizia «mal por mal, antes Pombal».

❧ 1801 ❧

«GUERRA DAS LARANJAS»:
PORTUGAL PERDE OLIVENÇA

Uma guerra que de interessante só tem o nome...

Várias monarquias europeias declaram guerra à jovem República Francesa, em 1793, como represália, não só pela execução do rei deposto Luís XVI e da rainha Maria Antonieta e de vários aristocratas, mas também para erradicar as ideias revolucionárias francesas antes que se espalhassem pelo resto da Europa. O Reino de Espanha não é exceção, e depois de vitórias iniciais, a guerra converte-se num impasse, pelo que em 1795 é assinado um acordo de paz. Mas a política é muito volúvel e instável, e os antigos rivais selam uma aliança contra a Inglaterra. O general Napoleão Bonaparte converte-se no verdadeiro governante da República de França e planeia tornar-se no imperador e conquistador de boa parte da Europa, sendo a Inglaterra o maior empecilho a esses planos. Uma vez que Portugal era aliado da Inglaterra desde 1381, e um adversário bastante mais frágil, recorreu-se à antiga estratégia militar de atacar os pontos fracos de um inimigo, ou seja, Portugal é invadido em 1801. O essencial dos combates foi travado no Alentejo e teve uma curta duração, de fevereiro a junho.

O comandante das tropas invasoras da coligação franco--espanhola, era Manuel Godoy, «generalíssimo» e titular do irónico título de *Príncipe da Paz*, por ter sido o responsável pelo acordo de paz de 1797 com os franceses. Suspeitava-se que era amante da rainha de Espanha, Maria Luísa, pelo que a história de Godoy ter cortado um ramo de flores de laranjeira em território português, para o oferecer à amante (apesar de essas flores serem um símbolo de virgindade!) chamou bastantes atenções, tantas, que a curta guerra passou a ser conhecida como «Guerra das Laranjas» (ou «la Guerra de los naranjos», entre os espanhóis). A dar crédito a tais más-línguas, sabia-se que Godoy era considerado atraente, promíscuo e pouco fiel, além de possuir uma considerável influência no casal real espanhol (acreditava-se que o rei Carlos IV era dominado pela esposa).

O comandante das tropas portuguesas foi o duque de Lafões, que não soube, ou não pôde, evitar a perda das povoações de Olivença, Campo Maior e Juromenha. Não admira que a carreira militar de Lafões tenha acabado vergonhosamente, perdendo todos os cargos que possuía e passando a viver o resto da vida numa quinta. Um resto de vida curto, uma vez que na altura da Guerra das Laranjas já tinha ultrapassado os 80 anos, sendo fácil deduzir, que o fracasso como general não estaria alheio a uma idade excessivamente avançada.

Nas monarquias tradicionais existia o costume de conceder cargos e posições importantes a personagens sem talento, experiência e/ou idade adequada aos cargos em questão, unicamente por pertencerem à alta sociedade (naquele tempo, nobreza e realeza), um costume ainda hoje não totalmente abandonado. O caso do duque de Lafões não era invulgar, nem raro.

Nesse mesmo ano de 1801, Olivença é reconhecida como parte de Espanha por meio do Tratado de Badajoz, imposto com o apoio do imperador corso. Mas, em 1815, o Congresso de Viena anula os acordos e conquistas territoriais feitas por Napoleão Bonaparte e pelos seus aliados, Tratado de Badajoz incluído. Como consequência, Espanha devolve oficialmente Olivença aos portugueses, embora ainda hoje continue a ser território espanhol, incluindo nos documentos oficiais, pelo que a «devolução» não é mais do que letra morta.

Manuel Godoy foi expulso do poder, assim como Carlos IV e Maria Luísa, pelo seu filho Fernando VII, e viveu exilado em França até ao fim da vida, sendo a sua principal fonte de sustento uma modesta pensão do Estado francês. Repare-se num pormenor curioso: o mesmo Estado espanhol que prometeu devolver Olivença a Portugal, também proclamou a devolução dos bens de Godoy, em 1847. Quando este morreu, em 1851, ainda não tinha recebido os referidos bens e ainda estava no exílio...

~ 1803 ~

LUÍSA TODI RENUNCIA AO CANTO

O fim de uma carreira internacional, mas não de uma lenda musical.

Luísa Rosa de Aguiar nasce em Setúbal, no ano de 1753, filha de um modesto professor de Música cujo salário e seis filhos eram fonte de dificuldades financeiras. Os sérios danos causados no lar, aquando do terramoto de 1755, teriam sido uma tragédia ainda mais cruel se Luísa Rosa, uma menina de dois anos na altura, não se tivesse refugiado no fogão, que lhe serviu de abrigo!

O chefe da família Aguiar esforça-se para iniciar a prole na carreira musical, e escolhe a filha Cecília para o papel principal da peça de teatro *Tartufo*, uma das comédias que celebrizaram o francês Molière. Um pequeno papel foi desempenhado pela irmã Luísa Rosa, na altura com 14 anos, sem que ninguém imaginasse que estava destinada a papéis de maior dimensão, a nível internacional.

As atividades profissionais de Luísa Aguiar levam-na a conhecer um violoncelista napolitano, Francesco Saverio Todi, pelo qual se apaixonou, apesar da diferença idades (quase duas décadas). Doravante conhecida como Luísa Todi, a jovem cantatriz não só consegue casar-se com o seu grande amor e seguir o exemplo materno (será mãe de seis crianças), como também adquire o apoio do homem que iria impulsionar a sua carreira e que, ironicamente, a irá prejudicar (já tinha corrigido!) mais tarde.

Luísa Todi estreia-se no Porto em 1772 e tenta a sorte em Londres, no ano de 1778, sem sucesso. Os nervos de estreante no King's Theatre podem ter influenciado a má prestação musical.

O verdadeiro arranque da carreira internacional de Luísa Todi tem início em Paris, nos Concertos Espirituais realizados no Palácio das Tulherias, onde é aclamada entusiasticamente e se torna presença regular. Surge uma rivalidade entre a soprano portuguesa e a soprano alemã Gertrude Mara, rivalidade que estimula a afluência do público, mas que, na realidade, era uma estratégia dos autores dos espetáculos para vender mais bilhetes e beneficiar de mais publicidade, numa altura em que o cinema e a televisão ainda não tinham sido inventados...

Um crítico musical descreve a resposta de um amador espirituoso sobre qual das prima-donas possuía maior superioridade artística: «c'est bientôt dit» (responde-se rápido), que soa a «c'est bien Todi» (claro que é a Todi)!

Na disputa entre todistas e maritidistas, vencem os primeiros, e a cantora portuguesa, casada com um italiano, é considerada pelos franceses como a *Cantora da Nação*.

Áustria, Prússia, Rússia, inúmeros países europeus enviam-lhe convites. Frederico II, *o Grande*, rei da Prússia, aprecia a prestação de Luísa Todi e oferece-lhe um contrato, em que a remuneração seria de 2000 táleres, tendo ela respondido que pretendia 3000 e um lugar na orquestra para o marido. Haverá cabeças mais duras do que a de uma prima-dona e a de um monarca absoluto? Nenhum cede e o casal Todi vai-se embora (regressará poucos anos depois, com um contrato de 3000 táleres).

Convidados para ir à Rússia, por parte da imperatriz Catarina II (a famosa Catarina, *a Grande*), os Todi são agradavelmente surpreendidos por um público em êxtase, e os dois espetáculos iniciais convertem-se em quatro anos de permanência! O público internacional considerava uma das melhores prestações de Luísa Todi o papel desempenhado na ópera *Didone abbandonata,* tendo Catarina II oferecido uma tiara de brilhantes à cantora, como homenagem à maneira como representou uma rainha (só mesmo uma imperatriz para apreciar tanto semelhante prestação).

Numa ocasião, a prima-dona portuguesa faz uma dupla com o tenor Marchesi, vulgo *O Grande Marchesino*, um *castrato* (castrados, que eram utilizados nas óperas por quem não queria mulheres no palco, mas precisava de vozes pouco másculas para desempenhar papéis femininos). O sucesso da dupla foi enorme entre o público, bem como o espanto e, porventura, a desilusão do compositor da ópera, Giusepe Sarti. É que, tal como Salieri foi rival de Mozart, Sarti foi rival de Luísa Todi, na medida em que esta ficou com o cargo de professora de canto das princesas russas, e esperava que Marchesi a ofuscasse...

Sarti dá-se por derrotado e, quem sabe, conquistado, pelo talento de Todi, no entanto esta teve de suportar outro defeito pior do que a inveja: o vício do jogo do marido, Francesco, que o levou a desperdiçar fortunas inutilmente, tendo Luísa tomado a drástica decisão de abandonar a Rússia num esforço para obrigar o marido a parar de uma vez por todas de jogar.

O sucesso e popularidade internacionais mantêm-se elevados, sendo Luísa fluente nas principais línguas europeias da época: francês, alemão e italiano. A estreia no Teatro San Samuele, em Veneza, não impressiona somente pelos seus talentos líricos, uma vez que os adereços utilizados incluíam as magníficas joias e a tiara oferecidas pela imperatriz Catarina. Quando problemas de saúdes nos olhos forçam a cantora a fazer uma interrupção, o público manifesta a sua consternação, ao ponto de haver histerismo de massas.

Em 1793, Luísa Todi regressa à sua terra natal, servindo de pretexto o convite real para o batizado da primeira filha de Carlota Joaquina, em que canta em público. Naturalmente para ela, mas não para o público, pois as mulheres eram consideradas uma má influência no teatro e nas óperas portuguesas, durante o reinado de D. Maria I, pelo que os castrados eram os únicos que desempenhavam papéis femininos. Mas o respeito internacional pela cantora era de tal modo elevado, que lhe foi atribuída uma autorização especial.

É em 1801 que a celebridade internacional regressa de vez a Portugal, onde sofreria severas tragédias. O marido, Francesco, morre em 1803, um golpe que elimina a vontade da viúva de continuar a cantar. Os problemas visuais agravam-se, e, aos 69 anos, Luísa Todi fica cega. Outro problema que a antiga soprano não conseguiu evitar foram as guerras napoleónicas, que aterrorizaram toda a Europa, incluindo Portugal. Tal como os restantes habitantes do Porto, foge do exército de Soult e é uma das vítimas do desastre da Ponte das Barcas. É salva pela criada de se afogar no rio Douro, mas o mesmo não se pode dizer, num golpe de azar cruel, da maior parte das joias que tinha adquirido ao longo dos anos.

A cantora que recebeu joias de uma imperatriz, por ter desempenhado tão bem o papel de rainha, era agora uma idosa cega, a viver na pobreza, ignorada pelo público português, dado a sua carreira profissional ter sido quase exclusivamente feita no estrangeiro, pelo que a sua voz não era familiar em Portugal...

Morre em Lisboa, com 81 anos, em 1 de outubro de 1833.

৯৬ 1807 ৯৬

AS INVASÕES FRANCESAS

Mudanças irreversíveis em Portugal. Nem sempre a influência estrangeira penetra num país e muda as suas mentalidades e instituições da melhor maneira...

É um lugar-comum da história que o maior Estado rival de Napoleão Bonaparte foi a Inglaterra. Para asfixiar a economia daquela «nação de mercadores», como o imperador a terá chamado, ordenou o bloqueio continental: todas as nações europeias deviam pôr fim a qualquer tipo de comércio com os ingleses, prender os súbditos britânicos presentes dentro das suas fronteiras, bem como os respetivos bens.

Para o Reino de Portugal, a decisão de pôr fim à sua aliança com a Inglaterra, cuja antiguidade vinha dos tempos medievais, era difícil: embora fossem péssimos aliados, eram bons militares e podiam conquistar, com facilidade, as nossas colónias, como represália. Aliás, os ingleses até ocuparam, temporariamente, a ilha da Madeira, como base contra as operações militares francesas.

A decisão tomada foi a do encerramento dos portos nacionais aos navios britânicos, não havendo, porém, confiscação dos seus bens existentes no reino. Mas parece que isso não foi suficiente, pois as tropas francesas e as suas aliadas de Espanha invadem o país. Os bens acabaram confiscados e os súbditos britânicos presos, mas o avanço napoleónico permaneceu inalterado, o que dá a impressão de que talvez o imperador corso não quisesse desperdiçar um pretexto para conquistar Portugal...

Assim, a família real tomou a decisão de transferir a sede do Estado para o Brasil, até ao regresso da paz geral, em vez de recorrer a uma «defesa que seria mais nociva que proveitosa».

Críticos mais sucintos e honestos descreveram tal decisão como «fugir para o Brasil». Quando informaram o comandante das tropas invasoras, o general Jean Junot, da perda de tão importantes reféns, a sua fúria foi tal que saiu da cama nu, a gritar e gesticular.

Junot, embaixador em Lisboa anos antes, era agora «el-rei Junot», com um estilo de vida tão luxuoso, tal como o dos seus oficiais, que foi criada a expressão «viver à grande e à francesa». Aliás, como os militares franceses não tinha pudores em confiscar, extorquir e roubar descaradamente os portugueses, incluindo as suas casas mais luxuosas, e Napoleão ordenou a cobrança de um tributo de 100 milhões de francos, bem podiam dar-se a tais luxos. Como alguém bem escreveu: «Os franceses foram recebidos com os braços abertos e corações fechados.»

Naturalmente, cedo se iniciam as revoltas armadas, primeiro no Porto e em povoações como Chaves, espalhando-se por todo o país, malgrado a repressão. No início, os rebeldes eram essencialmente gente do povo: camponeses, artesãos, estalajadeiros, pescadores, etc. Foices, machados e paus eram armas mais abundantes do que espingardas. Oficiais do Exército, doutores e pequenos nobres encontram-se no meio dos revoltosos, mas em minoria. Aliás, o povo sentia-se escandalizado com o servilismo da «arraia-graúda» aos franceses. A esposa de Junot descreve, com asco, nas suas tendenciosas memórias (e que ainda eram um plágio de um livro alemão, o que explica porque os patifes são mais «interessantes» do que os santos: mentem mais sobre as suas vidas...), as bajulações dos notáveis de Lisboa. Uma deputação formada por marqueses, condes e dois bispos tinha agradecido a Napoleão por os ter salvado da «opressão estrangeira que nos oprimira por tantos anos»!

Junot não tinha tropas em número suficiente para manter submisso o país inteiro e toda a população – pelo que recorreu à brutalidade. Dos vários generais célebres pela sua crueldade, o mais famoso foi Loison, vulgo o *Maneta* (recordação de um acidente de caça), que desencadeia uma campanha de extermínio, contando-se 8000 mortos só em Évora, não poupando sequer dezenas de clérigos, como o bispo de Maranhão, nem os bens da Igreja. Uma recordação de Loison foi a famosa expressão «vai para o maneta», ou seja, vai-te matar ou morrer. Mas a guerrilha intensifica-se; povoações são abandonadas pelos habitantes, com todas as provisões, e guias locais levam os franceses a fontes de água estagnada ou envenenada. A vida dos militares franceses não é fácil e, frequentemente, é curta. De notar que, no início, Junot havia proclamado ao povo português: «O Grande Napoleão, o meu amo, envia-me para vos proteger e eu irei proteger-vos...»

Diz-se que foi nessa altura que um militar francês perguntou ao célebre poeta Bocage quem era, donde vinha e para onde ia, sendo lendária a resposta: «Eu sou Bocage/Venho do Café Nicola/ /Vou prò outro mundo/Se disparas a pistola.» Outras versões dizem que foi um polícia ou um ladrão, mas podia ser-se tudo isso, simultaneamente, ou somente ambas as últimas...

Os revoltosos eram inexperientes e estavam mal armados, mas causaram pesadas baixas ao invasor, graças ao apoio do povo e a uma eficaz luta de guerrilha. O anticlericalismo de Bonaparte tornou muito fácil a aliança da Igreja com os rebeldes e o baixo clero participa ativamente na liderança ou até na luta: o dominicano José de Jesus Maria é célebre pela sua pontaria certeira! De notar que os insultos destinados aos franceses eram «jacobinos» e «judeus»... No que respeita a insultos a ridicularizar o inimigo, o humor popular tinha uma certa qualidade: o general Thibault era o *Ti Bolas*, e Lagarde, o chefe da polícia, era o *Lagarto*.

A chegada de Arthur Wellesley (futuro duque de Wellington) e do seu exército inglês leva a batalhas convencionais contra as forças de Junot e a derrotas convencionais deste último, com a preciosa ajuda do general Bernardim Freire de Andrade. Assim, em Lisboa, os franceses são injuriados, não conseguem fazer compras a negociantes hostis e são até atacados. Os invasores são forçados a render-se na Convenção de Sintra. Humilhados mas ricos, pois, sem consultarem os portugueses, os ingleses autorizaram- -nos a abandonar o país com as enormes riquezas que saquearam. A valiosíssima Bíblia dos Jerónimos é um dos poucos casos de devolução, e isso após longos anos...

Ocorrem mais duas invasões francesas, em 1808 e 1809, dirigidas pelo general Massena. Mas os exércitos anglo-lusos repelem- -nos sempre, apesar das dificuldades, tão graves que Bernardim Freire de Andrade e alguns oficiais são linchados por multidões que os culpam de derrotas frente ao inimigo. O marechal Soult apela aos católicos portugueses para que se juntem aos franceses, contra os «hereges» ingleses, que eram anglicanos. Tal propaganda religiosa teria mais efeito se não fossem os ataques contra as igrejas e clérigos, incluindo verbais, e se o próprio Soult não fosse um dos responsáveis pelos vários afogamentos do desastre da Ponte das Barcas, a qual tinha desabado sob o peso de muitos fugitivos às balas francesas...

Wellesley adotou a política de terra queimada: ordenou a destruição de plantações, pontes, moinhos e tudo o que os franceses pudessem utilizar. Imagine-se a miséria e a fome sofridas pelas populações, tendo sido estimadas 50 000 mortes! Como se amputar um braço ferido fosse o melhor tratamento.

As forças anglo-lusas continuam o combate até expulsarem os franceses de Espanha, bem como o rei José Bonaparte, desprovido dos talentos estratégicos do imperial irmão, evitando, assim, uma quarta invasão.

O futuro vencedor de Waterloo é um herói nacional na Inglaterra, mas não para as vítimas dos acordos de Sintra e da política de «terra queimada». Sabendo que o objetivo de uma guerra é matar inimigos e vencê-los, percebe-se porque é que é curta a distância entre um herói de guerra e um criminoso de guerra.

Os *franchipanas* (pró-franceses) são agredidos, roubados e até mortos, incluindo inocentes, vítimas de oportunistas, durante e depois das sucessivas invasões. Por exemplo, em 1808, o octogenário arcebispo de Évora, humilhado e preso por uma multidão, viu o seu paço ser saqueado, enquanto o corregedor foi decapitado. Quanto ao promíscuo Junot, contraiu sífilis, que o levou à loucura, e esta fê-lo aparecer nu num baile e, mais tarde, atirar-se de uma janela parisiense, não tendo sobrevivido à amputação da perna fraturada. Napoleão sabia bem o que dizia: «Os homens são regidos mais pelos seus vícios do que pelas suas virtudes...»

ᦞᧉ 1820 ᦞᧉ

É ADOTADA A PRIMEIRA CONSTITUIÇÃO PORTUGUESA

Rapidamente a nação descobrirá que a liberdade não se adquire com facilidade e que mantê-la é muito mais difícil.

Os oitos anos de guerras devastaram o país, o que, aliado à crescente autonomia do Brasil, piorou o estado da sua economia. Aliás, as indemnizações de guerra pagas, no total, pela França equivaliam à quantia mensal que Junot pedia «emprestada» aos lisboetas: dois milhões de francos! A insatisfação popular foi agravada pelo triste comportamento de boa parte das elites governantes durante a Guerra Peninsular: fugas para o Brasil, alianças com os ocupantes franceses, abusos de autoridade, etc. Além disso, também deram uma imagem de fraqueza, ao permitirem que o reino fosse governado, provisoriamente, pelos ingleses (D. João e a sua corte não queriam deixar o ambiente tropical do Rio de Janeiro...). O governador inglês era o general Beresford, que soube recriar um Exército Português disciplinado, mas que não soube governar Portugal de acordo com os interesses dos governados, privilegiados ou não.

As influências estrangeiras agravaram a insatisfação da opinião pública: os franceses, ao menos, descreveram os princípios revolucionários sobre o fim do poder absoluto dos reis, dos nobres e da Igreja, conferindo maior liberdade ao povo e à burguesia. Os ingleses já possuíam uma monarquia semelhante, com parlamentos eleitos, a Magna Carta e o papel decorativo do seu monarca.

Naturalmente que essas ideias (e valores) estrangeiras, mais conhecidas como liberais, agradaram a boa parte do povo e aos membros mais esclarecidos das elites, que não queriam um regresso ao passado, após tantos sacrifícios. O Estado bem tenta recorrer à propaganda e censura, para abafar a proliferação de tais ideias, porém, surgem conspirações para depor os governantes e criar uma nova sociedade liberal.

Uma delas envolveu o general Gomes Freire de Andrade, grão-mestre de uma loja maçónica, logo adepto das ideias liberais (as teorias da conspiração da época diziam que as revoltas liberais eram todas causadas e dirigidas pela Maçonaria...). Também era um ex-membro da Legião Portuguesa, criada por Bonaparte, constituída por militares portugueses, alistados à força e que não foram desmobilizados (não serviu de muito para tornar o país mais submisso, como se viu). Foi perdoado, pois tal Legião não combateu portugueses. Denunciados por informadores, os conjurados são vítimas de castigos cruéis: três são degredados para África e 12 são enforcados, numa noite de 1817 (onde «felizmente há luar» para iluminar as execuções, como disse o ministro da polícia), incluindo o referido general, já que o costume exige que a pena de morte para os militares seja o fuzilamento, sendo a forca uma humilhação. O resultado conseguido foi transformar os mortos em heróis, os *Mártires da Pátria*. O próprio Beresford fica tão embaraçado com o ódio público que tal ato lhe trouxe, que mais tarde publicará um livro para se justificar. A revolta de Pernambuco foi também tratada com a mesma crueldade (a batina do padre republicano José Inácio Abreu e Lima foi-lhe tão inútil como os galões de Gomes Freire de Andrade). Portugal tinha boas razões para detestar generais estrangeiros mutilados por acidentes de caça (Beresford perdeu o seu olho, tal como o *Maneta* tinha perdido o seu braço) ...

Como disse um jornal da época: «Quem perde Portugal? O marechal. Quem sanciona a lei? O rei. Quem são os executores? Os governadores. Para o marechal, um punhal! Para o rei, a lei! Para os governadores, os executores!»

Assim, foi criado outro grupo secreto, o Sinédrio, que obtém mais sucesso: em 24 de agosto de 1820, toma o poder no Porto, sob a aclamação popular, e a revolta espalha-se pelo país. Em Lisboa, o golpe é feito no aniversário da vitória contra Bonaparte (11 de outubro), com o mesmo sucesso. É criada, pela primeira vez, uma Constituição, «cuja fala é a origem de todos os males». Beresford abandona Portugal sem honra nem glória. O Sinédrio incluía um franciscano, frei Francisco de São Luís, que foi útil a refutar a propaganda do regime deposto, bem descrita em *As Ideias Liberais, Último Refúgio dos Inimigos da Religião e do Trono* (traduzido do italiano), e garantir que o Sinédrio pretendia liberdade, mas não pôr fim à dinastia dos Braganças e à «Santa Religião». A dedicação do franciscano às ideias liberais, incluindo a autoria da Constituição, iria valer-lhe o cargo de cardeal-patriarca de Lisboa, depois do fim da guerra civil, enquanto que muitos dos seus colegas clérigos perderiam bens ou seriam exilados, por se lhes oporem ferozmente.

Muitas personagens discordavam das leis e mudanças iniciais, o que gera o primeiro de uma série de golpes de Estado falhados, ao longo de duas décadas, conhecidos pelos seus nomes pitorescos. Ocorre a Martinhada: no dia de São Martinho (11 de novembro), regimentos do Exército obrigam a junta provisória a adotar uma Constituição semelhante à espanhola, mas, um mês depois, a imprensa, as sociedades secretas e os seus apoiantes obrigam os golpistas, liderados pelo comandante Gaspar Teixeira, a desistir das suas ambições. O primeiro de muitos conflitos entre liberais que mostrarão que a Constituição e o liberalismo, apesar das suas vantagens, não eram panaceia para os males da nação.

D. João VI regressa, a contragosto, como monarca constitucional, ao reino que tinha abandonado, também a contragosto, como príncipe regente. Inúmeras pessoas tinham a esperança de que o regresso do rei melhorasse o estado do país e que este apoiaria a revolução. Como dizia um poema da época: «Acode e corre, pai; que se não corres/Pode ser que não aches quem socorres.» Porém, o rei não tinha a personalidade forte e determinada para enfrentar os inúmeros problemas do reino, sendo os mais urgentes e visíveis os conflitos entre liberais e tradicionais, liberais moderados, contra liberais radicais e a separação do Brasil. Aliás, a sua aceitação ou resignação aos ventos do progresso não agrada à sua família: tem de enfrentar as intrigas da esposa D. Carlota Joaquina, e do filho D. Miguel.

Num ambiente com tanta violência política a emergir como um vulcão quase a entrar em erupção e falta de lealdade familiar, não admira que se diga que o rei morreu de envenenamento, em 1826. O seu corpo não foi embalsamado, como o costume ditava, e o médico assistente que colocou essa hipótese morreu subitamente, o que, aliado aos resultados da equipa de cientistas que em 2000 analisou as suas vísceras (armazenadas num pote de porcelana, de acordo com uma tradição da época) e afirmou que tinham 130 vezes mais arsénico que o normal num organismo humano, suficiente para matar dois homens, torna a suspeita bastante credível.

❧ 1822 ❧

NASCE O PRIMEIRO IMPÉRIO AMERICANO

O Brasil foi o único país americano pós-colonial governado por uma monarquia, embora a experiência acabe por fracassar.

Achegada dos Braganças ao Brasil, em 1807, foi um evento importantíssimo para a colónia e também o único caso de uma família real europeia a instalar-se numa das suas colónias ultramarinas. E ainda por cima, com um séquito de 15 000 cortesãos, políticos, militares, serviçais, etc.

Enquanto a ameaça francesa durasse, era melhor aproveitar a estada: foram criadas várias instituições, como o Banco do Brasil, academias e hospitais, que tornaram a colónia numa verdadeira região autónoma. As colónias europeias só eram autorizadas a realizar as suas exportações e importações com o país colonizador, e tinham economias baseadas na exploração de minas e na produção em massa de culturas agrícolas, sendo a do açúcar a principal, neste caso particular. Mas o Governo do regente D. João abole tais monopólios com a metrópole, esforça-se por diversificar a produção agrícola e inicia a industrialização da economia brasileira. Quando Napoleão foi deportado para a miserável ilha de Santa Helena, já existiam demasiados projetos em curso, demasiadas mudanças e demasiada afeição do rei e da sua corte ao Brasil, para que desejassem regressar ao Continente. Em 1815, Portugal adquire o nome oficial de Reino de Portugal, Brasil e Algarves e, em 1816, nem a morte da infeliz rainha D. Maria leva a tal regresso: a coroação de D. João VI decorre no Rio de Janeiro.

A sorte de uns é o azar dos outros. As empresas portuguesas já não dominavam a economia da antiga colónia como dantes, pelo que havia muitos que desejavam o retorno da família real e o regresso do Brasil ao estatuto colonial. Foi precisa a Revolução de 1820 para que o primeiro desejo se realizasse. O segundo era impossível, pois é difícil retirar a liberdade e privilégios a quem já os provou, especialmente quando os ideais da Revolução Francesa ganhavam adeptos em todo mundo ocidental. Aliás, muitos brasileiros queriam a independência, mostrando que os ideais do famoso dentista alcunhado de *Tiradentes* (por motivos óbvios) não tinham perecido com ele na forca, em 1792. Houve até uma revolta, em 1817, que proclamou a República de Pernambuco, e cujo rápido fracasso levou a 12 enforcamentos, que foram tão inúteis como os dos Mártires da Pátria para a manutenção da submissão pública.

O príncipe herdeiro D. Pedro permaneceu na terra tropical que amava, na qualidade de representante da Coroa. Quando a metrópole lhe ordena, em 1822, que regresse a Lisboa, e que determinados privilégios do Brasil fossem abolidos, ele recusa. Junto ao rio Ipiranga, onde recebe e rejeita a mensagem, D. Pedro proclama a independência da ex-colónia por meio de um discurso, do qual a expressão mais famosa é, «Independência ou morte!» (mortes foram relativamente poucas, dada a rapidez com que foram subjugadas as tropas leais ao Continente). É coroado imperador do Brasil e, em 1825, estabelece boas relações com a «pátria-irmã» (expressão popular atual, mas «pátria-mãe» seria mais correta). Lisboa não pode travar uma guerra de reconquista com os parcos meios que possui, pelo que era melhor aproveitar o que se pudesse. Por cortesia, D. João recebe do filho o mesmo título imperial, puramente honorífico, não havendo melhores comentários à tal formalidade do que as de um historiador: «Ser aclamado imperador do Brasil, precisamente por ter perdido o Brasil! Desta vez é que os brasileiros tinham razão para se rirem a bandeiras despregadas.»

D. João VI era o tipo de pessoa prática que aceita o inevitável, a julgar pelo que disse ao primogénito, antes de regressar ao Continente: «Antevejo que o Brasil não tardará a separar-se de Portugal; neste caso, antes quero que tomes a Coroa para ti, do que deixá-la passar da casa de Bragança para as mãos de algum aventureiro.» Sem dúvida, o monarca pensava em Bolívar e San Martín, que lideravam revoltas pela independência das colónias americanas contra a Coroa espanhola. A menos que D. Pedro tenha inventado essa história para fazer parecer o grito do Ipiranga como legitimado pela aprovação paterna e real, e não traição contra a Coroa.

Quando D. João VI morre, D. Pedro era o legítimo herdeiro da Coroa portuguesa, mas o povo brasileiro nunca aceitaria que o seu imperador, D. Pedro I, fosse também o rei D. Pedro IV de Portugal, por recear que isso levasse ao fim da independência recém-adquirida. Assim, a solução mais sensata é a sua abdicação do direito ao trono paterno, em favor do irmão D. Miguel, desde que este prometesse renunciar ao desejo de ser monarca absoluto. A parte do acordo mencionando que D. Miguel devia casar-se com a filha do irmão, também chamada de D. Maria, como a avó, para cimentar o acordo político, mostra que na altura ainda não eram conhecidas as causas das doenças mentais de D. Maria e de muitos membros das casas reais ibéricas...

Embora D. Pedro I seja um herói nacional brasileiro, rapidamente se torna impopular. Até os seus defensores admitem que possui um caráter voluntarioso e autoritário; e as suas numerosas amantes e bastardos são exibidos com um descaramento humilhante para a imperatriz Leopoldina, gerando discussões ao ponto de se dizer que o imperador a agrediu, apesar da gravidez desta (pouco depois, ela morre de parto). Manda prender, e até enforcar, amotinados que protestam contra as suas políticas. Abundam as manifestações, os protestos e as críticas. «Viva D. Pedro II», grita a multidão na frente do próprio monarca, apesar de o príncipe herdeiro D. Pedro ter apenas cinco anos e de D. Pedro I ainda estar na casa dos 30 (tradução: o povo queria mudar rapidamente de governante). Quando lhe é exigido que demita um ministro impopular, a sua resposta é «antes abdicar, antes morrer». Logo cumpre a primeira parte da ameaça!

Tal decisão é motivo de espanto para muitos, bem como a de regressar a Portugal, a fim de coroar a filha como rainha e depor o irmão, que tinha violado o acordo de sucessão. Mas tendo em conta a sua impopularidade, o número de liberais que queriam mais liberdades e até uma república, é óbvio que a sua abdicação foi mais uma renúncia a um cargo que lhe trazia dores de cabeça, e à sua provável deposição, pelo que mais valia um «pequeno sacrifício» que garantisse o trono ao seu filho (cuja enorme popularidade atrasou a instauração da república no Brasil até 1888). Os atos de D. Pedro não parecem tão altruístas como alguns julgam.

De notar que, na qualidade de defensor do direito da filha ao trono, ele se tinha proclamado regente do reino...

As capacidades guerreiras reveladas nas guerras liberais valeram ao antigo imperador a alcunha de *Rei-Soldado*. A sua personalidade autoritária contrastava com a sua forte defesa da ideologia liberal, inimiga dos reis absolutos, mas indivíduos cujos comportamentos não são tão progressistas como as ideias que defendem não são raros, pois, contradições são próprias do ser humano.

৵ও 1834 ৵ও

FIM DAS LUTAS LIBERAIS. ABOLIÇÃO DAS ORDENS MONÁSTICAS

Às vezes, grandes mudanças só surgem à custa de grandes violências. O país não escapou a essa lamentável regra...

A morte suspeita de D. João VI iniciou o fim de uma época de conflitos cuja pior fase, a da resistência dos monárquicos ao fim do poder arbitrário dos reis e nobres, só terminaria no ano de 1834 (infelizmente, haveria outras fases). Muitas famílias seriam divididas por interesses e ideologias opostos, não escapando nem mesmo a família real.

A rainha D. Carlota Joaquina opunha-se ferozmente ao fim da antiga ordem e do poder absoluto da realeza, apoiando o filho D. Miguel em todas as suas tentativas para tomar o poder a D. João VI e restabelecer o antigo regime. De notar que ela era uma personagem muito ambiciosa e pouco leal ao marido. D. João VI separou-se dela quando o traiu pela primeira vez, ao fim de poucos anos de casados. Afinal, conspirar para tirar a regência do reino ao marido é traição. Passaram desde então a viver separados, e como o seu casamento durou 36 anos, isso mostra como o tabu sobre divórcios nas casas reais europeias é muito desvantajoso. D. Carlota Joaquina era uma personalidade muito impopular, mas é preciso notar que as descrições da sua pessoa eram tão repelentes que parecem mais exageros caricaturais do que relatos verídicos. Veja-se a sua descrição física relativa aos seus dentes estragados, pelos nos braços, cara bexigosa, etc. E supostamente teve muitos amantes, o que levantou dúvidas sobre a paternidade da maioria dos seus nove filhos e filhas. A acusação sobre ter tido como amante e verdadeiro pai de D. Miguel o embaixador francês

Junot, o mesmo que invadiria e devastaria Portugal anos depois, soa a propaganda política, pois isso implicaria que o príncipe seria um bastardo sem direito ao trono português e filho do cruel general que matou e roubou tantos portugueses. Mas a verdade é que até os seus filhos a descreviam de maneira pouco simpática (e o marido apodou-a com o equivalente pejorativo de «prostituta»)...

Ocorre a Vila-Francada: em 1823, na povoação de Vila Franca, o príncipe D. Miguel inicia uma revolta armada para tomar o poder e restaurar o absolutismo. Um dos maiores apoiantes do rei, o marquês de Loulé, é assassinado. Mas a oposição do rei obriga à realização de um acordo, graças ao qual são tomadas medidas tanto libertárias como repressivas. Entre as primeiras, destaca-se a libertação dos prisioneiros políticos. Entre as segundas, é suspensa a Constituição, que seria substituída por outra mais moderada. Aquilo que se chama «agradar a gregos e a troianos» ou, numa expressão mais portuguesa, «dar uma no cravo e outra na ferradura». E como é costume nessas situações, não se agradou a ninguém. Embora alguns julguem que o absolutismo foi restaurado, D. Miguel tenta outro golpe...

Ocorre a Abrilada: D. Miguel inicia outra revolta armada, em abril do mesmo ano, para tomar o poder. E fracassa de novo, por falta de apoios, incluindo do estrangeiro.

O ódio entre absolutistas e liberais manifestava-se em curiosos nomes pejorativos. Os liberais eram chamados de «malhados» devido às duas cores da sua bandeira (como vacas malhadas) e os absolutistas eram designados de «corcundas», pela maneira como se «curvavam» perante o poder dos reis. Outro insulto criado pelos liberais era «burros», dado que os cavalos que puxavam o coche de D. João VI foram substituídos por realistas entusiasmados, durante um desfile muito aplaudido. Um jornal comentou como as bestas que puxavam o coche real foram substituídas por outras «bestas», sem dúvida a inspirar-se no ditado «passar de cavalo para burro» (o responsável do jornal foi demitido).

Não havia falta de cançonetas absolutistas como «Rebenta mação/ remói liberal/livre é Portugal/ da Constituição ou o famoso O rei chegou, o rei chegou/E em Belém desembarcou/na barraca não entrou/e o papel não assinou/e com o papel o cu limpou» (o «papel» era a Carta Constitucional).

Em 1826 e 1827 ocorrem várias revoltas armadas em várias zonas do país, com o apoio da vizinha Espanha, em favor de D. Miguel.

Fracassam todas, mas D. Miguel acaba por concordar com a proposta do irmão D. Pedro sobre aceitar ser monarca constitucional, como atrás foi referido. Porém, logo após a coroação, as Cortes de Lisboa apelam a que ignore o juramento feito e que não tem valor. Claro que D. Miguel aceita. Surgem revoltas por todo o país, para o regresso da monarquia constitucional, não necessariamente para a queda de D. Miguel.

Ocorre a Belfastada: em 1828, vários opositores importantes, como o futuro general Saldanha, desembarcam no Porto, onde se deu uma rebelião, para a liderarem. Mas a derrota leva-os a fugir no mesmo navio que os tinha levado, denominado *Belfast*.

Calculou-se que cerca de 13 700 exilados políticos abandonaram o país para escaparem à brutalidade de D. Miguel e dos «corcundas» para com os «malhados». Concluiu-se que, durante o seu reinado, o número de prisioneiros políticos era, no máximo, 26 700, enquanto a maioria das 115 execuções ocorridas era de natureza política. É preciso notar que os absolutistas moderados também eram perseguidos, como o conde de Subserra, leal a D. João VI, que morreu na prisão. Grupos de rufias armados com cacetes, os «caceteiros» vagueiam pelas ruas à procura de alvos para espancar, prender ou assassinar. Acredita-se que D. Carlota Joaquina ordenou a um general encarregado de enfrentar a resistência liberal: «Corte-me, corte-me cabeças. A Revolução Francesa cortou 40 000 e nem por isso a população francesa ficou menor!» O censor oficial do regime, frei José Agostinho de Macedo, era também autor de textos radicais em que incitava ao ódio, ao uso do cacete, ao recurso à forca para esvaziar as prisões, chamando os liberais de «bestas» e os mações de «monstros». Ele ouviu das boas, ou antes, leu, pois o seu maior rival literário era o escritor liberal e irreverente Bocage («vadio errante, obeso e inútil» eram os insultos mais leves»). Será espantoso saber-se que, no reinado anterior, ele foi expulso de uma ordem religiosa por ser violento e ladrão, ao ponto de ter sido preso mais de uma vez? Outro carrasco famoso, que preferia sujar as mãos a usar a língua, era o general Teles Jordão, valente nas batalhas, mas um torturador sádico de prisioneiros. Quando substituiu o coronel Santa Bárbara na direção da Prisão de São Julião, mostrou-se muito menos santo e muito mais bárbaro. Depois da sua morte violenta na batalha de Cacilhas, cantou-se: «Morreu Teles Jordão/nas profundezas do inferno/os diabos lá disseram/já temos carne para o inverno!»

A ilha Terceira foi a única região do reino onde os liberais triunfaram: tomaram o poder local e repeliram uma tentativa de desembarque de soldados inimigos e conquistam quase todo o resto do arquipélago. Assim, cria-se uma base para D. Pedro, recém-chegado do Brasil, cujo Governo elabora inúmeras leis para o futuro. Em 1832, o ex-imperador desembarca no Porto, que adere à sua causa. Mas as tropas do irmão cercam a cidade por terra. Os combates são ferozes e há tanta falta de alimentos que os portuenses passam a comer tripas de animais, como na altura da conquista de Ceuta (não é sem razão que ainda hoje são chamados de «tripeiros»!). Ao fim de um ano de cerco, a armada liberal, liderada pelo almirante inglês Charles Napier, desembarca no Algarve. Num mês, as tropas liberais avançaram muito pelo país, enquanto surgem bandos guerrilheiros liberais, incluindo um dirigido pelo padre Francisco Ramão de Goes, além de outro liderado pelo espanhol Martini.

D. Miguel beneficia do apoio de militares estrangeiros, como o general francês Bourmont e o general escocês MacDonnell, ambos demitidos pelos seus fracassos. Os liberais veem o ambiente internacional alterar-se a seu favor. Em Espanha surge a I Guerra Carlista, entre os liberais e absolutistas espanhóis, que naturalmente apoiam os seus semelhantes do país vizinho. Em França, a Revolução de 1830 leva ao poder um rei constitucional, Luís Filipe, o «rei burguês», enquanto, no Reino Unido, o Partido Liberal derrota o Partido Conservador nas eleições. Ambos apoiam os liberais de Portugal, que triunfam ao fim de dois anos de guerra. Ainda existem grupos de guerrilha miguelista por alguns anos, mas sem sucesso. O mais famoso é o do chamado *Remexido*, fuzilado em 1840, e cuja enorme barba é a sua imagem de marca (e uma moda em expansão, a julgar pela sua adoção pelo *Rei-Soldado* e por D. Miguel). Houve guerrilheiros miguelistas a participar na Patuleia, vários anos depois (um dos seus líderes era MacDonnell, que foi fuzilado depois da sua rendição). O duque da Terceira e o marechal Saldanha tornam-se heróis de guerra graças às suas vitórias militares.

Na Convenção de Évora Monte, é assinada a paz. D. Miguel é autorizado a abandonar o país, juntamente com os seus partidários. Também recebem amnistia geral, o que escandaliza o público, depois de tantas mortes e sofrimento. O próprio rei deposto tem direito a uma pensão de 60 000 réis! Que perde quando renega o acordo de paz e insiste que é o monarca legítimo, sem que ninguém o ajude a recuperar o trono... Os liberais radicais discordam das políticas do regente D. Pedro, sempre prepotente, que os havia rejeitado no passado, para depois engolir o orgulho e apelar que o ajudassem na queda do absolutismo, como foi o caso de Saldanha. Por essa razão, ordenou a prisão de um deles, Rodrigo Pinto Pizarro. Foi a gota de água, a julgar pela reação da audiência de uma peça de teatro, quando apareceram D. Pedro e a sua filha, a rainha D. Maria II, que consistiu em apupos e gritos como «abaixo o ditador!». Envergonhados, abandonam o teatro e o *Rei-Soldado* morre de tuberculose pouco depois, no mesmo quarto onde nascera. Uma tradição da época consistia em um monarca oferecer, em testamento, o seu coração, ao objeto da sua maior afeição, geralmente uma amada ou uma cidade à qual estava ligado. O mulherengo ex-monarca ofereceu-o à cidade do Porto...

Uma das primeiras e mais importantes leis do novo regime foi a abolição das ordens religiosas, tendo sido os seus bens nacionalizados pelo Estado, incluindo hospitais, orfanatos e hospícios. Foi o preço a pagar por uma grande parte do clero ter apoiado D. Miguel: embora muitos padres fossem pela causa liberal, passou-se o oposto com a maioria dos bispos e frades. Os frades e freiras tinham o direito a compensações materiais e financeiras, mas as tradicionais, e internacionais, inépcia, corrupção, burocracia e indiferença fizeram com que muitas fossem insuficientes ou até inexistentes. Assim, muitos frades e freiras viveram e até morreram na miséria, o que mostra que não foi assim tão figurativa a alcunha *Mata-Frades* do autor da radical lei, Joaquim Aguiar de Brito (o outro autor foi o regente D. Pedro). As enormes riquezas e bens dos mosteiros e conventos não foram distribuídos pelo povo: foram vendidos a quem pudesse pagar mais, ou seja, a uma minoria de ricos, incluindo os da emergente burguesia. Como se pode ver, o anticlericalismo de muitos não era exatamente idealismo, mas sim competição...

✦ 1847 ✦

A ÚLTIMA GUERRA CIVIL PORTUGUESA

*A Patuleia e o fim de mais de uma década de instabilidade.
A persistente miséria e atraso nacionais, não desaparecerão...*

Os apupos destinados a D. Pedro IV (ou I) no Teatro São Carlos foram simbólicos: era o início de muitos conflitos entre os liberais, que tornariam Portugal num país muito instável nos anos seguintes. Havia razões políticas, sociais e económicas para a sociedade estar insatisfeita com o novo regime. Entre a classe dirigente havia discussões sobre o abandono da Carta Constitucional em favor da Constituição de 1822, que concedia menor poder aos monarcas, algo desagradável para a rainha D. Maria II, cuja vontade insubmissa e forte a teria feito dizer ao marido: «Aqui no Palácio das Necessidades, enquanto houver galinha, o galo não canta.» E as eleições eram iguais às dos primeiros regimes liberais europeus, isto é, baseavam-se no rendimento: só podia eleger deputados para o Parlamento quem ganhasse 100 000 réis por ano, havendo categorias de eleições ainda mais «caras»! A guerra civil devastou o país e, ironicamente, seu final agravou o desemprego, uma vez que foram realizadas 100 000 desmobilizações. A corrupção era elevada, como se verificou aquando da venda das propriedades confiscadas. E os rancores da guerra civil levaram a milhares de mortes, uns por razões políticas, outros com razões políticas utilizadas como pretexto. Só nos primeiros sete meses de 1837 foram cometidos 107 assassínios em Lisboa! Era inevitável que tantos problemas levassem a conflitos.

Ocorre a Revolução de Setembro: em 9 de setembro de 1836, a chegada de deputados provenientes do Porto é aclamada pelo povo, pois estes defendem o regresso da Constituição. Os militares encarregados de reprimir os distúrbios juntam-se aos mesmos e D. Maria II é forçada a ceder aos revoltosos. Doravante os constitucionalistas serão designados «setembristas» pelos cartistas. Mas a instabilidade política e as tentativas de golpes de Estado continuarão.

Ocorre a Belenzada: no Palácio de Belém dá-se um golpe de Estado em que a rainha e os respetivos partidários restauram a Carta e demitem o ministro do Reino, Passos Manuel. Mas o povo e a Guarda Nacional opõem-se ao dito golpe... Passos Manuel regressa ao cargo perdido e consegue evitar o derramamento de sangue. O acordo de paz consiste em pôr tanto a Carta como a Constituição em pé de igualdade, depois de serem feitas as alterações necessárias, algo destinado a um previsível fracasso. Quando um procurador pretende castigar os autores da Belenzada pelo crime de rebelião, Passos Manuel recusa em nome da reconciliação. Afirma que não houve rebelião, mas «desinteligências nascidas da diversidade de opiniões sobre a melhor organização do sistema representativo». Muitas pessoas adoram eufemismos e designações complexas em vez de chamar as coisas pelos nomes, e melhor exemplo do que este é difícil de arranjar.

Ocorre a Revolta dos Marechais, dirigida pelos marechais conhecidos como duque da Terceira e marquês de Saldanha, que visam acabar com a instabilidade política e fazer regressar a Carta. Uma parte essencial do plano consiste em as tropas leais aos marechais avançarem até ao Porto e conseguir a adesão da população, o que se revela um completo fracasso.

Numa localidade de nome pitoresco (Chão da Feira) é travada uma batalha em que os governantes da nação se apercebem da lealdade e submissão que souberam impor à população quando, depois de horas de tiroteio, os exércitos antagónicos avançam... e limitam-se a gritar «viva a Carta» e «viva a Constituição», recusando-se a lutar. Já não podiam ignorar a opinião do povo sobre as lutas de poder dos poderosos: «Tão bons eram uns como os outros», e os marechais são exilados (até serem perdoados por novas lutas de poder).

Ocorrem ainda combates armados que derrotam os arsenalistas, setembristas radicais cuja sede era o Arsenal da Marinha, por uma coligação de todas as restantes fações políticas. Costa Cabral é um dos principais vencedores: é nomeado ministro do Reino e escolhe os seus irmãos para cargos elevados, como Silva Cabral, que se torna ministro da Justiça. A restauração da Carta original arranja-lhe inimigos, pois é feita sem votações, além de pôr fim a um governo eleito cuja duração é a mesma do Carnaval: três meros dias, o que explica que fosse posteriormente conhecido como *Ministério do Entrudo*. Em breve, os Cabrais ganham a inimizade de todos os partidos e ocorrem mais revoltas e golpes de Estado sem sucesso...

Costa Cabral era apoiado por muitos setores da sociedade por dar azo a diversas reformas importantes na sociedade. Mas infelizmente estas nem sempre tinham efeitos positivos nas populações afetadas. A introdução da burocracia e a do registo das propriedades rurais não são apreciadas pelos trabalhadores do campo, pois não reduzem a miséria e só elevam as dificuldades e fastídio diários, visto não serem adequadas a um modo de vida pouco alterado desde os séculos anteriores. As zonas rurais eram um arsenal de pólvora prestes a explodir e a faísca foi, curiosamente, a legislação para aperfeiçoar a saúde pública.

Em nome de uma maior higiene dos espaços públicos, foi proibida a antiga tradição de enterrar os mortos nas igrejas, um desrespeito para com os mortos, de acordo com a mentalidade da população, que acabou com a paciência de muitos. Hordas de camponesas armadas com chuços surgem no Minho, aos quais aderem homens com armas de fogo. A rebelião estende-se ao resto do país e ganha o invulgar nome de Maria da Fonte, em homenagem às mulheres que tomaram a corajosa iniciativa de resistir às medidas impopulares. A lenda descreve Maria da Fonte como uma corajosa líder das revoltosas iniciais, mas ao que parece foi inspirada pela dona de uma taberna onde os rebeldes se reuniam, na ausência de líderes femininas que tenham deixado marcas na memória popular.

As sedes das administrações dos conselhos são assaltadas e os detestados registos destruídos, sendo libertados os presos das cadeias. Os líderes rebeldes incluem numerosos párocos rurais, sendo o mais famoso o padre Casimiro, logo acusados de «miguelismo», como não podia deixar de ser, por parte de um governo incapaz de admitir as suas injustiças e os seus erros. O referido Silva Cabral, vulgo *o Rei do Norte*, é encarregado da repressão e lança as suas tropas no campo. Mas os «súbditos» não são obedientes e desertam muitos soldados, cuja origem era principalmente campestre, ao passo que muitos dirigentes políticos e/ou militares aderem à rebelião, cujos membros cantam versos «Viva a Maria da Fonte/ /Com as pistolas na mão/Para matar os Cabrais/Que são falsos à nação.»

Incapaz de subjugar a Maria da Fonte, cada vez mais numerosa, o Governo cede e demite Costa Cabral, o que põe fim aos combates, mas dá início a uma crise financeira. Pois a queda dos Cabrais leva à descida dos valores da Bolsa de Lisboa, a qual reduz os já magros recursos estatais, e isso leva à suspensão das obras públicas e, como inevitável consequência, ao aumento do desemprego.

A oposição exige mais do que a revogação das medidas que desencadearam a rebelião, também quer eleições por sufrágio direto e o fim da Carta.

Ocorre a emboscada: a 6 de outubro de 1847, as promessas feitas aos revoltosos revelam-se simples palavras, quando D. Maria II demite o Governo e nomeia outro, dominado pelo marechal-duque de Saldanha. O veterano das guerras contra D. Miguel mostra que é possível ser inimigo da tirania sem que seja amigo da democracia.

Previsivelmente, o povo e os setembristas rebelam-se outra vez de armas na mão. Ressurgem as guerrilhas miguelistas, como a do malogrado (e já referido) McDonnell, e a guerra assola Portugal pela enésima vez... A nova revolta é depreciativamente chamada de Patuleia, uma palavra importada das casernas de Espanha, onde significava «soldadesca indisciplinada», e foi atribuída pelos carlistas (versão espanhola dos miguelistas) aos liberais locais.

Os patuleias não se deixam vencer no campo das palavras, nem no das ações, como descobre o duque da Terceira, capturado no Porto, ao ouvir na Prisão da Relação, os versos cantados na rua: «Olha o duque, olha o duque,/olha o duque macacão/vinha meter medo ao Porto/e caiu no alçapão.»

O Governo não pode derrotar militarmente a Patuleia, apesar de vitórias como a da batalha de Torres Vedras, mas tinha um trunfo: era membro da Quádrupla Aliança, formada para enfrentar os exércitos defensores do poder absoluto dos reis. Usando as guerrilhas miguelistas como pretexto, os outros membros da Aliança (Espanha, Inglaterra, França) enviam tropas para Portugal para pôr fim à rebelião. Os patuleias cedem, para evitar derrotas sangrentas, sem perder o humor, ridicularizando a maneira como o marechal-duque triunfou: «Se não viessem as nações/acudir à rainha/adeus, Saldanha/que te faziam em farinha.» Na Convenção do Gramido é assinada uma «paz honrosa», oficialmente sem vencedores nem vencidos, o que é verdade apenas em termos militares (exceto para os miguelistas), mas não em termos políticos, pois o setembrismo foi eliminado.

O futuro não será desprovido de crises, nem de novos golpes de Estado, mas Portugal nunca mais sofrerá guerras civis em grande escala.

৯৫ 1851 ৯৯

REGENERAÇÃO: GRANDE SALTO
NO DESENVOLVIMENTO NACIONAL

O liberalismo tinha revelado não ser nenhuma panaceia.

A interminável instabilidade política do país tinha de terminar, motivo determinante no golpe de Estado feito pelo marechal Saldanha, destinado a ser outro golpe militar falhado por falta de apoio do Exército, se não fosse o engenheiro Vitorino Damásio, cuja contribuição para a adesão dos sargentos do Porto à causa de Saldanha foi considerável. A ajuda essencial de um industrial ao golpe foi certeira, dado que o crescimento da indústria seria posteriormente favorecido pelo golpe. A rainha D. Maria II esteve contra a revolta, ao contrário do marido D. Fernando, cujos esforços para que o Governo cedesse a Saldanha deram resultado.

O golpe de 24 de abril de 1851 será conhecido como Regeneração, em parte por ter favorecido uma regeneração da classe política, em parte por visar «regenerar» o país mergulhado no atraso e decadência. O último objetivo só foi parcialmente atingido, o que é mais do que se pode dizer de inúmeros grandes projetos.

No outono de 1852, o chamado Partido Progressista divide-se em dois partidos, os Regeneradores e os Históricos, levando ao surgimento do primeiro sistema bipartidário em Portugal. A sucessão dos Históricos e Regeneradores é comentada por João de Deus: «Graças a esta harmonia, que é realmente um mistério,/ /havendo tantas fações,/ o Governo, o Ministério,/ ganham sempre as eleições.»

Os Regeneradores visam a reforma da administração e da Fazenda, e o desenvolvimento da educação e das obras públicas, sendo estas últimas não só importantes para a modernização e desenvolvimento do país, como também servem de combate ao desemprego.

Os objetivos dos Históricos são radicais para a época e de natureza política: sufrágio universal e não censitário (ou seja, o nível de rendimento do cidadão não decide se pode votar ou não), eleição popular dos administradores dos concelhos e o reforço do poder dos municípios à custa da descentralização do Estado, sendo o jornal *O Português* o seu principal veículo na imprensa.

Há quem deseje a reunião dos Regeneradores e do Históricos num único partido, ou coligação governamental, um desejo satisfeito em Setembro de 1865, aquando da formação de uma coligação, cuja existência terá um fim no mês de janeiro, devido aos tumultos e distúrbios populares (as «janeirinhas»), gerados pelo mais antigo gerador de violência política, o acréscimo dos impostos.

É preciso notar que um dos aspetos negativos da Regeneração foi o crescimento do número e influência dos caciques, líderes de zonas onde ordenam aos habitantes que votem nos candidatos que aprouverem ao cacique (a palavra foi importada de Espanha e teve origem nos chefes tribais das Caraíbas). Quando estão no poder, os Históricos dão maior relevância às questões internacionais, como a crise causada pela prisão de um navio negreiro francês em Moçambique, ao cabo que a maior prioridade dos Regeneradores consiste no desenvolvimento económico de Portugal, englobando o aumento da produção agrária, o desenvolvimento industrial, o crescimento das exportações, para que assim a nação consiga desenvolver as colónias que controla no Ultramar e seja menos dependente do velho aliado inglês. Em suma, apesar de todas as limitações e fracassos, a Regeneração consegue trazer a Revolução Industrial a Portugal.

Entre os Regeneradores, destaca-se Fontes Pereira de Melo, que receberá diversas pastas ministeriais de relevo, como a da Fazenda, a do Reino e a do recém-criado (em 1852) Ministério das Obras Públicas. Na qualidade de detentor desta última, Fontes Pereira de Melo é responsável pela execução de diversos projetos ambiciosos, destacando-se a construção de linhas férreas, estradas e a instalação do telégrafo, todas essenciais para o desenvolvimento económico da nação. Chamar-se-á fontismo a essa política de desenvolvimento económico e técnico de Portugal. O fontismo, contudo, terá os seus inconvenientes, cuja causa é universal: a falta de capital. Para arranjar capital para projetos de tamanha dimensão, numa nação com falta deste, recorre-se ao aumento da carga fiscal, especialmente os impostos indiretos sobre os bens de consumo, bem como aos empréstimos feitos ao estrangeiro. A maneira como se lidou com semelhantes formas de aquisição de capital não foi das mais eficientes, como se verá em 1892...

As reformas também são feitas a nível legislativo, pois as Ordenações Filipinas são abandonadas em favor do Código Civil, em 1867, publicado no mesmo ano que o Código Administrativo.

De notar que um dos conspiradores do golpe de 24 de abril foi Alexandre Herculano, o célebre renovador da maneira de fazer história em Portugal, mais racional e menos ligada a mitos patrióticos, isto é, pode dizer-se que a Regeneração também afetou a história e os historiadores de Portugal (e vice-versa).

༄ 1856 ༄

INTRODUÇÃO DO CAMINHO DE FERRO, TELÉGRAFO E TELEFONE

A Revolução Industrial começa a afetar o dia a dia do português comum.

Nesta altura, os transportes em Portugal eram bastante rudimentares: embarcações fluviais e marítimas, recurso ao gado (burros, cavalos, bois, mulas) para mobilizar os transportes terrestres, como carruagens, carros de bois, etc., que possuía a vantagem de ser em simultâneo mercadoria e meio de transporte. O almocreve, mercador ambulante, foi uma visão omnipresente em toda a nação até no início do século XX. Os transportes aquáticos eram consideravelmente mais rápidos, além de beneficiarem de maior capacidade (o porão de uma caravela é bem mais espaçoso do que um carro de bois ou uma carroça), pelo que eram utilizados em maior escala. Além de que o extenso litoral do país e a abundância de rios ajudavam muito.

Quando ocorreu a Regeneração, não só a instabilidade política decresceu como os novos governantes do reino ambicionavam arrancá-lo à sua extrema miséria e atraso.

Uma das alterações daí resultantes foi a chamada «revolução dos transportes», cuja importância foi decisiva para Portugal. Transportes mais velozes permitiram deslocações mais rápidas, facilitando a troca de bens, serviços, viagens de negócios e migrações. O comércio intensificou-se, o que por sua vez implicou a diversificação e crescimento das produções agropecuária e industrial, bem como uma radical mudança da vida das pessoas, em termos privados, como o fim ou redução do isolamento das povoações, levando ao maior contacto entre as regiões. A introdução do comboio também beneficiou outros tipos de serviços e de indústrias, pois estimulou a construção civil, a extração de pedra, a instalação de negociantes na proximidade das estações ferroviárias, etc.

Essas mudanças têm como data simbólica o dia de 28 de outubro de 1856, quando foi inaugurada, na presença de D. Pedro V, a primeira linha de caminhos de ferro em Portugal, de Lisboa ao Carregado, sendo a distância abrangida de 36 quilómetros. Cem anos depois, o país possuía 3616 quilómetros de carris, dos quais 2153 foram construídos de 1856 a 1886. Os «regeneradores» desse período de 30 anos eram dotados de maior ritmo e dedicação ao trabalho do que várias gerações posteriores!

A introdução e a proliferação do comboio também revolucionaram as comunicações, pois o transporte do correio tornou-se mais rápido, e a taxa de porte das cartas e encomendas passou a ser baseada no peso transportado, em vez da distância percorrida.

O telégrafo não fica atrás e também é inaugurado em 1856, na forma de uma rede que ligava o Terreiro do Paço às Cortes e o Palácio das Necessidades a Sintra. No ano seguinte, passa a ser acessível ao público.

A 26 de abril de 1882 é introduzido o telefone, algo que espantou não só os menos conhecedores das tecnologias modernas, como também os mais cultos, uma vez que este tinha sido oficialmente criado apenas seis anos antes! «Oficialmente», pois foi recentemente reconhecido que o italiano Antonio Meucci viu os frutos e louros do seu trabalho roubados por Alexander Graham Bell...

Embora Lisboa, na qualidade de capital, seja em geral a cidade de Portugal com maior nível e ritmo de desenvolvimento, a primeira lista telefónica que teve englobava somente 23 assinantes, dos quais só seis eram indivíduos a título privado, sendo os restantes instituições como hospitais e hotéis!

⋙ 1858 ⋘

D. PEDRO V CASA-SE COM D. ESTEFÂNIA

Uma história de amor digna de um romance (e muito mais
«suave» do que a do antepassado homónimo).

D. Pedro V era um rei estudioso, com forte sentido de dever,
pouco dado a diversões e que ambicionava que Portugal dei-
xasse de ser um reino subdesenvolvido. Mas casar-se era um dever do seu cargo que não lhe despertava grande entusiasmo... O
mesmo se podia dizer das potenciais noivas e respetivas famílias:
sendo Portugal um reino pequeno, pobre, instável e atrasado, não
era um alvo muito cobiçado pelas casamenteiras das casas reais
da Europa.

A princesa Estefânia de Hohenzollern-Sigmaringen foi uma
das poucas candidatas: atraente, católica e de uma família real
influente, parecia ideal. O casamento real realizou-se em 1858
– por procuração, sendo o noivo representado pelo duque da Terceira (imagine-se o romantismo...). No entanto, os recém-casados
davam-se bem, tanto nos passeios que davam a sós, como foi confirmado por testemunhas, como nas cartas trocadas entre si ou
com outros parentes. Numa dessas cartas, Estefânia garante à mãe
que o marido fica mais alegre, amável e livre de espírito na ausência do pai, D. Fernando, um homem de feitio difícil (D. Pedro V afirmou que um atrativo do casamento era tornar-se chefe de família
e, como tal, frequentar menos os desagradáveis saraus do pai).

D. Estefânia rapidamente se tornou popular e amada entre os
portugueses. Era tão católica, que criticava o clero: os clérigos
pouco se interessavam em educar os jovens na catequese, havendo
muitas crianças a fazer a primeira comunhão sem perceberem o

que esta significava... Para a rainha: «Os bispos ocupam-se muito de política e pouco dos seus deveres.»

Ao fim de 14 meses de casamento, D. Estefânia contrai angina diftérica e morre alguns dias depois, com apenas 22 anos. D. Pedro V fica devastado e deprimido com a morte da esposa e desabafa com o tio, o príncipe Alberto de Saxe-Coburgo e esposa, a célebre Vitória de Inglaterra, os quais tinham sido responsáveis pela escolha da noiva.

Na chamada «era vitoriana», o pudor e a castidade eram glorificados – em demasia, no caso do casal em questão. Os médicos que fizeram a autópsia de D. Estefânia descobriram que o corpo desta estava «intocado» e confirmam-no várias décadas mais tarde. Naturalmente surgiram boatos relativos ao rei: uns diziam que era homossexual, outros diziam, dado o afeto entre ambos os membros do casal, que D. Pedro devia ser «anafrodisíaco» (impotente). Leia-se a carta de D. Estefânia à mãe, relativamente à noite de núpcias: «... não consegui dormir nem um segundo durante toda a noite. Senti-me bastante embaraçada, pouco à vontade, e acho, em suma, que este costume de os esposos dormirem juntos não é muito agradável. Mas considero-o um dever diante de Deus e, além disso, a pureza e delicadeza extremas de Pedro tocam-me e fazem-me feliz. É uma grande felicidade para mim, pois sem isto há coisas que me seriam muito difíceis!» A princesa alemã parece ser o caso de uma rapariga educada de maneira excessivamente recatada, tal como o marido, mesmo para os padrões vitorianos. Nem a rainha Vitória era assim tão pudica, dado os nove filhos que teve e as cartas apaixonadas que escrevia ao marido (nas quais mostrava que não gostava de estar grávida!). D. Pedro V parecia ter uma ideia excessivamente romântica da esposa, elevando-a a um ideal e não a uma mulher normal: «Era um anjo na Terra.»

O puritanismo de D. Pedro era invulgar, ao ponto de tentar impedir vários indivíduos de conseguir cargos importantes, às vezes com sucesso, por rejeitar os seus comportamentos privados, questionáveis. Claro que uma das razões pelas quais se dava mal com o pai, o príncipe consorte D. Fernando, era por este ser um «viúvo alegre».

D. Pedro V era também um idealista, pois ambicionava desenvolver o país e reduzir a pobreza, tendo sido o responsável pela abolição do ritual do beija-mão, que descreveu como «aviltante». Mas as realidades da política desiludem-no e fazem-no sentir-se frustrado e impotente perante tanta corrupção e indiferença. Talvez tenha considerado a sua mulher um «anjo» por esta ser um apoio emocional e parecer possuir uma bondade rara num mundo corrompido, com «heróis de guerra» como o marechal Saldanha, autor de tráfico de influências e intrigas de poder. Bem precisava do afeto e consolo de uma mulher, um monarca que se queixava de estar rodeado de mentirosos e libertinos: «São estes os homens a quem eu, ainda há dois dias, julgava poder chamar, sem ofensa da moral, homens de bem! Assim é que se perde a confiança, assim é que se vão as últimas ilusões!» Cobre os seus ministros de insultos, como «virtuosos do vício» ou, no caso do duque da Terceira, «sublime nulidade».

Se a passagem dos anos iria confirmar o sucesso do casamento ou convertê-lo numa desilusão, nunca se saberá, dada a morte precoce de D. Estefânia, para mais no período em que ainda se podia chamar de lua de mel, tornando a sua perda mais dolorosa para os que a aprenderam a amar, incluindo o povo.

A tentativa de encontrar uma nova esposa para o viúvo foi por este recusada. A princesa proposta era a infanta Maria de Espanha, no entanto, existiam vários inconvenientes: nem o rei nem o povo sentiam grande afeição pelos espanhóis, a infanta, de apenas 11 anos, tinha reputação de possuir um caráter desagradável, herdara a reduzida beleza da mãe, a rainha Isabel II, de Espanha, cujos diversos amantes tornavam suspeita a paternidade de Maria (sangue real e riquezas são ótimos afrodisíacos, ainda que tenham contribuído para a expulsão de Isabel do trono...). O marido de Isabel II não devia ser ciumento, a julgar pela sua alcunha (Paquita) e pelos versos populares «Isabelona, tan frescachona, y don Paquito, tan mariquito...» A recusa de D. Pedro V em casar-se com semelhante princesa não atrairia novas dúvidas quanto à sua virilidade!

D. Pedro V não vive no celibato por muito tempo: em 1861, morre, aos 24 anos, juntamente com o irmão D. Fernando, vítimas de febre tifóide. Causou espanto que o rei tenha morrido tão jovem, contudo, é preciso ter em conta que não era cuidadoso perante as doenças contagiosas: visitou doentes em hospitais lisboetas, durante as epidemias mortais de cólera e febre-amarela, e recusou sair de Lisboa, apesar do risco de contágio. Mas o povo, que o admirava ainda mais, perante a maneira como reagiu às referidas epidemias, recusou-se a acreditar numa morte natural tão precoce. A morte de um rei desejoso de melhorar uma nação pobre, antes que pudesse dar provas das suas capacidades, e que detestava os politiqueiros faladores, além de lhe valer o apodo de *Esperançoso*, gerou boatos de envenenamento que, por sua vez, geraram distúrbios populares.

D. Pedro V acreditava que morreria jovem, uma vez que todos os primogénitos da família dos Braganças morreram antes de serem coroados. A morte de D. Estefânia e as desilusões sofridas contribuíram para tal morbidez (e talvez também a literatura de então, que incluía muitas histórias de jovens bem-intencionados que morriam precocemente).

✎✎ 1861 ✎✎

CAMILO CASTELO BRANCO TERMINA
O AMOR DE PERDIÇÃO

A sua obra-prima de maior fama. Uma história de amor que comoveu o país.

Camilo Castelo Branco (1825-1890) foi um escritor controverso, irreverente, e cuja vida sentimentalmente agitada o levou à prisão. Nasceu em Lisboa, a 16 de março de 1825, e ficou órfão de mãe apenas com um ano e sem pai aos dez, tendo sido acolhido por uma tia e, mais tarde, pela irmã mais velha. A sua tendência para o sentimentalismo revelou-se muito cedo: aos 16 anos casou-se com uma jovem de 14, Joaquina Pereira, por quem teve uma paixão arrebatadora, para logo a deixar, à semelhança de tantos apaixonados dedicados, repletos de juras de amor sincero. Pouco tempo depois (1846) fugiu com outra jovem, Patrícia Emília, que também abandonou passados poucos anos. Joaquina morreria em 1847 e a filha do casal, no ano seguinte. No que respeita à sua carreira académica, teve tanta estabilidade e coerência como no amor.

Em 1843 ingressou na Escola Médico-Cirúrgica do Porto, mas não concluiu o curso. Com 25 anos, atravessando uma fase de intensa espiritualidade, pensou talvez que o seu futuro fosse ligado à vida religiosa. Ingressou no Seminário do Porto, porém, conheceu uma mulher, Ana Plácido, que o convenceu a deixar a espiritualidade pelos prazeres do costume... Sendo casada com um comerciante, abandona-o em 1859, para ir viver com Camilo, «inconveniente» em termos legais, dado o adultério ser crime perante as leis da época. Ainda hoje há quem o considere crime, incluindo infiéis que odeiam provar o seu próprio remédio, e alguns pregadores do «não-julgamento» cujos discursos mudam quando são a parte traída.

No entanto, o escritor e a amante recebem apoios influentes e são absolvidos. Instalam-se em Lisboa e, mais tarde, em São Miguel de Seide, dedicando-se Camilo exclusivamente à atividade literária, escrevendo irónicas e irreverentes crónicas para jornais e uma obra literária profícua de que constam 16 romances bem-sucedidos, tornando-se uma celebridade nacional. Em 1889, recebe uma homenagem da Academia de Lisboa e, mais tarde, o título de visconde, concedido pelo rei D. Luís I.

Nos últimos anos de vida, Camilo é afetado por doença grave nos olhos, cegando progressivamente e mergulhando em profunda depressão. Não existindo qualquer esperança de lhe salvar a visão, essencial para a atividade de escritor, Camilo suicida-se, aos 65 anos, na sua casa de São Miguel de Seide, a 1 de junho de 1890, ainda em companhia de Ana Plácido, de quem teve dois filhos. Nesta casa, restaurada após um incêndio, funciona o Museu com o seu nome. Curiosamente, Camilo, na juventude, escreveu abundante e rigorosamente contra o suicídio e os suicidas. Mas a degradação do seu estado de saúde física e moral, aliado talvez a uma certa morbidez, provocou nele uma tendência para escrever e falar do próprio suicídio como de uma fatalidade a que não poderia escapar. Sempre foi fácil pregar virtudes perante as adversidades quando não se está a sofrê-las... Morreu considerando ter tido uma vida «extraordinariamente infeliz».

Amor de Perdição foi, sem dúvida, um dos romances que mais perderam jovens românticas em idade das paixões e encantou, desde que foi publicado, gerações de adultos de todas as idades. Obra ultrarromântica, narrativa passional e trágica, à maneira de Romeu e Julieta, tratando de uma proibida paixão entre jovens de famílias inimigas, mas passado numa Verona portuguesa, Viseu/Vila Real de Trás-os-Montes, tem todos os ingredientes para agradar: amor, vingança, ódio, sentimentos conflituosos, paixões desmedidas, prisão, degredo e morte.

Também possui lugares-comuns do romantismo, como o «mau rapaz» que é regenerado pelo amor, já que o protagonista, Simão, passa a estudar intensamente, em vez de se meter em confusões e conflitos em que revelava o seu caráter brutal, pois ambiciona poder sustentar decentemente a amada, Teresa. Poder regenerativo do amor, não verificado no caso particular do autor...

Outro lugar-comum, ainda mais difícil de ocorrer na vida real, é o dos apaixonados cujo amor é tão intenso que ficam doentes quando são separados para sempre. Simão e Teresa adoecem e morrem quando ele é degredado pelo assassínio de Baltasar, o rival na conquista da mão de Teresa.

O caso de Mariana é, simultaneamente, romântico e realista: sabe que o homem que ama nunca lhe retribuirá, por estar apaixonado por outra, pelo que se dedica a ajudá-lo sempre que pode, por acreditar que a felicidade dele é recompensa suficiente. A morte de Simão durante a viagem de degredo, depois do choque da descoberta da morte de Teresa, é seguida pelo suicídio de Mariana, que se atira ao mar, durante a cerimónia funerária, juntamente com o corpo do amado. Se o amor é proibido, seja por que motivo for, existe sempre uma saída trágica, a morte.

O ferreiro João da Cruz é a personagem mais realista do romance. Astuto, sensato, leal e grato para com Simão, que o ajudou no passado, é um homem do povo, de personalidade simples, de discurso repleto de ditos populares e provérbios. Mas não é um anjo e não hesita em matar quem o tenta matar, incluindo um sicário a quem Simão perdoa magnanimamente. As suas boas ações e o enorme amor nutrido pela filha parecem redimi-lo. A sua morte é uma mistura de dramatismo com realismo, pois é assassinado pelo filho de um homem que matou devido a uma disputa campestre mesquinha (diga-se de passagem que os citadinos podem ser igualmente violentos por razões do mesmo baixo nível...).

Os pais de Teresa são fidalgos insensíveis, muito mais interessados na «honra» da família e nos respetivos interesses materiais do que no bem-estar e na felicidade dos filhos.

Baltasar Coutinho, primo e pretendente de Teresa, é um vilão clássico: falso, hipócrita, intriguista, libertino, encarrega criados de assassinarem Simão e é um típico membro das elites que acredita que o fim justifica os meios.

Bastante pessimista é saber que, apesar de Baltasar e dos fidalgos atrás referidos serem personagens «malfazejas» típicas de romance, são simultaneamente realistas, dada a abundância de casos da vida real assustadoramente semelhantes...

Amor de Perdição foi, pois, a novela mais importante de Camilo. Curiosamente, foi escrita durante a sua estada na Cadeia da Relação do Porto e baseado num caso verídico passado com um seu tio e que lhe teria sido relatado aquando da sua estada em casa da tia que o acolheu em jovem.

Desde a sua publicação em 1891, esta novela de Camilo tem sido dissecada e comentada por milhares de jovens em idade escolar e mesmo a nível universitário, por estudiosos da sua obra, tanto portugueses como estrangeiros, que se dedicam a analisar o processo narrativo, o discurso empregado, aliado à reprodução de costumes, precisão de datas e factos históricos, que compõem um ambiente fiel à realidade, permitindo ao leitor inserir-se nele e pintar o próprio quadro. Ao mesmo tempo, procuram encontrar na obra um sentido subjacente, traduzido por uma crítica social subliminar, em que Camilo procuraria denunciar os absurdos da honra familiar a que a sociedade era cegamente submissa, levando a situações frequentemente dramáticas e não menos vezes ao suicídio. Chega-se a um ponto em que já não há escolha possível e então o amor só pode vincular-se à morte, de que são exemplo inúmeras obras mundialmente famosas. As novelas de Camilo estão, por isso, em perfeita sintonia com o sentimentalismo (fado) e restantes características do povo português. O autor foi considerado o criador da novela passional portuguesa, embora se tenha dedicado aos mais diversos géneros literários, como poesia, ensaio, drama, história literária e historiografia.

ぺ 1869 ぞ

ABOLIÇÃO TOTAL DA ESCRAVATURA

O fim de uma tradição tão natural como a lepra e a varíola.

Durante milénios quase todas as sociedades humanas conhecidas recorreram à escravatura, fosse qual fosse a escala. Os cativos de guerra foram uma importante fonte de escravos, assim como a sua compra a mercadores, para não mencionar a hereditariedade de tal ignóbil condição também ter contribuído bastante para o abastecimento dos mercados.

Maltratar escravos, matá-los e até abusar sexualmente destes era frequente, apesar das leis que procuravam minorar tais crueldades (houve sociedades onde estes podiam comprar a liberdade com as suas economias, além de a liberdade ser uma recompensa frequente pelos serviços prestados).

Houve épocas e sociedades em que a vida de um escravo comum era tão cruel que gerou várias revoltas, reprimidas com brutalidade, como as três guerras servis na Roma antiga, onde Espártaco foi celebrizado até aos dias de hoje, dos *zanj* no mundo árabe medieval, ou a do Haiti no século XIX (a única a triunfar!).

A mais célebre sociedade esclavagista foi a europeia, incluindo a das colónias americanas, graças ao crudelíssimo «tráfico negreiro», cujas vítimas foram vários milhões de negros de África, desde o século XV até ao século XIX.

Em Portugal, os escravos foram, durante séculos, os cativos das guerras contra os mouros, e nos territórios ainda controlados pelos muçulmanos os escravos eram sobretudo cristãos, cativos das guerras ou importações do estrangeiro (sudaneses, eslavos, francos, turcos, etc.). E quando a nação portuguesa ainda não existia, fazendo o território ainda parte do Império Romano, era componente de uma sociedade baseada no trabalho servil, com uma enorme abundância de escravos provenientes dos despojos de guerra ou do comércio.

Quando os europeus começarem a escrever essa página vergonhosa da sua história, já o tráfico negreiro tinha sido iniciado vários séculos antes pelos muçulmanos medievais, e duraria até aos séculos XIX e XX. O que não diminui a responsabilidade de os portugueses serem os primeiros europeus a começar semelhante comércio transatlântico: os negreiros portugueses compravam muitos escravos aos negreiros islâmicos na Guiné e em Cabo Verde...

Foi no ano de 1431 que o navegador Nuno Tristão iniciou o tráfico de negros, ao trazer escravos do Cabo Branco (nome sarcástico mas verídico), obedecendo, no entanto, a ordens do infante D. Henrique, que mostrou que todos os grandes homens têm defeitos, mas que isso não diminui o grau de gravidade dos mesmos. O cronista da época Gomes de Zurara revela-se chocado com a visão de famílias a serem separadas à força no mercado: «Vós outros que trabalhais desta partilha esguardai com piedade sobre tanta miséria.» Qual o valor do relativismo moral, quando até um cronista da época desaprova comportamentos antigos como se vivesse nos tempos modernos?

No Brasil, os índios foram as principais vítimas da escravatura até os proprietários concluírem que não serviam para uma vida de servidão: preferiam a morte a uma vida de maus tratos. Assim, recorreu-se à importação de negros, cuja marca mais óbvia é a enorme abundância de negros, mulatos e caboclos no Brasil moderno.

A principal atividade económica nas colónias que recorria aos escravos como mão de obra era a agricultura, mais precisamente a produção de açúcar, no caso do Brasil, além das minas de ouro e diamantes. O trabalho era esgotante e reduzia muito a esperança de vida dos trabalhadores, que morriam de esgotamento, subnutrição e de acidentes (quedas nos engenhos de extração de açúcar, desabamentos nas minas, etc.). Na Madeira, a cultura do açúcar, tal como a do vinho, recorria a trabalhadores servis.

O marquês de Pombal era um homem de contrastes: no mesmo ano em que ordenou inúmeras prisões e acusações (1761), proibiu a escravatura em Portugal continental, uma medida insuficiente que seria a primeira de muitas tomadas pelas gerações seguintes.

Todos os escravos pertencentes ao Estado receberam a carta de alforria (liberdade) em 1854, seguindo-se os pertencentes às Misericórdias, igrejas e câmaras em 1856.

Mas havia quem desobedecesse às leis, especialmente os estrangeiros, como foi o caso do navio negreiro francês denominado *Charles et George*. Capturado pelas autoridades portuguesas na colónia de Moçambique, anteriormente conhecida como «paraíso dos negreiros», o comandante François Rouxel é julgado pelas autoridades locais e recorre a instâncias superiores quando perde o caso, pelo que é enviado para Lisboa. O imperador da França, Napoleão III (sobrinho do célebre conquistador), não aceita ser desafiado por uma pequena nação e ameaça começar uma guerra. Abandonado pelo «aliado» inglês, como de costume, o Estado português liberta os negreiros e ainda paga uma elevada indemnização em 1859! Talvez o rei D. Pedro V tenha percebido como boas intenções não bastam contra a força e riqueza dos poderosos. Napoleão III aprenderá, de certeza, que maltratar os «fortes» é diferente de maltratar os «fracos», quando perde uma guerra contra a Prússia e, com a sua aura de poder destruída, é deposto pelos republicanos em 1871.

A abolição e a proibição total da escravatura ocorreram em 1869, depois de longas disputas com diversos barões e viscondes consideravelmente abastados, uma vez que enriqueceram com o comércio de escravos, sendo as suas riquezas uma das razões pelas quais receberam os títulos de nobreza (comprados, concedidos pelo Estado, mas não herdados da famílias tradicionais...). A abolição da escravatura em todas as sociedades ocidentais deveu-se não só à mudança de mentalidades mas também à evolução da economia, pois as novas teorias económicas e tecnologias mecanizadas tornaram a escravatura obsoleta e expuseram a sua ineficácia. Nada como o interesse material de uns para levar ao sucesso o idealismo de outros...

Um fidalgo, Bernardo Sá de Figueiredo, teve um papel importante nessa história desagradável, pois foi um político importante e um abolicionista convicto, que sabia que as colónias africanas se desenvolveriam melhor com trabalhadores livres. Aliás, foi um dos principais responsáveis pela lei de 1869, quando estava na chefia do Governo, com o apoio do polémico bispo de Viseu, Alves

Martins protagonista de um poema de Fernando Abreu com o verso «Religião deve ser como o sal na comida,/ Nem muito, nem pouco, só o preciso na vida».

Era um veterano de guerra, como provava o facto de também ser mutilado de guerra: na Guerra Peninsular recebeu cutiladas na cabeça que o tornaram quase surdo e nas guerras liberais perdeu um braço. Quando surgiu a revolta popular da Patuleia, aderiu aos revoltosos contra a impopular clique dos Cabrais.

Foram os seus feitos militares, e a herança do pai, que lhe valeram o título de marquês de Sá da Bandeira, e quando condenava a escravatura ninguém o podia acusar de ser um idealista sonhador que nunca experimentou as durezas da vida sem cair no ridículo (era difícil encontrar alguém cujo corpo tenha sofrido tanto como o do homem conhecido popularmente como «Sá Maneta»). De resto, existem muitas pessoas que lutaram pela liberdade, mas poucas continuaram a luta uma vez derrotada a fação inimiga e/ /ou após subirem ao poder. Sá «Maneta» nunca deixou de lutar contra os abusos da sociedade, não importava quem estivesse no poder e quais as reformas realizadas.

Repare-se na ironia: Sá «Maneta» da Bandeira mandou erguer, em 1839, um monumento à memória do infante D. Henrique, o pioneiro e impulsionador da atividade económica que tanto se esforçou para abolir, com sucesso!

A Praça de D. Luís, em Lisboa, possui uma estátua do marquês Sá da Bandeira desde 1884.

∞ 1877 ∞

TRAVESSIA DO CONTINENTE AFRICANO DE COSTA A COSTA

Alexandre de Serpa Pinto atravessa África de uma costa a outra por via terrestre. O Livingstone português, presume-se.

Ao longo da época dos Descobrimentos, os portugueses conquistaram e ocuparam rapidamente regiões imensas no mundo, porém, não foram tão céleres a conhecê-las, nem a explorá-las, o que foi realizado numa fase muito posterior. De certo modo, pode dizer-se que atualmente, e após esses territórios já não lhe pertencerem há muito, esses objetivos continuam ainda em fase de concretização, com equipas de investigadores e cientistas, em geral, cartografando o terreno e estudando em pormenor, geologia, flora e fauna, redes hidrográficas, fundos oceânicos, pesquisa de recursos naturais, comportamentos étnicos, tradições culturais e muitos outros aspetos em que colaboram com os respetivos governos.

Em meados do século XIX, Portugal deu-se conta de que o interior de Angola e Moçambique interessava a vários países e que exploradores já famosos como o Dr. Livingstone, missionário e antiesclavagista, e Morton Stanley, que trabalhou para o sanguinário rei Leopoldo II da Bélgica (por sede de glória e lucro, presume-se), calcorreavam zonas situadas entre as duas colónias e que faziam parte de planos de ocupação português, de acordo com o estipulado no Mapa Cor-de-Rosa. O ultimato inglês de 1890 acabou por destruir esses projetos, porém, as possessões africanas podiam estar em perigo se Portugal não confirmasse os seus direitos de soberania, protegendo-as, valorizando-as e conhecendo melhor os povos que as habitavam, até porque as fronteiras exatas dos seus domínios nem sequer estavam rigorosamente estabeleci-das. Fundou-se então, com o entusiasmo de Luciano Cordeiro, a Sociedade de Geografia de Lisboa, com o objetivo de defender os interesses nacionais de além-mar e de incentivar futuras expedi-ções exploratórias.

Em finais de 1877, o ministro da Marinha e Ultramar autori-zou uma missão àquelas colónias que se viria a revelar tão espe-cial quanto inesquecível. Destinava-se a fazer observações sobre a topografia, sistemas fluviais e clima, agricultura, zoologia, cos-tumes das etnias locais, entre outros. Integravam-na três explo-radores cujos nomes haviam de ficar para a história, pelos seus feitos, coragem e capacidade de aventura em terras perigosas e desconhecidas: Alexandre Alberto da Rocha Serpa Pinto, nascido em 1846, natural de Cinfães, aluno do Colégio Militar, Herme-negildo Capelo e Roberto Ivens. Apetrechados com os melhores equipamentos científicos da época, comprados em Paris e Lon-dres, rumaram a Angola, iniciando a exploração por Luanda e seguindo depois para Benguela com o intuito de atingir o Bié. Aí, distribuíram tarefas, ficando Serpa Pinto encarregado de auxiliar a expedição e contratar pessoal, incluindo gerir os carregadores e registar todas as observações relevantes para o êxito da missão, de que é exemplo esta, muito curiosa, registada ao passarem por Quilingires e Caconda. No povo dos Quilengues, o adultério femi-nino era aprovado pelos maridos, não por causa de uma mentali-dade «aberta», mas por uma espécie de proxenetismo: «Nos Qui-lengues, o adultério é coisa de grande estimação para os maridos, sendo que por lei fazem pagar ao amante multa que se traduz em gado e água-ardente. A mulher que não tem cometido algum adultério é malvista do marido, que não aumenta o seu haver por esse meio.» Que ironia o adultério ser favorecido pelos maridos, precisamente por a sociedade o punir...

Ele viaja para sul, com a louca ideia de atravessar toda a África até à costa oriental, a fim de confirmar e reconhecer a soberania portuguesa entre as duas referidas possessões. Frequentemente atacado por febres palúdicas, esmorece, desanima e são as cartas de Silva Porto que lhe dão alento para continuar: «Estou velho, mas rijo e forte; se o meu amigo se vir num desses trances, vul-gares no sertão, em que a esperança se perde, faça-me chegar às mãos uma carta sua porque no mais curto espaço possível eu serei consigo e comigo irão todos os recursos, todos os socorros.»

Resistindo à doença, prosseguiu por difíceis caminhos nunca antes desbravados, com chuvas violentas, por vezes diluvianas, rios caudalosos de travessia arriscada, trovoadas assustadoras sobre o acampamento, ventos fortíssimos que arrancavam as tendas, deixando-o e aos seus companheiros expostos à chuva, e que apagavam os fogos do acampamento, pontes em que só passava um homem de cada vez, algumas das quais não se podiam transpor enquanto outra caravana estivesse a passar, ruídos e rugidos de feras que o rondavam, gigantescas árvores caídas fulminadas por raios; um sem-fim de tormentas inimagináveis. Uma sua frase traduz bem os sofrimentos por que passou: «Assim como só o homem que, sendo pai, pode compreender a dor pungente da perda de um filho, assim também só o homem que foi explorador pode compreender as atribulações de um explorador.»

Após atravessar o Alto Cuanza e o Alto Cuango, chegou ao Zambeze tão doente que não pôde atingir a costa moçambicana do oceano Índico, a sua meta inicial. Em alternativa, dirigiu-se ao Callari, ladeou o lago Makarikari, até Pretória, ultrapassando inúmeros obstáculos. Certa vez em que lhe apareceu pela frente o rio Cuqueima em tão forte cheia que só se podia atravessar numa canoa com apenas dois lugares e em que ele, devido a forte crise de reumatismo, delirava e nem os dedos das mãos conseguia mexer, aconteceu que a canoa, redemoinhando, acabou por atingir uma catarata. Serpa Pinto viu-se de súbito dentro de água, nadando furiosamente com um só braço enquanto no outro erguia um cronómetro. Talvez o choque da água fria ou a vontade de se salvar o tenham levado à margem são e salvo, perante os aplausos dos que nela o aguardavam. Após uma travessia de quatro mil quilómetros, chegou a Durban a 19 de março de 1879, sem ter conseguido com este gigantesco esforço estabelecer a ligação entre Angola e Moçambique. Considera-se por isso falhado, no entanto, foi acolhido com os maiores elogios, e aplausos e como herói nacional, ao regressar a Portugal, onde o julgavam morto. A partir de então, uma nova etapa começa na sua vida. É solicitado a conferenciar em várias sociedades de geografia da Europa, é nomeado cônsul de Portugal em Zanzibar e, entre outras atividades, comanda, em 1889, uma nova missão científica ao Alto Chire, com o objetivo de construir uma via férrea entre o lago Niassa e o oceano Índico, através do Chire. Mas nesta missão acaba expulso pelos ingleses, que não aceitam a sua intervenção nos seus domínios, através de um ultimato em que exigem a sua retirada e a de toda e qualquer força militar portuguesa. Como justificação, os sempre simpáticos e velhos aliados acusam-no de atacar tribos de rebeldes armados pela Inglaterra (macolos).

O jovem aristocrata Alexandre Alberto da Rocha Serpa Pinto viu a sua popularidade crescer na Europa, a ponto de um correspondente em Lisboa do famoso jornal *Letain*, ter escrito: «Serpa Pinto é como o toque do clarim a acordar uma nação adormecida.» O seu livro *Como Eu Atravessei a África*, publicado em 1881 e dedicado a D. Luís I, relata as suas aventuras por desertos e selvas, tão comuns nas fitas de Hollywood, qual Indiana Jones da vida real, que nos fazem tremer de *suspense*, com a diferença de que estas foram vividas e experimentadas por um jovem português de trinta e poucos anos que descobriu como viver aventuras e cheias de riscos e sacrifícios é muito divertido – mas somente na qualidade de observador ou de leitor, não na de participante.

Como tributo aos feitos realizados, foi nomeado ajudante de campo do rei D. Luís I e do filho e sucessor D. Carlos I, tendo-lhe este concedido ainda o título de visconde de Serpa Pinto [1899]. Até à independência em 1975, a cidade de Menongue, no Sudeste de Angola, foi chamada Serpa Pinto em sua homenagem. Casou--se duas vezes, tendo na filha do primeiro casamento, Carlota Cassilda de Serpa Pinto, a sua principal biógrafa, a qual transmitiu para o futuro a imagem do pai tal como é hoje conhecida. Dado o alcance e o impacto que teve na sociedade contemporânea portuguesa, Serpa Pinto foi apelidado, por um historiador que se dedicou ao estudo dos seus feitos, de «o primeiro homem moderno português». Durante a sua não muito longa vida, já que morreu em 1900, o seu nome foi um dos mais citados não só na imprensa da época, mas também como alvo de todas as conversas dos portugueses. No entanto, parece não haver muita informação sobre a sua personalidade e a sua atuação como político e diplomata. Sabe-se, porém, que possuía um extraordinário espírito de equipa, relativamente aos companheiros africanos que com ele seguiam, e que se culpabilizava pela perda dos que sucumbiam através dos arriscados percursos.

ᨆ 1888 ᨆ

PUBLICAÇÃO DO LIVRO OS MAIAS, OBRA SEMPRE DESAGRADAVELMENTE ATUAL

É assim a obra de Eça de Queirós: pessimista, mórbida – e realista.

É tão difícil sintetizar a obra e importância literária de Eça de Queirós, que nada mais resta senão fazer uma breve descrição que dê uma imagem do seu estilo e do contexto da época em que foi elaborada, dando-se especial destaque à mais famosa – *Os Maias*. Eça de Queirós é considerado, por muitos, como o maior autor literário português do século XIX, sendo uma das razões a crítica impiedosa aos defeitos e vícios dos portugueses, que ainda hoje espantam o leitor moderno, pela sua atualidade, já que muitos deles pouco se alteraram desde 1875 (tempo da ação d'*Os Maias*). Num dos seus escritos, Eça de Queirós descreve como os funcionários públicos preferem não mudar de emprego, pois as remunerações e regalias recebidas podem ser modestas, mas, pelo menos, são garantidas. E o que dizer da descrição satírica dos ministros, cujas medidas reformistas são anuladas pelos seus sucessores, anulando tantos esforços para melhorar a situação nacional?

Os Maias são o livro onde mais investe contra a mentalidade portuguesa e a frustração de quem deseja mudá-la. No entanto, também ataca defeitos universais, como o caso dos «rebeldes» e «revolucionário antissistema». O patriarca da família Maia, Afonso da Maia, tinha sido um jovem radical que visava o fim da sociedade dominada pela burguesia, mas depois de a família o obrigar a viver por algum tempo na Inglaterra, regressa muito mais moderado! E João da Ega, *alter ego* de Eça? Um radical anarquista, ou quase, que espera que uma catástrofe atinja o país, uma vez que, como afirma perante o grupo: «Meninos, nada regenera uma nação como uma medonha tareia.» Mais precisamente, uma invasão espanhola que estimulasse o patriotismo e abalasse o conformismo e preguiça nacionais. Mas os seus sonhos e grandes projetos nunca se realizam, nem mesmo a escrita de livros que expõem a podridão de Portugal.

O pai de Carlos da Maia é descrito como um fraco, fruto da educação tradicional portuguesa, assim como Eusébio, um companheiro de infância de Carlos. O primeiro suicida-se devido a um desgosto amoroso (a esposa abandonou-o por outro) e o segundo casa-se com uma mulher que o agride. Tanto as tragédias como as comédias servem para criticar. A hipocrisia manifesta-se no esforço de proteger reputações e atingir os fins ambicionados. Dâmaso Salcede ridiculariza Carlos, a quem anteriormente venerava, num pasquim, sendo descoberto. Covarde, aceita retratar-se, alegando estar embriagado quando escreveu o texto, para evitar um duelo, no que é bem-sucedido, pois Carlos e Ega consideram-se satisfeitos. João da Ega, o grande revolucionário, finge-se publicamente grande amigo do banqueiro Cohen, enquanto tem um caso com a Sr.ª Cohen. Quando o marido descobre, expulsa publicamente o falso amigo de uma festa de máscaras e agride a mulher, inventando posteriormente uma história sobre a causa da expulsão ter sido somente uma carta ousada de Ega à esposa e nada mais... O que acontece depois é o que mais magoa Ega: Cohen reconcilia-se com a mulher na mesma noite e na mesma cama. Ega descobre até que Raquel Cohen o enganou quando lhe tinha afirmado que ela e o marido não se davam bem, nem tinham relações íntimas...

O romance de Carlos com Maria Eduarda parece ser uma história de amor que ultrapassa todos os obstáculos, até Ega descobrir, acidentalmente, que eram irmãos! Por um lado, esse romance incestuoso inspira-se nas tragédias gregas, mas, por outro, é realista no que respeita ao fim das personagens, uma vez que o casal se separa para sempre, amargurado, sem que nenhum perca a vida ou morra na miséria.

A tragédia afeta várias personagens, bem-intencionadas ou não. Afonso da Maia esforça-se para fazer o bem e ensinar o neto a ser moralmente reto, sem que seja influenciado por ameaças e promessas de céu e inferno, mas morre com o coração partido quando toma conhecimento do comportamento lastimável de Carlos com a irmã.

A reforma do país é um caso perdido: «Isto é um país perdido», diz a personagem Taveirinha. O livro termina com desilusões amargas e apáticas: «Falhámos a vida, menino», diz Ega, sendo a resposta de Carlos «Creio que sim... Mas todo o mundo mais ou menos falha.»

Não deve ser ignorado que o escritor era membro da Geração de 70 e dos Vencidos da Vida. A Geração de 70 era um grupo de jovens intelectuais, com líderes como o escritor Antero de Quental, opositores ao controlo exercido pelo Estado sobre as obras dos escritores que necessitavam do seu apoio. Eça, Oliveira Martins, Guerra Junqueiro, vários dos grandes escritores portugueses novecentistas pertenciam a essa Geração. Apesar de grandes esforços, como as célebres Conferências do Casino, terem provocado mudanças na política e cultura nacionais, não alcançam as ambições e desejos da juventude. Semelhante desilusão leva-os a abandonar o ativismo político e a reunir-se para um jantar em que se designam como Vencidos da Vida.

Na obra de Queirós não são exclusivo d'*Os Maia,* as transgressões e vícios das personagens femininas, como adultério, intrigas, credulidade, falsidade, hipocrisia e o ridículo, este último frequente nas personagens beatas. O machismo com que as mulheres são representadas é indiscutível. Quando se trata de infidelidades, a punição é mais frequente, e severa, nas mulheres. Há exceções, como o amante da esposa de Pedro da Maia, morto num duelo, morrendo esta na miséria, ou Dâmaso Salcede, autoproclamado *Don Juan*, intriguista e covarde, que se casa com uma mulher de boas famílias – e com amantes. A crueldade para com as mulheres, bem como o cinismo do autor, é ainda maior noutras obras. Por exemplo, n'*O Primo Basílio*, Luísa, cujo casamento é feliz, é seduzida pelo primo e acaba por ser maltratada pela criada, uma chantagista conhecedora do romance ilícito. A criada é despedida e morre de choque, mas Luísa adoece, consequência dos maus tratos recebidos, e sente-se ainda pior quando o marido descobre o adultério. No entanto, este acaba por a perdoar, pois não quer perdê-la, o que, porém, não lhe salva a vida. Quanto ao primo Basílio, a verdade é revelada no fim da história: Luísa era só a sua diversão sexual disponível quando visitava a região, tendo outra amante em Paris.

No ferozmente anticlerical *O Crime do Padre Amaro*, o jovem padre tem um caso com Amélia, uma jovem com noivo, que culmina em gravidez. Recorrem ao aborto, malsucedido, e Amélia morre, o que não impede o padre Amaro de continuar a carreira eclesiástica, sem remorsos pelo que fez.

Eça de Queirós não parece ter grande confiança nesse pilar da sociedade que é a família, não fosse o autor da frase «a família é o desastre que sucede a um homem por ter precisado de um dote»! O extremo pessimismo de Eça leva-o a criar enredos em que os esforços para fazer o que é moralmente correto falham, e as faltas, vilezas, perversidades, falsidades e crueldades acabam por não ser punidas na maioria dos casos, no que diz respeito aos homens. Um pessimismo realista, portanto.

Eça de Queirós foi consideravelmente influenciado pelo Brasil, algo que se manifestou na linguagem utilizada na sua obra (para não mencionar personagens brasileiras e, como Maria Eduarda, luso-brasileiras), uma das causas da sua popularidade nos meios literários brasileiros, além das suas relações com o escritor Machado de Assis. Outra causa foi a autocensura feita por Eça ao texto «O brasileiro», pertencente à famosa série de sátiras conhecida como *Farpas*. Na sátira em questão, critica o imperador D. Pedro II do Brasil, motivando uma resposta escrita do brasileiro José Soares Pinto Correia, a qual culminou em ataques verbais. Eça, recorrendo ao pseudónimo «Honório Pinto Correia», diz ao oponente: «Tens mescla de negro, que é raça a que pertencem os brasileiros, e que, para vergonha dos portugueses, é em parte esta raça filha dos seus libidinosos prazeres.» A resposta de Correia merece ser relatada: «E te persuades que se eu fosse um homem preto ou pardo me envergonharia disso? Me envergonharia sim, desapareceria da face social, se eu fosse um homem branco tão safado e pusilânime como tu!»

Nem mesmo os maiores críticos de uma sociedade são imunes a todos os seus defeitos, como provam os insultos racistas de Eça...

∽ 1890 ∾

ULTIMATUM E PROJETO DO MAPA COR-DE-ROSA

Cedo se revelará a verdadeira «força» do Império Português.

É crença comum que os portugueses dominaram um império em África durante mais de 500 anos, que englobava Angola, Moçambique, Guiné-Bissau, Cabo Verde, e as ilhas de São Tomé e Príncipe, crença ainda hoje partilhada pelas populações portuguesa e das ex-colónias em questão. Comum, mas incorreta: na maior parte desse período, os portugueses só dominaram pequenas faixas territoriais, arquipélagos e entrepostos comerciais. O interior angolano, o moçambicano e o guineense estavam fora do alcance dos europeus, que eram mais comerciantes e missionários do que conquistadores, o que, no entanto, não evitou a conflagração de numerosas guerras. Aliás, o comércio de escravos acabou por estimular guerras entre tribos e reinos locais, com o objetivo de vender os cativos aos europeus.

Na década de 1870, tudo mudou de figura em termos internacionais, as potências europeias decidiram ocupar o continente africano para difundir a civilização europeia, um pretexto tão provido de beleza como desprovido de sinceridade. O combate ao tráfico de escravos foi um dos motivos invocados (!), pois era ilegal havia décadas, sendo abundante e cruelmente praticado pelos sultões, cujos reinos despertavam apetites de conquista na Europa.

Assim, foi realizada a Conferência de Berlim (1884), na qual participaram todas as nações europeias com projetos de conquista, com o objetivo de partilhar o «bolo» africano. No caso de Portugal, os territórios ambicionados incluíam Angola e Moçambique, bem como uma faixa que iria unir as duas colónias. Por meio de dois tratados separados, a França e a Alemanha reconheceram a Portugal o direito de conquista da referida faixa (em troca de Portugal não disputar anexações territoriais feitas pelos coassinantes, é claro).

Como o mapa utilizado no tratado com os alemães era multicolor e a região Angola-Moçambique estava cartografada com a cor rosa, o projeto ficou conhecido como «Mapa Cor-de-Rosa». Um projeto já com alguma idade, pois foi referido pela Sociedade de Geografia de Lisboa anos antes e planeado no século XVIII pelo embaixador português em Paris, D. Luís da Cunha, embora tivesse sido ignorado. A Inglaterra também ambicionava unir geograficamente as suas colónias: visava ocupar uma extensa região «desde o Cabo até ao Cairo», como disse Decil Rhodes, um dos principais responsáveis por tal plano. Isso implicava o domínio de uma vasta região longitudinal, desde o Egito até à África do Sul, o que entrava em conflito com a ocupação portuguesa de um corredor de terras que ligava, transversalmente, o litoral de Angola ao de Moçambique.

A 11 de janeiro de 1890, Londres envia um telegrama a Lisboa a exigir, formal e laconicamente, que os portugueses abandonassem o corredor em disputa, sob pena de guerra. A resposta devia ser enviada no mesmo dia, conhecida doravante como «ultimato inglês», ou *ultimatum*. Não tendo Portugal forças armadas capazes de enfrentar o exército britânico, conquistador de um império «onde o Sol nunca se punha», correspondente a um quarto da superfície terrestre, nem a marinha britânica, que dominava os mares, a resposta foi a completa cedência às exigências.

O povo português ficou tão escandalizado com a fraqueza da nação, que ocorreram protestos, manifestações e sátiras em massa por todo o país. A xenofobia anglófoba sobe em flecha. As inúmeras vozes que exigiam abertamente uma guerra contra aliados que não mudaram, desde que a expressão «amigos de Peniche» foi criada em sua homenagem, mostram que a raiva superou a sensatez, entre alguns protestantes. A glorificação do valor guerreiro português, por parte das autoridades, e os discursos patrióticos, por parte destas, revelaram-se armas de dois gumes...

E o facto de D. Carlos ter sido coroado rei apenas dois meses antes foi o que os ingleses, e as influenciáveis gerações atuais, chamariam de mau *timing*, pelo que o republicanismo em expansão beneficia de um grande número de adesões.

É nessa altura que é composto o hino republicano, futuro hino nacional, da autoria de Henrique Lopes de Mendonça (letra) e Alfredo Keil (música). O refrão mais famoso do hino é «contra os canhões marchar, marchar!», algo que parece belicista para as mentalidades modernas, quando é, na realidade, menos xenófobo do que a versão original de Mendonça: «Contra os bretões marchar, marchar.» Os bretões estão associados aos ingleses, da mesma maneira que os lusitanos estão associados aos portugueses.

O poeta Guerra Junqueiro publica *Finis Patriae* (Fim da Pátria), um conjunto de poemas anti-ingleses e antimonárquicos, dos quais o mais popular é «O caçador Simão», sendo cantados nas escolas os seus versos amargos, como «A Pátria é morta! A Liberdade é morta!/ Noite negra sem astros, sem faróis!/ Ri o estrangeiro odioso à nossa porta,/ Guarda a Infâmia os sepulcros dos Heróis!» Com um humor negro e um tanto regicida (Simão era D. Carlos), é repetido várias vezes o refrão «Papagaio real, diz-me, quem passa?/ É o príncipe Simão que vai à caça», até que, no fim do poema, sofre uma pequena modificação: «Papagaio real, diz-me, quem passa?/ É alguém, é alguém que foi à caça. Do caçador Simão!..»

Em 31 de janeiro de 1891, vários militares amotinam-se no Porto, declarando a república, com adesão de civis de todos os estratos sociais, que cantam *A Portuguesa* e enviam aos revoltosos bebidas e farnéis. Quando forças leais ao monarca disparam sobre os insurretos, a maioria destes foge... Quem salva a honra da revolta é o alferes Malheiro, resistindo com coragem até a artilharia monárquica pôr fim aos combates. A resistência de Malheiro foi inútil, mas lutou e arriscou a vida, em vez de se limitar a falar com dureza.

Cerca de cem revoltosos foram degredados para colónias insalubres, até serem amnistiados, cerca de dois anos depois. O número de mortos no Porto foi de uma dezena, de acordo com os muito contestados relatórios das autoridades.

Os britânicos não se deixam comover e obrigam o Governo de Lisboa a assinar um acordo ainda mais severo, em 28 de maio de 1891, em que é retirado um pequeno corredor que Portugal tinha sido forçado a aceitar...

O direito às restantes colónias foi reconhecido, mas a herança do ultimato será o descrédito da monarquia, que nunca conseguirá recuperar-se de tamanho golpe.

ᵒᵍᵉ 1892 ᵉᵍᵒ

PORTUGAL DECLARA BANCARROTA

A dívida contraída é paga ao longo de 109 anos! As lições do passado são mais esquecidas do que aprendidas.

A Regeneração, ocorrida em 1851, introduziu diversas mudanças inéditas na nação portuguesa que permitiram grandes progressos tecnológicos, industriais e agrícolas. Mas não existem mudanças exclusivamente positivas, sobretudo quando feitas em grande escala. Neste caso, pode afirmar-se que o crescimento económico, sendo baseado em fatores instáveis, era, por isso, um tanto ilusório.

O livre-cambismo permitiu a importação de produtos industriais e agrícolas a baixos preços, o que, a longo prazo, foi mau para os consumidores, uma vez que a tardia industrialização portuguesa implicou um setor industrial relativamente reduzido e atrasado, assim como uma agricultura ainda parada no tempo e ineficiente, significando uma balança comercial negativa. E não foi grande ajuda o inseto conhecido como filoxera, uma praga que devastou as vinhas portuguesas, que necessitaram de recorrer a porta-enxertos provenientes de vinhas americanas resistentes à praga.

Como foi referido, Portugal beneficiou então de grandes saltos tecnológicos no que respeita a transportes urbanos, comunicações, caminho de ferro, banca e indústria. Sendo necessário capital para tais mudanças, eram indispensáveis investidores, mas como boa parte dos disponíveis eram estrangeiros, uma elevada percentagem dos rendimentos obtidos destinava-se ao exterior...

As finanças públicas eram deficitárias, como exige a tradição desde tempos imemoriais, e as de Portugal novecentista agravaram-se ao longo do século, sendo dependentes das remessas dos emigrantes, que diminuíam em tempos de crise, do aumento das taxas fiscais e de pedidos de empréstimos ao estrangeiro, que fariam D. João III sentir-se mais em casa se vivesse no século em questão...

Como se não bastasse, os empréstimos destinavam-se, com frequência, a pagar os juros das dívidas assumidas, sinal assustadoramente revelador da situação financeira do Estado português. Aliás, tais empréstimos induziram o gradual agravamento da dívida externa do país.

Em 1890, ocorre uma das cíclicas crises económicas no mundo industrializado, sendo uma das vítimas o banco inglês Baring & Brothers, um dos maiores credores do Estado português, originando, como consequência, a falta de capital emprestado para o pagamento da dívida externa. A queda da monarquia e a ascensão da república no Brasil originaram também problemas financeiros internacionais que afetaram Portugal, como a diminuição das remessas dos imigrantes no Brasil, levando a um caos desastroso nas finanças públicas do país.

Assim, a 13 de junho de 1892, o Governo anuncia oficialmente que não tem capacidade de pagar os juros da dívida pública. Estava declarada a bancarrota em Portugal.

Uma das tentativas para conseguir capital a fim de ressarcir as dívidas, ocorrida em 1891, consistiu na concessão do monopólio da comercialização do tabaco, por um período de 15 anos, a troco de uma verba anual de 4250 contos. Verba insuficiente, como o ano de 1892 demonstrou, sem espaço para dúvidas (ao contrário das dívidas).

Diversos ministros da Fazenda, entre eles, o conhecido historiador Oliveira Martins, demitem-se na impossibilidade de fazerem frente a problemas tão graves.

Foram necessários dez anos de negociações para se concluir um acordo com os credores, com vista ao pagamento das dívidas, que só se extinguiram em 2001!

As medidas de combate à crise incluíram a austeridade e a renúncia à ajuda externa, o que implicou o isolamento do país. Por exemplo, essas medidas podem ter favorecido a produção de cereais do Alentejo, mas as cidades, onde abundavam grupos economicamente desfavorecidos, possuíam o pão mais caro da Europa.

Uma das consequências foi a inevitável e previsível degradação das condições de vida da população, o que teve grande influência na instabilidade e violência política das décadas seguintes, de que são testemunhos a queda da monarquia e a da I República.

Outra consequência no dia a dia da população foi o atraso do desenvolvimento do metro de Lisboa. O plano de construção de estações de já era considerado em 1885, proposta dos engenheiros Costa Lima e Benjamim Cabral. A bancarrota adia os projetos elaborados e discutidos, pelo que o metro lisboeta foi inaugurado em 1959, com apenas 11 estações. As mentes mais atentas terão cogitado na tardia expansão do metro lisboeta, e com razão! Sem a crise, talvez a rede de metropolitano estivesse concluída há décadas, e mais profusamente. E, porventura, a Tapada da Ajuda tivesse beneficiado da sua própria estação. Talvez outras cidades portuguesas, sem redes de metro desenvolvidas, tivessem conseguido esse importante meio de transporte.

E não se deve ignorar que o primeiro empréstimo significativo contraído pelo Estado português, após 1892, tenha tido como objetivo financiar a construção da primeira ponte sobre o Tejo em Lisboa. Na década de 1960...

MOUZINHO DA SILVEIRA CAPTURA
O LEÃO DE GAZA

Vitória e orgulho nacional que hoje é motivo de embaraço nacional.

Em 1884, o rei dos vátuas, cujo reino era designado Gaza, morre. O príncipe Mudungazi ordena a morte de um irmão, tendo os restantes fugido. Em muitas famílias reais a sede de poder supera o afeto, ocorrendo guerras civis e assassínios entre parentes. Mudungazi é proclamado monarca, com o nome de Gungunhana, nome com vários significados, dos quais *Leão de Gaza* é o mais famoso. Como líder, é autor de atos admiráveis ou cruéis. Os europeus elogiam a sua inteligência, astúcia e capacidade de argumentação. Bom estrategista, possui um lado negativo, pois massacra e escraviza populações rivais, queima e pilha as suas aldeias, tal como o pai e avô o fizeram para criar o reino.

Mas eis que chega outra ameaça às populações de Gaza: os portugueses, que também recorrem à violência para dominarem as terras que formam o atual Moçambique, pois estava-se na época da colonização da chamada África Negra. Pode ter-se uma ideia da conquista lusa por meio das palavras de António Eanes, comissário régio (cargo superior ao de governador): «O Estado não deve ter o menor escrúpulo em obrigar e, se necessário for, forçar esses rudes negros da África, esses ignorantes párias, esses semi-idiotas selvagens da Oceânia a trabalhar.»

Os povos guerreiros do Sul do continente africano revelaram-se um desafio mais difícil do que os europeus esperavam. Embora tivessem uma economia e tecnologia mais primitiva do que os brancos, podiam comprar armas de fogo aos ingleses. De resto, como combatentes, eram valorosos e conheciam bem as vantagens dos territórios onde se movimentavam, como terrenos cheios de acácias espinhosas, algo provado pelos zulus (aparentados com os vátuas), quando o rei Cetshwayo Kampande derrota 1800 soldados britânicos numa batalha, em 1879, apesar do armamento inferior, incluindo armas de fogo velhas utilizadas por mãos inexperientes. Maguiguana era um dos comandantes das forças de Gungunhana, sendo tão temido e admirado que recebe a distinção «chefe de toda a guerra», o único vátua a recebê-la. É morto numa escaramuça contra o capitão Mouzinho de Albuquerque, que era apoiado por tribos locais inimigas dos vátuas. Embora tivesse sido feito um achado macabro, oito caveiras polidas, troféus de guerra de Maguiguana, este foi elogiado pelos portugueses: «Morrera a morte de um valente, defendendo-se até à última.»

O comportamento dos portugueses podia ser tão macabro como os troféus dos chefes africanos que guerreavam. Mouzinho ordena que a cabeça do líder abatido fosse cortada e exibida em público, para desencorajar mais rebeliões. Ordena o fuzilamento de chefes inimigos. E ainda relata numa carta a um amigo, a respeito de uma povoação ocupada: «Eu então puxava do revólver e punha-o à cara do gajo: "Ou o gado ou lá vai estupor." Nunca tive de disparar. Assim arranjei uns mil bois e vacas.» Nas cartas que escreve aos amigos e oficiais, Mouzinho expressa a opinião que tem dos negros: «O inimigo tolo, como são sempre os pretos.» Outro triste exemplo da ténue linha entre herói de guerra e criminoso de guerra.

Quanto a Mouzinho, governa Moçambique com um estilo autoritário que desagrada a muitos, incluindo corruptos e indolentes. Queixa-se do ministro da Marinha e Ultramar, Dias Costa, numa carta dirigida a um amigo, do enorme volume de trabalho que faz todos os dias «porque o Dias Costa é uma besta». Mouzinho também não se entendia com outras figuras políticas importantes, como o Dr. Francisco Beirão, detentor de vários cargos importantes e da alcunha *Bacoco*, atribuída pelo próprio Mouzinho.

Dias Costa consegue do Governo e do próprio D. Carlos I um decreto que restringia consideravelmente o poder dos comissários-régios, ou seja, de Mouzinho (era o único a possuir tal cargo). Mais precisamente, passou a estar diretamente dependente do Ministério da Marinha e Ultramar, e sabe-se como os ministérios não são famosos pela sua rapidez e eficiência, mesmo quando não são dirigidos por rivais políticos.

Mouzinho de Albuquerque pede demissão, apesar de todos os pedidos para desistir da ideia (recusava-se a ser um «pulha como esses que andam aí na política»). Os republicanos desencadeiam ondas de ataques verbais ao rei: «É mais uma sumidade que se derruba. Tinha subido muito e fazia sombra às mediocridades.» O que não impede Mouzinho de engolir o orgulho e continuar a servir o monarca, na forma de educador do príncipe herdeiro D. Luís Filipe, apesar da maneira como o desiludiu.

Merece ser relatado o que Mouzinho escreve numa carta destinada ao príncipe, pois descreve a sua defesa do tradicional patriotismo militarista. Diz a D. Luís Filipe que «rei que não comece por ser um soldado, é menos que nada», «príncipe que não for soldado de coração, fraco rei pode vir a ser», «a morte de valente, expiatória e heróica, redime os maiores erros» e que o seu real pai lhe disse «faz dele um homem e lembra-te que há-de ser rei». A educação teve efeito: morre a lutar, disparando tiros aos assassinos, apesar de ferido. Morreu na mesma, mas sem fugir nem suplicar, ao contrário de tantos que não lograram escapar com vida, mesmo assim, algo invulgar para um jovem habituado ao luxo e a vénias.

Surgem suspeitas de Mouzinho estar a planear um golpe de Estado para permitir a D. Carlos I governar autoritariamente, já que acredita que um governo sem a Carta Constitucional a limitar os poderes do rei seria a única solução para a mediocridade da elite dirigente. O monarca não aprova a ideia e afasta o veterano de guerra do cargo de educador do herdeiro.

Com a carreira arruinada, Mouzinho põe termo à vida com uma bala na têmpora direita. Poucas horas antes, tinha enviado uma carta para a esposa, outra para a rainha D. Amélia e uma terceira para um amigo, o conde de Tarouca, posteriormente destruídas ou desaparecidas. Só se conhece o conteúdo da destinada a D. Amélia, em que lhe é pedido que reze pela sua alma, caso acreditasse na existência dela («eu não acredito», acrescenta amargamente), e diz que ser desprezado era mais do que conseguia aguentar. Sempre quis ter uma morte gloriosa e digna de um sodado, mas teve uma morte que muitos consideravam sinal de fracasso e desespero. «Morreu de mouzinhice», disse um amigo. D. Carlos será considerado como um dos responsáveis pela extrema desilusão de Mouzinho. Os carbonários reservaram-lhe uma bala.

◦◦ 1896 ◦◦

MORRE A FERREIRINHA, DEPOIS DE UMA CARREIRA DE INVULGAR SUCESSO

No negócio de vinho, obviamente.

1834 foi um ano bom para muitos, por ser o do fim da guerra civil entre liberais e miguelistas. Para outros, por razões mais pessoais, como a realização de casamentos, como foi o caso de D. Antónia Ferreira com o seu primo, António Bernardo Ferreira. Um casamento feito por interesse, pois permitiu que os bens dos irmãos Ferreira, pais e sogros dos noivos, permanecessem na família, proprietária de vinhas e produtora de vinhos. A alegria do casal, essa, não demorou muito, se é que chegou a existir, pois havia fortes diferenças de personalidades. O marido adorava viajar e viver em meios mais cosmopolitas do que os campos do Douro, como a cidade do Porto, e possuía um estilo de vida boémio, ao contrário da esposa, mais austera, pouco dada a viagens e dedicada ao dever, enviava até relatórios e registos ao pai, numa altura em que as mulheres da alta sociedade geralmente tinham vida doméstica ou social, mas raramente vida profissional. Como era de prever, o casamento degrada-se.

O excêntrico António Ferreira chega até a ordenar a instalação de um teatro, onde é ator trágico, juntamente com outros jovens membros da burguesia portuense, a qual estava a afirmar a riqueza e domínio adquiridos com o fim do poder tradicional da aristocracia, devido à derrota dos miguelistas. Mas extravagâncias caras, incluindo objetos de *toilette* de prata e botões da camisa com pérolas e pedras preciosas não beneficiam as finanças da família.

Os negócios que realiza também endividam as quintas dos Ferreiras, mas possuem a vantagem de assinar contratos favoráveis com a famosa Sandeman e a aquisição de mais vinhas e adegas, capital muito útil no futuro. A vida boémia tem consequências, e o *Farrobo do Porto*, como era conhecido, sofre graves problemas de saúde, como surdez e paralisia, em parte por ter contraído sífilis (a sida da época), tendo morrido em 1845.

A viúva D. Antónia, como era conhecida, herda uma empresa falida, e decide esperar pelas condições de mercado adequadas a vender as reservas de vinhos disponíveis, além de pôr termo à expansão da empresa. Em 1852, a totalidade das dívidas está paga e o capital da empresa cresceu quase 350 mil réis.

D. Antónia recebia os conselhos do pai, o que não torna menos difícil superar os problemas constantes, pois não eram bons para o negócio os conflitos da Maria da Fonte e da Patuleia, a instabilidade que os acompanhou, pragas como o ataque do oídio, a morte do pai e o primogénito, António Ferreira III, um péssimo administrador, com o apreço à vida boémia e viagens herdado do pai (entrará em falência, tendo a mãe pagado as dívidas, a troco do regresso à administração dos negócios). Embora muitas dívidas tenham ficado por pagar, devido à falência dos devedores, a instabilidade teve o lado positivo de valorizar o vinho armazenado e de facilitar a compra de terras e vinhos a baixo preço.

É preciso notar que os Ferreiras tinham divergências com a classe política: o falecido marido de D. Antónia sofreu um atentado falhado dos miguelistas em Roma e esta acusará o marechal-duque de Saldanha de tentar raptar a filha. Os Ferreiras sofreram todo o tipo de riscos.

D. Antónia, viúva rica com 45 anos, casa-se com um dos administradores da empresa, Fernando Torres, para desagrado de muitas pessoas, pois acusava-se o noivo de ser um caçador de fortunas. Mas nunca tomará uma decisão sem a análise e aprovação da esposa, que aproveitará bem os talentos do marido, como pragmatismo, extravagância bastante inferior à do antecessor e capacidade de se relacionar melhor com muitos homens de negócios (não esquecer o machismo da época). E o casamento foi feito com separação de bens, pelo que o dinheiro dela continuava a ser dela. Em suma, ela lucrou com o casamento, pelo que não terão sido feitos chistes sobre ter sido *ela* a caçadora de fortunas? Quanto ao amor e afeto entre os membros do casal, não há grandes descrições de como terão sido, mas Torres foi dedicado aos negócios da esposa. Diga-se que na leitura dos testamentos de ambos, cada parte do casal elogia a outra pelo bem que lhe fez (referindo-se a bens materiais) e nomeia-a herdeira principal. Melhor exemplo de almas gémeas é difícil de encontrar.

À Ferreirinha e ao marido são oferecidos títulos nobiliárquicos em diversas ocasiões, tendo-os rejeitado sempre, não por modéstia, mas por orgulho, pois ela ambiciona que os Ferreiras se tornem uma família de prestígio por mérito próprio, e não por meio de títulos hereditários.

A dedicação da Ferreirinha aos negócios leva-a a fazer várias viagens por todo o Douro apesar da morosidade e desconforto destas, numa época em que as únicas viagens terrestres rápidas eram feitas pelos caminhos de ferro, ainda recentes e raros.

Viúva pela segunda vez, aos 68 anos, em 1880, D. Antónia continua a participar nos negócios, o que talvez seja explicado pela possibilidade de não querer ser uma viúva solitária e ociosamente triste ou aborrecida. Abre uma loja, dirigida por uma antiga criada sua, Mariana Mesquita, onde vende todo o tipo de produtos das quintas que possui (azeite, azeitonas, mel, nozes, amêndoas, maçãs, e muitos mais – incluindo vinho, logicamente), com grande sucesso.

Em 1871, surge uma nova praga, o insecto filoxera *(Phylloxera vastatrix),* trazido por videiras importadas da América do Norte. Sem inimigos naturais nem castas resistentes, a filoxera espalha-se rapidamente pelo país, devastando as vinhas nacionais, gerando uma grave crise. São importadas videiras americanas nos anos 1890, mais resistentes à filoxera, para servirem de porta-enxertos, ou seja, para nelas serem enxertadas vinhas das castas portuguesas.

A empresa de D. Antónia é de tal maneira firme e bem gerida que resiste à crise, não sem dificuldades. Ela responde à devastação investindo em novas plantações de vinhas, com enxertos importados. Os milhares de trabalhadores que não entram no desemprego ficam-lhe gratos, o que contribuiu para receber do povo a alcunha carinhosa de *Ferreirinha.* Afinal, muitos viticultores não tinham capital para recorrer aos mesmos métodos da Ferreirinha, e as dívidas, hipotecas e falências alastram-se como a filoxera.

No mundo da agricultura e da pecuária, os problemas gerados pela natureza são infindáveis, tendo surgido novas doenças em 1893, como o míldio e a maromba (antracnose) A persistência da

Ferreirinha também é infindável e recorre imediatamente a soluções à base de cal e sulfato, como a calda bordalesa.

Entre os fracassos da Ferreirinha, alguns são da ordem da vida privada: esforça-se para dar uma boa educação aos filhos, falhando em torná-los empresários responsáveis. Estes revelam-se boémios, como numa tradição familiar. Espera que a filha, Maria da Assunção, se case com um marido fiel, que a faça feliz e não seja perdulário. No que respeita ao último objetivo, está registado o seu fracasso, pois o genro esbanja fortunas, tal como a esposa.

A dedicação da Ferreirinha ao trabalho e o ódio ao ócio levam-na a dar passeios e a informar-se permanentemente dos negócios, apesar de o frio ou sol serem prejudiciais, ainda mais na sua idade, pelo que tosses e constipações não são raras. Contudo, manteve-se ativa o suficiente para que a sua morte, ocorrida aos 84 anos, em 26 de Março de 1896, fosse motivo de espanto generalizado. Deixou um império agrícola de mais de 20 quintas, cujo património ativo era de 5 907 323 mil réis, um capital muito superior ao deixado pelo primeiro marido: 646 397,343 mil réis!

Naquele tempo, diversas mulheres podiam ser empresárias, desde que enviuvassem de maridos abastados, mas D. Antónia Ferreira foi uma das poucas que ganharam nome nos negócios, ao ponto de obscurecer os dos parentes masculinos.

A admiração dos seus contemporâneos explica o nome com que muitos vinhos são conhecidos em Portugal *(Ferreirinha)*. Ainda hoje uma pequena parte das vinhas é tratada à boa maneira tradicional, enquanto as outras o são num dos três centros de vinificação da Ferreira, dotados dos meios mais modernos. A marca *Porto Ferreira* adquiriu ao longo de oito gerações uma elevada experiência, aliada a grandes reservas de vinhos selecionados e de idade considerável, à preocupação permanente de manter o prestígio dos seus produtos e da sua reputação, o que lhe permitiram obter uma distinta posição de líder no mercado português, bem como uma bem-sucedida expansão comercial da sua marca nos principais mercados internacionais.

ঙ্গ 1908 ঙ্গ

D. CARLOS E O PRÍNCIPE HERDEIRO
SÃO ASSASSINADOS

Um golpe mortal do qual a monarquia nunca recuperará.
O golpe de misericórdia não demorará a chegar.

O início do século XX foi mau para Portugal. Somente um quarto dos homens e um sétimo das mulheres sabiam ler e escrever (a quarta classe foi o melhor que a maioria alcançou) e dois terços da população era rural. A industrialização tinha avançado no reino, mas os maiores beneficiários eram uma minoria. A pobreza era tanta que a ajuda da Igreja não bastava: a emigração para o Brasil foi tão intensa que, em 1906, 63 por cento dos habitantes do Rio de Janeiro eram portugueses!

O reino era governado pelo Partido Regenerador e pelo Partido Progressista, que se alternavam no poder, consoante os resultados das eleições. As diferenças entre o comportamento e ideias de ambos são superficiais, gerando assim muito pessimismo e cinismo entre os portugueses. Aliás, a verbosidade inútil dos discursos políticos leva o jornalista Malheiro Dias a lamentar-se estar no «reino dos palavrosos». Apesar da situação lastimável da economia nacional, el-rei D. Carlos recebe grandes quantias do Estado para as suas despesas, que incluem cerimónias pomposas e viagens desnecessárias ao estrangeiro (e é o rei menos rico da Europa, além de apelidar a nação de «piolheira»…). A maior parte do seu tempo é despendida em diversões, como diversos tipos de desportos, em especial a caça. Os seus famosos casos adulterinos desagradam até a muitos dos tradicionais machistas do país, pois levam ao gasto de grandes quantias extraídas dos contribuintes, fornecido pelo Estado, incluindo dois prédios para uma delas (aliás, é mais por essa razão, e muitas outras, como cunhas, que a vida sexual dos governantes ainda hoje é motivo de escândalo e não por causa da crença popular sobre «falsos moralismos»). O seu corpo ventripotente é caricaturado e valeu-lhe o apodo de *Balão Cativo*... A rainha D. Amélia gasta grandes quantias na caridade, porém, sendo uma mulher devota, é tratada com desprezo pelos republicanos, maioritariamente anticlericalistas. Também não ajudou muito a sua imagem ao gastar grandes quantias no luxo e ao responder às críticas, numa ocasião: «Quem quer rainhas, paga-as.»

Abundam incontáveis histórias satíricas sobre a família real: o rei é descrito como um «gabarola» sem mérito, e afirma o sarcástico Brito Camacho que, quando perguntaram ao médico do príncipe herdeiro se este último era «naturalmente um génio, doutor?», a resposta foi «naturalmente, um idiota!».

Tais ataques e sátiras não devem ser aceites sem reservas, pois muitos relatos e rumores desagradáveis sobre política, reputações e religião estão cheios de exageros, invenções e interpretações tendenciosas de factos.

«Por menos do que fez o Sr. D. Carlos, caiu a cabeça de Luís XVI no patíbulo», atreve-se a dizer o republicano radical Afonso Costa, no Parlamento, de onde foi expulso aquando dos protestos contra as verbas concedidas ao rei.

Em 1907, o Governo tomou uma medida radical para terminar com o inepto rotativismo e com a crise financeira: atribuiu poderes extraordinários a João Franco, cuja forma de governo foi descrita como «ditadura». Nome enganador: era a designação da época dada a um primeiro-ministro que governasse com o Parlamento suspenso, mas não uma ditadura no sentido tradicional do termo.

João Franco era austero, sem vícios contra a saúde (tabaco e álcool) e praticava atividades físicas saudáveis. Mas não foi tão cuidadoso com o país: não foi feita nem uma só mudança importante durante os seus nove meses de governo. A imprensa ridiculariza os seus projetos de salvar o país da crise, alcunhando-o de *Messias*, e também de *Mexias*, satirizando o seu sotaque beirão...

A 19 de junho de 1907, realizou-se uma manifestação antifranquista no Rossio, que recebeu como resposta da polícia vários disparos que mataram três transeuntes. Há quem diga que foram seis. O público ficou escandalizado e enfurecido, como mostram os cabeçalhos dos jornais republicanos *O Mundo* («Portugal é governado por assassinos») e *O País* («Infames! Infames! A chacina de hoje!»).

Incontáveis crónicas jornalísticas, panfletos e até romances, como o satírico *Marquês da Bacalhoa*, de António de Albuquerque (que talvez se tenha deliciado com os 20 mil exemplares vendidos nos primeiros três dias da publicação), são escritos pelos republicanos, em grandes quantidades e com grandes sucessos. Outro grande sucesso de vendas é o romance *A Filha do Jardineiro,* inspirado nas luxúrias extraconjugais do monarca com a filha de um jardineiro, e serve de alegoria dos problemas e vícios do reino (simbolizado na pessoa do jardineiro).

A verdadeira extensão do ódio revelou-se no dia 1 de fevereiro de 1908, quando o rei, a rainha, os príncipes D. Luís Filipe e D. Manuel se deslocavam para o Terreiro do Paço numa carruagem com o toldo aberto, para alegria de Alfredo Luís da Costa e do barbudo Manuel dos Reis Buíça. Pois estes eram bons primos, isto é, membros da Carbonária, um movimento subversivo internacional que visava o derrube das elites ricas que dominavam as nações europeias (os seus ramos mais importantes eram o francês e o italiano). Costa e Buíça, armados respetivamente com uma pistola e uma carabina, balearam o rei e o príncipe Luís Filipe, que sucumbiram aos ferimentos. O príncipe herdeiro defendeu-se com uma pistola: foi em vão, mas pelo menos mostrou herdar alguma fibra dos distantes tempos em que a realeza comandava exércitos em batalhas. D. Amélia defendeu-se tragicomicamente, batendo com um buquê num dos carbonários. Os assassinos foram mortos pela polícia, depois de capturados, assim como um madeirense, cujas juras de inocência acabaram por se revelar verdadeiras...

Os dois regicidas tornaram-se populares: 22 mil pessoas deslocaram-se numa romaria às suas sepulturas (enquanto poucos assistiram ao funeral do monarca e ainda menor número tirou o chapéu); postais ilustrados, montras de lojas e até caixas de charutos mostram as suas fotografias (uma tabacaria da Rua do Arsenal vendeu 1700 postais em apenas um dia!); Aquilino Ribeiro e António França Borges, dois famosos republicanos, tornaram-se padrinhos da filha e do filho de Buíça, respetivamente. O falecido monarca foi alcunhado de *D. Carlos, o primeiro e último*.

É muito provável que fosse uma conspiração dos bons primos e não obra de dois assassinos solitários. Naquela época, eram vulgares os atentados de revolucionários contra a realeza: a partir de 1898, foram assassinados os reis da Itália e da Sérvia, a esposa deste último, a famosa imperatriz Sissi, da Áustria, alguns ministros russos, tendo também havido atentados falhados contra os sanguinários Leopoldo II da Bélgica e Abdul Hamid II da Turquia!

À morte do rei seguiram-se medidas populares que explicam, em parte, a enorme alegria com que o atentado foi recebido. Os prisioneiros políticos foram amnistiados e libertados e ressurgiram os jornais suspensos. João Franco é afastado e exila-se, sendo revogada a sua legislação.

Naturalmente, a mediocridade que se vivia antes da «ditadura» regressou em apenas alguns meses, e o novo rei, D. Manuel II, era inexperiente e não fora preparado para reinar, pois era infante e não príncipe herdeiro. O estado da monarquia era pior do que nunca e só acreditava na sua sobrevivência quem estivesse desesperado.

«Isto acaba numa revolução ou num crime», escreveu Júlio Vilhena, aquando da instituição da «ditadura» de João Franco e a propósito do desperdício das avultadas verbas dadas à família real. Estava ligeiramente errado: aconteceram ambos. A previsão do crime levou poucos meses para se concretizar, a da revolução apenas três anos.

Merece ser mencionado um inteligente comentário do rei, sobre o comportamento da classe política, que só agravava a crise com as suas medidas, e ao qual ninguém deu ouvidos: «Não se apaga uma fogueira atirando-lhe lenha.»

É curioso como um príncipe herdeiro se torna automaticamente rei quando o monarca morre, e como D. Luís Filipe morreu 20 minutos depois do pai, foi considerado por alguns como o rei com o reinado mais curto!

ᦉᦉ 1910 ᦉᦉ

FIM DE QUASE OITO SÉCULOS DE MONARQUIA

Finalmente a república, que rapidamente revela não ser a panaceia esperada.

No dia 3 de outubro de 1910, um doente mental assassina o respeitado psiquiatra Dr. Miguel Bombarda, que também era um importante líder republicano. Bombarda era um dos líderes que planearam a iminente insurreição, e o seu assassino era um tenente do Exército, o que leva a suspeitar-se do que poderá ser a verdadeira motivação e autoria moral do crime. Por outro lado, a história tem inúmeros exemplos de doentes mentais que por iniciativa própria matam em nome dos ideais. Mas os republicanos continuam com os seus planos de revolução, e os indícios e rumores que os denunciam são ignorados pelo ceticismo ou otimismo das autoridades.

No dia seguinte, 4000 militares iniciam a tomada de controlo dos centros de poder em Lisboa, enfrentando 8000 homens armados do regime. Muitos deles são da Marinha, ou não fosse o responsável pelas ações armadas da revolução o almirante Cândido dos Reis. Muitos civis juntam-se à insurreição. De notar que a Carbonária participa nos acontecimentos: muitos militares republicanos são bons primos infiltrados, além de também incluírem civis armados.

Em 5 de outubro, cerca das 11 horas, o Dr. Eusébio Leão proclama a instauração da república, na varanda da Câmara Municipal de Lisboa (embora já tal proclamação tivesse sido feita nos arredores da capital, como Almada e Loures, no dia anterior).

O número de baixas foi trágico, embora mais reduzido do que na generalidade das revoluções armadas (especialmente as que ocorreriam poucos anos depois na China, Europa e México): 76 mortos e cerca de duas centenas de feridos.

Um dos mortos foi Cândido dos Reis. É provável que tenha sido assassinado por algum defensor da Coroa. Mas a versão mais popular é a de que se suicidou, num momento de pânico, quando julgou que a revolução falhara. De referir que em golpes de Estado abundam muitos rumores, a desinformação, a facilidade com que as notícias se desatualizam e de como a iminência da vitória balança muito entre os lados envolvidos, gerando confusão e medo. O de 5 de Outubro não foi um caso diferente.

A queda do regime foi rápida por várias razões: a inépcia e//ou a insubordinação de muitos dos militares e polícias que não faziam parte do golpe; a indiferença da maioria da população; as deserções de vários militares durante os combates; o bom planeamento do golpe por parte dos conjurados; a já mencionada infiltração da Carbonária nas Forças Armadas e até nos partidos.

Muita honestidade mostrou o falecido D. Carlos quando teve um momento de desabafo: «Portugal é uma monarquia sem monárquicos!» O descrédito do sistema monárquico de quase oito séculos, pelo qual nem mesmo muitos monárquicos acharam que valia pena lutar, é descrito num poema de Junqueiro: «O trono... O que é um trono? Uma simples cadeira/De veludo já gasto e de velha madeira.»

Desde a alteração de nomes de lugares públicos (por exemplo, a Avenida Maria de Avelar passou a ser a Avenida 5 de Outubro), passando pela adoção d'*A Portuguesa* como hino nacional, até à elaboração de uma constituição de 87 artigos, foram feitas grandes mudanças graças à revolução. A proclamação da laicidade do Estado e da liberdade de culto é uma das mais importantes.

Infelizmente, nem tudo mudou para melhor na legislação: na primeira Constituição, os casamentos civis são os únicos reconhecidos por lei e é negado o direito à greve. As primeiras de muitas desilusões... Embora a monarquia estivesse demasiado decadente para poder ser reformada, a república revelou-se incapaz de enfrentar vários problemas e até criou ou agravou outros.

Um triste exemplo é a substituição do rotativismo pela instabilidade política: desde a eleição de Manuel de Arriaga como primeiro presidente da República em 1911, houve 45 governos em 16 anos! O Partido Republicano fragmentou-se em três novos partidos, devido à incapacidade de as diferentes fações se entenderem. Os conflitos com os reacionários, fossem estes monárquicos, a Igreja ou até mesmo republicanos, agravaram a situação. E a tradicional corrupção, a indolência e o compadrio (nepotismo) mantêm-se elevados entre os dirigentes, incluindo antigos monárquicos «devotos».

Reveladoras são as amargas críticas de figuras com grandes credenciais republicanas, como Porfírio Rodrigues (um dos dirigentes militares do golpe de 1910) e o respeitado jornalista e escritor Brito Camacho. O primeiro lamenta-se: «Se eu soubesse que a República que tinha idealizado era a porca que me saiu, não me tinha sacrificado!» E tal afirmação foi feita em 1912, dois anos depois do fim da monarquia. No caso de Camacho, a autoria não está confirmada, mas é digna de um adágio universal sobre as mudanças de governo: «As moscas mudam, mas a merda é a mesma.» Uma frase aplicável ao rotativismo dos tempos monárquicos, mas que foi proferida durante a instabilidade política republicana...

A REVISTA *ORPHEU* REVELA AO PÚBLICO O TALENTO (E A EXCENTRICIDADE) DE FERNANDO PESSOA

Solitário mas com muitos «amigos».

Um casal recém-casado estava preocupado, bem como, talvez, alguns dos amigos e parentes que deles se foram despedir ao cais de embarque. Dentro de pouco tempo, iriam partir para a colónia inglesa do Natal, atual África do Sul, e tinham reparado que um menino de sete anos e meio estava desaparecido. Encontram-no no seu camarote a ler uma página de jornal e a fazer jogos de palavras com base na leitura, algo que deve ter sido motivo de espanto geral, exceto para a mãe. Afinal, o seu filho, um menino ainda em idade de apreciar o colo dos adultos, tinha recitado um poema da sua autoria, para a convencer de que queria ir com ela e com o padrasto para o Natal: «Eis-me aqui em Portugal/nas terras onde eu nasci/por muito que de goste delas/ainda gosto mais de ti.» A criança chamava-se Fernando Pessoa, e o amor obsessivo que nutria pela língua portuguesa, pela poesia e pela leitura, nunca esmorecerá. Uma das frases mais célebres da sua autoria é «a minha pátria é a língua portuguesa».

Numa das suas visitas à terra natal, quando saía do Natal, em julho de 1902, com apenas 14 anos, publica o seu primeiro poema, num jornal elogioso quanto ao «prometedor talento» do «esperançoso poeta». É corrente dizer-se que os génios são rejeitados no início, antes de serem aclamados, havendo muitas mediocridades que se consolam com esse adágio, mas Fernando Pessoa mostrou que há talentos que são imediatamente reconhecidos.

Sempre gostou de criar um mundo imaginário baseado na literatura, tanto na infância como na fase adulta. Em criança, com a ajuda de amigos e irmãos, era «diretor de jornais» imaginários, que consistiam em folhas de papel onde escrevia charadas, poemas e «notícias», como o famoso «Quando ela passa». E escrevia-os em português, apesar de viver numa colónia inglesa, onde aprendeu um inglês tão fluente que o utilizou em muitos dos seus poemas. «Éramos as personagens de uma história continuamente inventada por ele», terá dito uma das irmãs.

A forte dedicação à leitura e literatura é frequentemente acompanhada por sérias dificuldades de socialização e em arranjar amizades, forte timidez, e um homem como Fernando Pessoa não seria exceção. A sua única relação amorosa conhecida foi Ofélia Queirós, uma rapariga de 19 anos à data em que se conheceram. Embora falassem um pouco ao telefone, a principal forma de comunicação a que recorriam quando estavam separados eram cartas (como não podia deixar de ser), por ela guardadas. Numa delas, Pessoa recorre ao tipo de humor que só poderia ser o favorito de um escritor: o trocadilho. Na legenda de uma fotografia destinada a Ofélia em que estava a beber vinho, está escrito, que foi apanhado em «flagrante *delitro*».

Ela esperava casar e ter filhos, uma ideia que parecia agradar ao poeta-escritor, no entanto, não acreditava que o amor bem-sucedido e sincero fosse possível, como indicou nas referidas cartas. Um sinal de insegurança ou de desilusão. De resto, não seria agradável viver com um homem tão excêntrico e viciado na literatura e escritos... Fernando Pessoa acabou por dar um fim à relação e Ofélia teve um casamento (aparentemente) feliz com outro homem, mas dirá que o poeta foi o seu único grande amor.

Uma curiosa e original maneira de fazer poemas a que Pessoa recorreu, ao longo de toda a sua vida, seria a utilização de heterónimos, isto é, poetas imaginários, com nomes, biografias, nacionalidades, personalidades, gostos, estilos literários e até horóscopos específicos (Pessoa era um astrólogo autodidata). Esse hábito (ou mania) já vinha da infância, quando criou personagens como Gaudêncio Nabos e António Cebola. Charles Robert Anon foi o primeiro heterónimo «maduro» que, em 1906, «assinou» vários poemas e prosas. De todos esses poetas imaginados por Pessoa, os mais «prolíficos» foram Alberto Caeiro, Álvaro de Campos e Ricardo Reis.

Alberto Caeiro era vanguardista, com uma imagem idealizada do campo e da vida rural. Álvaro de Campos foi o único cuja «obra» foi editada e exibida publicamente, sem que levasse vários anos até ser revelada, fazia entrevistas, assinava cartas enviadas aos jornais e até escrevia críticas públicas às ideias do próprio criador! Ricardo Reis era monárquico (tornando assim o seu nome muito adequado), e exilou-se no Brasil, depois do fracasso da Monarquia do Norte. Afirmou-se que Fernando Pessoa foi os quatro melhores escritores do século XX.

Todos esses poetas imaginários não eram somente brincadeiras de um homem que nunca cresceu (Pessoa nunca deixou de brincar com crianças) e testes à sua imaginação. Representavam alguns aspetos da sua personalidade e da dos seus amigos (Caeiro morreu com 26 anos, a mesma idade com que Sá-Carneiro se suicidou, o que não parece ser coincidência). O conde de Tivel, apesar de não ter sido uma das melhores criações do excêntrico autor (embora tenha sido provavelmente a última), parece ser a que mais se assemelha ao criador: era sexualmente frustrado por ser demasiado tímido com as mulheres, também frustrado com os seus textos, e possuía a esperança de se tornar célebre, respeitado e popular, após a morte, uma esperança que se revelou uma profecia.

As excentricidades de poetas como Pessoa justificam esta frase de Robert Erwin Howard: «Todos os poetas são loucos e a sua arte vem da loucura.»

Em 24 de março de 1915, é editado o primeiro número da revista *Orpheu*, cujo objetivo seria originar uma revolução na literatura nacional, sendo os colaboradores o próprio Fernando Pessoa e muitos dos seus amigos e conhecidos, como Mário de Sá Carneiro e António Ferro, este último o editor. A irreverência dos textos, desde versos brancos (sem rimas) até uma sexualidade ousada, às vezes ao nível da obscenidade, foi considerada como «maluqueira literária» pela imprensa, o que estimulou a popularidade, tendo introduzido a noção de que a literatura não devia ser obrigatoriamente sujeita a normas e regras. Os dois primeiros números esgotam-se, mas a tiragem foi de apenas 450 e 600 exemplares, respetivamente, o que, aliado à alta qualidade do papel e à presença de gravuras, tornou as despesas excessivas, tendo as dívidas sido pagas pelo pai de Mário de Sá Carneiro. O suicídio deste poeta será um golpe para a equipa da *Orpheu*, e não só a nível financeiro.

Fernando Pessoa defende o direito à livre expressão, mais precisamente, à escrita obscena e de natureza sexualmente polémica e ataca os estudantes católicos e a Igreja, por se oporem a textos com tal temática, especialmente porque os escritos atacados eram publicados pela sua empresa Olisipo... Irónico que o escritor tenha defendido regimes autoritários, mais precisamente, o Governo de Sidónio Pais e a Ditadura Nacional (boa parte dos defensores das liberdades individuais no mundo democrático, sempre teve tendência para apoiar ditaduras, talvez por serem «antissistema» e contra os valores e a estrutura da sociedade). Não que Pessoa estivesse desprovido de motivos: boa parte da sociedade estava desiludida com a I República, incluindo antimonárquicos como ele. Em 1928, defende o governo militar e publica «O interregno: defesa e justificação da ditadura militar». Aliás, o seu velho colega e colaborador da *Orpheu* António Ferro torna-se o encarregado da propaganda do regime salazarista.

Mas o prolífico autor fica desiludido com o Estado Novo, especialmente quando é anunciado que serão impostas limitações aos textos escritos nacionais, de acordo com os valores defendidos pelo regime. Os defensores de governos autoritários são mais abundantes nos países mais livres do que nos Estados autoritários, algo que Pessoa deve ter compreendido tarde demais. Renega o «Interregno» e escreve poemas satíricos contra Salazar (em privado, naturalmente): «Este senhor Salazar/ é feito de sal e azar./ Se um dia chove,/ a água dissolve/o sal/ e sob o céu/fica só o azar, é natural./Oh c'os diabos!/Parece que Já choveu!»

Desilusão e solidão. Causas ou agravantes do seu vício em álcool e tabaco, que o matam aos 47 anos, em 1935.

᳂ 1916 ᳂

PORTUGAL NA PRIMEIRA GUERRA MUNDIAL E A BATALHA DE LA LYS

A participação de Portugal revela-se um erro.

As frentes de batalhas da Primeira Guerra Mundial foram caracterizadas, pelo menos na Europa Ocidental, por intensos bombardeamentos das trincheiras inimigas, ataques repelidos por meio de metralhadoras, granadas, uso de gases tóxicos (sendo o gás-mostarda o mais célebre), utilização de tanques, soldados revestidos de lama e parasitas, mortes inúteis em terras disputadas entre trincheiras (as famosas «terras de ninguém»). Tudo para conquistar pequenos pedaços de território.

Os exércitos das grandes potências militares não estavam preparados para travar esse tipo de conflito, o que contribuiu para combates tão sangrentos como inúteis, responsáveis por boa parte dos 8,5 milhões de mortos (não esquecer o genocídio arménio, de autoria turca). E o governo de um país militarmente fraco adere ao conflito, ao declarar guerra aos impérios do Eixo Central (Áustria--Hungria, Turquia otomana, Alemanha), em 9 de março de 1916!

Uma das razões da participação portuguesa na inicialmente designada Grande Guerra foram as colónias em África. Os alemães lançavam ataques armados no Sul de Angola e no Norte de Moçambique. Além disso, os britânicos e alemães tinham concordado partilhar essas colónias, segundo um acordo secreto de 1912, mas agora que eram inimigos seria melhor ajudar a Grã--Bretanha para garantir que esse acordo seria esquecido de vez.

Outro motivo era a crise que a sociedade portuguesa sofria, em especial, a nível político e militar, sendo o patriotismo gerado pela guerra um meio de união e distração muito eficaz (exceto quando a vitória era inexistente ou excessivamente cara). Não esquecer que a sucessão e a queda de governos portugueses eram frequentes, e, em 1916, o país era governado por uma coligação em risco de queda do poder, cujo nome de União Sagrada indicava a necessidade desesperada de estabilidade política. Existia ainda o desejo de aumentar a importância e visibilidade internacionais de Portugal.

O envio de tropas portuguesas, cerca de 50 000 militares, para combater nas colónias africanas e mantê-las sob domínio português, era feito abertamente durante o dia, ao passo que o envio de militares para combater no inferno das trincheiras, em França, era feito discretamente e de noite.

O Corpo Expedicionário Português (CEP), sob o comando do general Tamagnini, foi instalado em Aire-sur-la-Lys, conhecida pela abreviatura de La Lys, uma região de invernos bastante húmidos, longos e gelados (capazes de atingir 22 graus negativos, surgindo o degelo, em 1917, apenas em abril). Mesmo descontando os constantes ataques e bombardeamentos alemães, é fácil deduzir que a vida dos soldados rasos não tinha nada de agradável na região e não admira que as doenças abundassem.

Os oficiais britânicos, maioritariamente ingleses, treinaram os militares portugueses e elogiaram-nos, comentando que «com bons líderes, dariam tropas excelentes» (claro que o elogio só se aplicava aos soldados...).

A vida no setor português da La Lys era relativamente sossegada – até os alemães se terem apercebido da presença de tropas novatas e inexperientes! Abril de 1918 marca o início de combates violentos.

Outro motivo para a ofensiva alemã contra o referido setor foi o pobre equipamento do CEP em termos de armas pesadas e de fogo, além de fracos meios de transporte, uma lacuna grave numa guerra moderna, em que «a superioridade das forças consiste, hoje, num material mais numeroso e mais reabastecido que a do inimigo», como afirmou o marechal alemão Foch.

O comando britânico teve acesso a inúmeras informações sobre a iminente ofensiva alemã, graças à espionagem e a inimigos capturados, no entanto, não as forneceu ao CEP.

A batalha de La Lys ocorre no dia 9 de abril de 1918, dias após um batalhão português se ter amotinado e disciplinado à força,

e os seus membros enviados para campos disciplinares. Naturalmente, o motim era resultado de um dia a dia severo e até cruel
que afetava os soldados, cuja paciência estava no limite.

No que respeita aos resultados da batalha, pode dizer-se que
a vitória sorriu aos alemães, mesmo com a participação inglesa
ao lado dos portugueses, tendo perecido 398 elementos do CEP,
sendo 6585 capturados pelo inimigo, além de numerosos feridos,
oficiais, sargentos e praças, correspondentes a um terço das tropas portuguesas que combateram. Antes da batalha, o número de
prisioneiros de guerra portugueses era insignificante. O número
de alemães mortos era também diminuto, somente de algumas
dezenas!

Previsivelmente, a guerra revelou-se impopular, o Estado republicano perdeu popularidade, a nação desperdiçou uma fortuna: 125 mil contos por ano, e a fúria do exército por ter sido envolvido numa guerra cruel, em que sofreu derrotas humilhantes,
por uma causa que não dizia respeito aos portugueses, alimentou
conspirações contra a república, em especial uma, que tornou
1926 num ano histórico.

Apesar de tudo, o Exército Português salvou a honra nacional,
de acordo com a mentalidade patriótica e militar, uma vez que a
coragem dos portugueses foi universalmente elogiada (pelo menos
em público). O marechal Hindenburgo, futuro último presidente
da República Alemã até Hitler iniciar o seu III Reich, afirmou que
os portugueses lutaram com valentia e que foi a sua posição des-
favorável que os perdeu. A «coragem excecional» dos artilheiros
portugueses foi elogiada num artigo do *New York Times*.

Existem vários exemplos que justificam tais elogios, mas aquele cuja fama ainda hoje perdura é a do soldado trasmontano Aní-
bal Augusto Milhais, um agricultor cujos feitos incluíram ter afu-
gentado vários alemães que acreditaram que os tiros provinham
de um regimento, quando, na realidade, saíam de *Luísa*, a metra-
lhadora de Milhais. O general Tamagnini elogia-o: «Chamas-te
Milhais mas vales Milhões.» Desde então, passou a ser conhecido
como *Soldado Milhões*. Porém, tal como incontáveis militarem que
arriscaram a vida no campo de batalha, é ignorado em tempos
de paz e vive na pobreza, tendo emigrado para o Brasil, de onde
regressou com uma boa quantia oferecida por compatriotas emigrantes que não esqueceram o patriotismo da terra além-mar. Viveu o resto da vida como agricultor, com sustento garantido e

popularidade imorredoira, embora a pensão estatal que recebeu não fosse tão considerável como a popularidade...

Um autor contemporâneo comentou que, em Portugal, «quem vale milhões, é pago com tostões».

১৯১7

APARIÇÕES E PASTORINHOS DE FÁTIMA

Fontes de muitas polémicas entre céticos e crentes.

As aparições de Fátima ocorreram numa altura de crise de valores: a I República era dominada por ferozes anticlericais, como Afonso Costa e Bernardino Machado, que impuseram medidas e leis que abalaram o poder da Igreja Católica. Vexames, insultos, confiscação de inúmeros bens, proibições de cerimónias religiosas públicas, alastram pelo país. Afonso Costa terá dito que o catolicismo português iria extinguir-se em duas gerações.

Não havia falta de clérigos pecadores, fossem em segredo ou expostos, fosse o pecado relacionado com corrupção, apoio a injustiças, ou vícios privados. Mas a Igreja era responsável por muitas obras de caridade, como serviços médicos e alimento para os pobres, pelo que estes ataques, numa nação onde a miséria era desmedida, só podiam desagradar a muitos desfavorecidos (não era só a força do hábito e da tradição que levava muitos a ir à missa, apesar da devoção e virtudes questionáveis).

E, como se não bastasse, Costa e Machado negaram o direito de voto a dois grupos da sociedade em que havia maior proporção de crentes e apoiantes da Igreja, as mulheres e os analfabetos, isto é, a esmagadora maioria da população. Previsivelmente, a República perdeu popularidade e ganhou descrédito, ao ponto de um moderado se ter lamentado sobre a dupla Costa-Machado: «Na questão religiosa, o erro de ambos é formidável.»

Quando é anunciado que três pastorinhos viram a Virgem Maria, na Cova da Iria («uma Senhora vestida toda de branco, mais brilhante que o sol, espargindo luz mais clara e intensa que um copo de cristal cheio de água cristalina, atravessado pelos raios do sol mais ardente»), o resultado só poderia ser uma intensa polémica no país. Aliás, uma das testemunhas do «milagre do Sol», Avelino de Almeida, era um republicano desiludido com a atitude do Governo para com a Igreja. «Propaganda!» é uma palavra cujo recurso obsessivo é utilizado nos esforços de céticos e não céticos, para se desacreditarem mutuamente. Veja-se o caso do desaparecimento da azinheira onde os pequenos pastores tiveram as alegadas visões, pois os crentes culpam os anticlericais de quererem destruir um símbolo religioso, ao passo que os descrentes acusam os católicos de a cortarem para obter relíquias!

Os pastores, Lúcia de Jesus e seus primos, Francisco e Jacinta Marto, crianças analfabetas e com idades abaixo dos 11, são acusadas persistentemente, incluindo por camponeses e familiares, de serem «intrujonas», já que só elas conseguem ver a Virgem Maria, mesmo na presença de testemunhas. A Virgem promete um milagre no dia 13 de setembro, por volta das 13 horas, para que todos acreditem (no total, as visões teriam sido seis, sempre no dia 13 de cada mês). Uma multidão de 20 mil a 50 mil pessoas reúne-se no dia anunciado, para ver o suposto milagre, e eis que o Sol parece mover-se em ziguezague, tendo até caído uma chuva que não molhou ninguém.

Tentou-se explicar o fenómeno como uma alucinação de massas, o que possui o inconveniente de parte da enorme multidão ter incluído céticos desejosos de pôr termo aos discursos dos pastorinhos, além de que algumas testemunhas eram académicos e intelectuais, como Gonçalo Xavier de Almeida Garrett, professor de Matemáticas em Coimbra. Muitos permaneceram céticos e preferiram acreditar numa explicação natural, mas nem todos negaram ter visto o mesmo fenómeno invulgar que os crentes, o que torna mais improvável a hipótese da alucinação.

Muitos cientistas explicaram o «bailado do Sol» como um fenómeno meteorológico conhecido, embora raro, sem contudo explicar como três crianças analfabetas conseguiram prever a ocorrência e hora de um fenómeno meteorológico raríssimo em 1917, ainda mais sabendo que a tecnologia moderna ainda não consegue fazer tais previsões. O físico Stanley Jaki tentou explicar o alegado milagre do Sol por meio de uma combinação entre fé e ciência (tal como fez com a sua carreira: além de físico, também era frade beneditino), no mínimo original: o fenómeno do Sol era perfeitamente natural, o verdadeiro milagre era a sua previsão impossivelmente correta, tanto no dia como na hora! De qualquer maneira, a visão prodigiosa foi local, e não cósmica, uma vez que o movimento do Sol não foi visto em lugares distantes, como no Porto ou na Croácia.

Outra explicação para as visões de seres luminosos e de objetos brilhantes em movimento eram os acontecimentos em questão serem obra de óvnis e extraterrestres. Claro que essa «explicação» não abalou as crenças dos católicos, em geral, nem ganhou grande apoio dos céticos, pelo menos dos que acreditam que as religiões são absurdas e que provar isso por meio de afirmações absurdas é um «tiro saído pela culatra».

As crianças afirmaram ter tido uma visão do inferno («Os demónios distinguiam-se por formas horríveis e asquerosas de animais espantosos e desconhecidos, mas transparentes e negros.»). Fala-se em «três segredos» transmitidos aos pastorinhos: a Virgem anuncia o fim da I Guerra Mundial, e a vinda de uma ainda pior, caso a humanidade não se emende (não era preciso um milagre para se saber que a humanidade ia continuar na mesma). É o chamado primeiro segredo.

Se a Rússia não se convertesse (os marxistas tinham tomado o poder na altura), haveria guerra e perseguições mundiais. Mas acabaria por se converter mais tarde, e haveria paz por algum tempo. Lúcia afirmará que ela e os primos julgaram que a Rússia era uma senhora pecadora (adequado para crianças de um meio rural analfabeto). É o chamado segundo segredo.

O famoso «terceiro segredo» foi revelado em 2000: seria alegadamente a previsão do atentado contra o Papa João Paulo II, em 1981, obra do turco Mehmet Ali Agca. João Paulo II sobrevive aos ferimentos, embora as dores daí resultantes nunca mais o abandonem, mas a ousadia do assassino é tamanha que a opinião geral é que só podia ser executante de um plano elaborado por indivíduos poderosos. A União Soviética é o suspeito principal, uma vez que o pontífice era polaco e grande apoiante do Solidariedade, sindicato anticomunista da Polónia, cuja influência era fonte de muitas preocupações para Moscovo e seus aliados. Por um lado, seria muito arriscado da parte do KGB assassinar tão importante líder religioso mundial, mas, por outro, o sindicato levou à queda do Governo marxista de Varsóvia, em 1989, o que provocou a queda «em dominó» dos restantes Estados comunistas do Pacto de Varsóvia, no mesmo ano, que foi também o da queda do Muro de Berlim. O sucesso do atentado criaria uma crise internacional, sendo provável que fosse pretexto ou motivo para conflitos armados.

Estranho agente comunista, esse Ali Agca! Era membro dos Lobos Cinzentos, um grupo terrorista turco de extrema-direita (logo, anticomunista), responsável por inúmeros assassínios na Turquia (Agca abateu um editor de um jornal esquerdista, em 1979) e envolvido no tráfico de drogas. O «n.º 2» dos Lobos Cinzentos, Abdullah Çatli, era próximo de Agca, mas tornou-se indisponível para responder a perguntas, desde que este morreu num acidente de viação. Seria natural que os Lobos quisessem culpar os comunistas do seu crime, mas porquê matar o papa, um ato extraordinariamente arriscado, dadas as potenciais represálias? É preciso notar que, quando Ali Agca foi libertado, em 2010, após 29 anos na prisão, afirmou que era o Messias, o «Cristo Eterno» e que o mundo seria destruído ainda no século XXI...

O Santuário de Nossa Senhora de Fátima tornou-se um centro de peregrinação português, e fonte de atenções e fascínio internacionais, de tão elevada popularidade, que faz parte dos três *F* que os portugueses mais adoram: Fátima, fado e futebol. Quanto a Afonso Costa e Bernardino Machado, o radicalismo das suas ideias e a sua imposição forçada na sociedade reforçaram a popularidade do santuário e dos pastorinhos, e contribuíram para o fim da I República.

೫ 1918 ೫

FRACASSO DO PRESIDENCIALISMO: SIDÓNIO PAIS É ASSASSINADO

Oportunidade desperdiçada, ou ditadura evitada?

O major Sidónio Pais não chamou muita atenção, nem adquiriu grande poder, quer nas suas estadas nos dois primeiros governos republicanos, quer como embaixador em Berlim. Ninguém imaginaria que essa personagem se tornaria no mais poderoso presidente da República que Portugal teria em décadas.

No dia 5 de dezembro de 1917, ocorre um golpe de Estado, apoiado pela multidão, para espanto do político Ernesto de Vilhena, que tinha comentado os boatos relativos ao iminente golpe: «Os senhores estão doidos! Este homem é lá capaz de fazer uma revolução!» O povo gritava «abaixo a guerra, ninguém vai para a guerra». A inesperada adesão popular ao golpe resultou da impopularidade da guerra contra os alemães, que agravou a fome e as epidemias no país, como o tifo e a infame gripe pneumónica, vulgo «gripe espanhola», para não mencionar os restantes fracassos da I República.

Um político obscuro como Sidónio Pais só conseguiria tomar o poder com tanto sucesso e rapidez com a ajuda de forças ocultas, diziam muitos críticos de Sidónio. Embora o líder golpista tivesse recebido dinheiros de portugueses abastados, deveu o seu sucesso à impopularidade da classe política tradicional, e não a agentes secretos alemães (teorias da conspiração sempre foram baseadas em paranoias, boatos e calúnias).

Foi anunciada uma nova forma de governo que reconciliaria todas as fações e classes sociais portuguesas, designada «República

Nova». O direito de voto, doravante feito por sufrágio universal e voto direto, foi alargado a todos os homens (mas não às mulheres...), ao mesmo tempo que foram suprimidas algumas leis excessivamente anticlericais e libertados prisioneiros políticos. Mas o seu comportamento levou os opositores a considerarem-no um «ditador». Ter convertido a república parlamentarista numa república presidencialista (em que o presidente da República possui mais poder do que o Parlamento) não basta para o considerar «ditador» – embora tenha bastado para Fernando Pessoa o apodar de *Presidente-Rei* – ou um mau governante, dado ser uma boa alternativa à elevada instabilidade política que levou a uma enorme sucessão de governos. Aliás, o alargamento de direito de voto a todos os adultos do sexo masculino não prejudicou a sua eleição para presidente!

No entanto, a maneira como lida com a oposição política torna-se polémica. Muitos marinheiros, soldados e civis são presos por tentativas de revolta e de golpes de Estado. Algumas são verdadeiras, mas quantas poderão ter sido exageradas ou inventadas pelas autoridades? Destaca-se a «leva da morte», nome dado ao ataque a 140 presos, políticos e delinquentes, durante a sua transferência de prisões, e que, por meio de uma confusa batalha, causou seis mortos e vários feridos. Sidonistas e antissidonistas acusam-se mutuamente do crime.

Aquando da amnistia geral decretada pouco depois de subir ao poder, Sidónio tinha-se queixado da lista de presos a libertar, entregue pelos sindicatos, alegando que era longa, ao que os sindicalistas «cedem», entregando outra lista mais curta, que é aceite pela falta de atenção do novo governante (os nomes eram os mesmos, apenas foram escritos em letras mais pequenas!).

A atração que Sidónio exercia nas mulheres de todos estratos sociais não é desprovido de importância, uma vez que se revelam grandes apoiantes das suas políticas. Sidónio era um «sedutor» ou «mulherengo» conforme o ponto de vista. Chegou a abandonar a mãe dos seus quatro filhos, Maria dos Prazeres, para viver com outra mulher casada e a filha ilegítima de ambos, das quais se separou, na prática, quando se instalou em Berlim, como embaixador, e no Palácio de Belém, como presidente. Interessante notar que Maria dos Prazeres teve de apresentar um atestado de «bom comportamento moral e civil» para se casar com Sidónio Pais, dado este ser oficial...

Sidónio Pais era um oficial, mas não de carreira: nunca participou em campanhas militares, e boa parte da atividade profissional que desempenhou era académica, como docente da Universidade de Coimbra. Porém, como na maioria das sociedades de então só membros da alta sociedade podiam ser estudantes ou professores universitários, as credenciais académicas de Sidónio podem ter-lhe dado respeitabilidade quando se tornou presidente, além de ser muito provável que tenha adquirido aliados influentes nos seus tempos de docente.

De resto, ao contrário de muitos oficiais pouco habituados à frente de batalha, Sidónio não era belicista e reduziu o contingente militar português na Flandres, diminuindo o desperdício de vidas e de recursos. Uma vez que os partidários da guerra eram influentes, bem como o Governo britânico, era arriscado contrariá-los, tal como à população, saturada desse conflito inútil, os sidonistas deverão ter achado tentador agradar a ambos, reduzindo consideravelmente a participação portuguesa na Primeira Guerra Mundial. Política ambivalente, que não foi de longa duração, pois o conflito mundial terminou em novembro de 1918!

O *Presidente-Rei* era carismático e estava frequentemente em contacto com o povo. As suas visitas a instituições e as viagens pelo país eram sempre acompanhadas pela multidão, curiosa por ver este político tão diferente dos outros. Em público apresentava-se sempre de uniforme, apesar de ter admitido, aquando do golpe, que não usava uniforme havia 20 anos...

Outra razão da popularidade do *Presidente-Rei* foi a caridade para com os mais desfavorecidos, que os adversários consideram «populismo». Disso são exemplos o fornecimento gratuito de roupas, brinquedos e estadas em parques de diversões a crianças pobres, ou a famosa criação de vários centros onde os mais pobres podiam comer sopa gratuitamente. O presidente visita-as frequentemente, ganhando popularidade entre os necessitados (e entre as mulheres da alta sociedade, mais dadas à caridade e às visitas a tais instituições). As sopas dos pobres foram alcunhadas de «sopas do Sidónio» e o seu criador de «Sidónio das sopas». De notar que os «vadios» e «ociosos» que eram proibidos de se aproveitarem das «sopas dos pobres» incluíam trabalhadores grevistas...

No dia 14 de dezembro de 1918, Sidónio Pais é alvejado por um ex-sargento do Exército, na estação do Rossio. Segundo o pomposo jornalista Reinaldo Ferreira, o famoso *Repórter X*, as suas palavras finais teriam sido as melodramáticas «morro bem! Salvem a pátria!», mas parece que o que realmente disse foram as mais práticas: «Não apertem, rapazes!», destinadas às pessoas que o queriam ajudar.

É difícil saber se Sidónio Pais queria uma república forte ou se queria tornar-se ditador, com apenas um ano de governação. Certo é que o seu assassínio foi chorado em todo o país, sendo motivo de luto nacional. Será considerado um herói, especialmente pela propaganda do Estado Novo. Escreve Fernando Pessoa: «Quem ele foi, sabe-o a Sorte/Sabe-o o Mistério e a sua lei./A vida fê-lo herói, e a Morte/O sagrou Rei.» José Júlio da Costa, o assassino, foi considerado doente mental, pelo que foi internado no Hospital Miguel Bombarda até ao fim da vida, em 1946. Nunca foi julgado...

ᥲᥓ 1921 ᥔᥱ

NOITE SANGRENTA: VÁRIOS REPUBLICANOS EMINENTES SÃO ASSASSINADOS

*E os tribunais punem levemente um crime tão grave,
e somente os executantes – soa muito familiar.*

Portugal é um país de brandos costumes»: uma expressão portuguesa que costuma ser mencionada com sarcasmo ou severamente criticada. Aliás, quem a cunhou, ou popularizou, foi Salazar, famoso pela falta de honestidade com que descrevia as maravilhas da nação.

Os últimos anos da monarquia e a I República mostram como a violência era elevada em Portugal, ao ponto de fazer parte das políticas de Estado e das atividades da oposição ao Governo.

Assassínios políticos como o do rei D. Carlos e do *Presidente--Rei* Sidónio Pais, revoltas armadas como a Revolução Republicana do 5 de Outubro ou a Monarquia do Norte, eram frequentes. Mas a forma mais invulgar e sangrenta de violência política ocorreu numa só noite, a de 19 de outubro de 1921, conhecida merecidamente como «Noite Sangrenta».

Nessa noite, um grupo de marinheiros e de militares da Guarda Nacional Republicana percorreu Lisboa a dar caça a importantes figuras responsáveis pela queda da monarquia, algumas rivais do republicano Afonso Costa. A primeira vítima foi o ex-primeiro--ministro António Granjo, que tinha sido cercado na casa do político de direita Cunha Leal, que fez jus ao seu apelido e protegeu o seu hóspede dos sitiantes. Proteção bem-sucedida se não tivessem saído da casa para se dirigirem a um navio da armada, na esperança de obterem refúgio. O que conseguiram foi a captura e a morte às mãos dos marinheiros e soldados da GNR que lhes davam caça. Cunha Leal recebeu três balázios, embora tenha sobrevivido devido à ajuda dos captores. Ao que parece, não o queriam matar, aconteceu que Leal cometeu o erro de dizer o seu nome a um militar e este reconheceu-o como o antigo ministro das Finanças... António Granjo foi golpeado até à morte por um corneteiro da GNR que parecia gostar mais de espadas do que de clarins: «Venham ver de que cor é o sangue do porco», terá dito sadicamente o assassino.

Porém, a Noite Sangrenta era só uma criança, e o autocarro que transportara os dois políticos até ao Arsenal iria transportar outras vítimas até ao mesmo destino, convertido em matadouro. Carlos da Maia, antigo ministro de Sidónio Pais, sofre o mesmo destino do seu falecido residente ao chegar ao Arsenal: é abatido a tiro. Os marinheiros não o queriam matar, mas o cabo Abel Olímpio, detentor da alcunha o *Dente de Ouro,* disse-lhes que foi Carlos da Maia quem os deportara anteriormente para Angola (só não lhes disse que nunca esteve em Angola).

O alvo seguinte na lista negra foi o almirante Machado Santos, que foi enfiado num lugar da camioneta, entre o motorista e o *Dente de Ouro*, que chefiava o grupo de assassinos. Machado Santos sente-se ofendido com o lugar atribuído e reclama: «Esqueceis que sou o vosso superior, que sou almirante.» O cabo responde-lhe que vai a bem ou a mal, batendo com a coronha da espingarda no chão. Machado Santos parecia ignorar os desejos que muitos marinheiros, e soldados, costumam ter em relação aos seus comandantes e descobre que serão realizados neste caso: é fuzilado. Devido a uma avaria do motor da camioneta, o fuzilamento ocorreu na Avenida Almirante Reis, e não no Arsenal, bastante mais discreto.

Após a reparação do motor, o grupo de assassinos procura o próximo alvo, Pais Gomes, o ministro da Marinha. Não o tendo encontrado, o alvo será o que estiver mais à mão, o comandante Freitas da Silva, secretário de Gomes, vulgo *o Coca*, além de outro infeliz, o coronel Botelho de Vasconcelos, sidonista.

Outras vítimas foram o intelectual Carlos Gentil, assassinado no Café do Chiado, e um anónimo motorista que discutiu com os cúmplices da *Camioneta Fantasma* (assim chamada por ter aterrorizado tanto as pessoas) de temperamento pouco gentil.

Os restantes alvos conseguiram fugir, destacando-se o industrial Alfredo da Silva, fundador do que hoje é conhecido como grupo Mello, graças aos médicos que lhe trataram os ferimentos de bala.

Quem foram os cabecilhas do massacre? Uma das organizações suspeitas é a Legião Vermelha, responsável por vários atentados à bomba de 1921 a 1925. Os anarquistas eram acusados de estar por trás da Legião, mas negavam, acusando os comunistas de serem os dirigentes do grupo, estimulados pela Revolução de Outubro na Rússia, que pôs os bolcheviques no poder.

Há quem fale de monárquicos, da Maçonaria, e até de dois sobreviventes do massacre (!), Cunha Leal e António da Silva.

Outros suspeitos são os membros da Junta Revolucionária, que tinha tomado o poder recentemente sob o comando do coronel Manuel Maria Coelho, algo pouco invulgar num país que teve vários governos depostos ou dissolvidos em pouco tempo (um com duração tão curta que ficou conhecido como o «Governo dos Cinco Minutos»). Aliás, a Junta Revolucionária durou somente um mês após a noite fatídica, tendo o coronel recebido o cargo de administrador da Caixa Geral de Depósitos. Afinal, os verdugos da *Camioneta Fantasma* justificavam as suas ações afirmando que agiam sob as ordens da Junta.

O Tribunal Militar de Santa Clara foi criado com o objetivo de julgar os crimes e fez um péssimo trabalho: não foi condenado nenhum alto responsável pela Noite Sangrenta, tendo sido absolvidos o tenente-coronel Marreiros, antigo diretor da Polícia de Segurança do Estado, o major Almeida Arez, e ainda o capitão de fragata, Luís Ramos. Diga-se de passagem que até oito réus de importância reduzida, acusados de serem meros executantes de ordens, também foram absolvidos. De referir que importantes generais e almirantes recusaram-se a presidir o julgamento...

O cabo Abel Olímpio e dois cúmplices foram condenados a dez anos de prisão, outros quatro a oito e um a um mero ano, já cumprido no tempo de prisão cumprido até ao fim do julgamento.

Berta da Maia, a viúva de Carlos da Maia, não era mulher que se resignasse à tragédia e visita o *Dente de Ouro* na prisão, diversas vezes, com o objetivo de descobrir os mandantes da Noite Sangrenta, tendo concluído que foram o coronel Manuel Maria Coelho e os seus partidários.

Parece estranho que os supostos assassinos fossem republicanos, assim como as vítimas, mas não tão estranho ao perceber-se que os conspiradores eram republicanos radicais e os assassinados eram moderados. O escândalo foi um golpe gravíssimo para a república e a consequência seria contribuir para a instituição da ditadura nacional.

❧ 1922 ❧

GAGO COUTINHO E SACADURA CABRAL ATRAVESSAM O OCEANO ATLÂNTICO

Por ares nunca dantes voados em tão difíceis circunstâncias.

Artur de Sacadura Freire Cabral era oficial da Marinha, com diversas habilitações científicas, e cuja carreira profissional foi exercida nas colónias africanas de Portugal, principalmente, em Angola e Moçambique, assim como no Transval britânico, na atual África do Sul. Nos trabalhos realizados como geógrafo e astrónomo, de 1907 a 1910, Sacadura Cabral conhece Gago Coutinho, colaborador próximo em muitos projetos nas décadas seguintes, como foi o caso da delimitação das fronteiras angolanas, em 1912.

Gago Coutinho e Sacadura Cabral também se dedicavam à prática da astronomia, essencial na orientação de viagens marítimas, assim como nas aéreas ainda por surgir na altura. Gago Coutinho tinha sentido de humor, como prova a resposta a alguém que lhe perguntou como atravessara o continente africano: «Como havia de ser? Com as botas rotas, para a água sair mais à vontade, porque, para entrar, entrava sempre.»

Um dia, ouviram os negros a comentar: «Os brancos nunca se perdem porque à noite perguntam a Deus onde estão.» Gago Coutinho descreve a reação de ambos perante tais afirmações com um certo racismo: «Rimo-nos da sua infantilidade, porque o que nós fazíamos à noite era observar as estrelas! E é tudo.» Embora abundassem (e ainda abundem) superstições na África Negra (ou subsariana), como a crença em magias que protegem de balas, é tentador imaginar se os negros não estariam a brincar ou a recorrer a alguma expressão popular local (como os portugueses, que utilizam as expressões «bater as botas» ou «dar uma pera»).

Tal como no resto do mundo, a aviação dava os primeiros passos em Portugal, tendo já feito o primeiro «mártir» em 1914, quando D. Luís de Noronha se despenha no Tejo vindo a falecer mais tarde, no hospital.

Em 1915, as exigências da Primeira Guerra Mundial levam o Aero Clube de Portugal a tomar a iniciativa de convencer o Governo a realizar um concurso tendo como objetivo enviar oficiais do Exército e da Marinha para várias escolas de aviação existentes no estrangeiro. Sacadura Cabral, naturalmente, foi aceite e tirou cursos em diversas escolas francesas, onde aprendeu a pilotar diferentes tipos de aparelho, incluindo hidroaviões. Cabral despede-se de Coutinho por meio da seguinte mensagem postal «Meu Caro futuro Chefe: lembranças da minha prova de viagem que estou fazendo. Um abraço do Sacadura.»

Durante a guerra, foi encarregado de formar uma esquadrilha de aviões militares, com o objetivo de os utilizar na defesa dos ataques alemães em Niassa, em Moçambique.

A considerável experiência e os conhecimentos marítimos e aeronáuticos por parte de Cabral, um dos fundadores da aviação marítima portuguesa, colocam-no em posição de averiguar a possibilidade de fazer viagens aéreas de Lisboa ao Rio de Janeiro, um projeto imaginado em 1919, e que permitiria a criação de rotas aéreas a ligar as duas cidades, e, por conseguinte, as respetivas nações. Assim, dedicou-se a adquirir material para equipamento, bem como a fazer as investigações necessárias. A pioneira viagem aérea sobre o Atlântico era a versão moderna das viagens marítimas da época dos Descobrimentos, o que apelava ao saudosismo, além de ser uma «ressurreição» e homenagem à mesma. O ano escolhido para a viagem foi 1922, o centenário da independência do Brasil (nada de ressentimentos, parece ser a mensagem).

Em 1921, Cabral e o companheiro de longa data Gago Coutinho viajam de Lisboa à Madeira, com o objetivo de testar os métodos e instrumentos disponíveis, incluindo os que inventou, para poder sobrevoar o mar quando não há pontos de referência. Tal como as naus e caravelas dos séculos XV e XVI, o avião a ser pilotado necessitava de um astrolábio para orientar o caminho percorrido. Os estudos, investigações e experiências da dupla levaram à modificação do sextante a ser utilizado, o primeiro dotado de horizonte artificial, tendo o novo instrumento sido chamado *Astrolábio de Precisão*, *Plaqué de Abatimento* ou *Corretor de Rumos*. Incluía até um sistema de iluminação elétrica que possibilitava observações noturnas. A elevada eficiência do *Corretor de Rumos* permite a sua apresentação no Congresso Internacional de Navegação Aérea em Paris, 1921. Será comercializada internacionalmente, sob o nome de *System Admiral Gago Coutinho*.

Em 30 de março de 1922, o hidroavião *Lusitânia* inicia uma viagem inédita a partir de Lisboa, pilotado por Sacadura Cabral e Gago Coutinho, tendo feito escalas nas Canárias, São Vicente (Cabo Verde) e no Penedo de São Pedro, onde sofrem um acidente, mais precisamente, a perda de um dos flutuadores, devido à violência das ondas, como se não bastasse a falta de combustível. No entanto, voaram durante 11 horas sem apoio de navios, algo nunca ocorrido até então.

Os problemas enfrentados não tinham nada de surpreendente para aviadores experimentados. Na entrevista feita na véspera da viagem, Sacadura Cabral tinha corretamente afirmado: «Qualquer viagem aérea é um ponto de interrogação e muito mais esta, que apresenta numerosas dificuldades. (...). A viagem é possível, mas para isso é preciso que tudo corra normalmente ou, se assim o quiserem, que o Padre Eterno se conserve "pelo menos" neutral no pleito que se vai travar entre nós e os elementos. Façamos votos por que assim aconteça, mas não cantemos vitória antes de tempo porque... Ele nem sempre está de bom humor.»

Depois de recolhidos pelo navio *República*, após longos momentos de desespero e angústia, recebem do Governo um hidroavião *Fairey 16* e recomeçam a viagem três dias depois. Ao fim de várias escalas, aterram no Rio de Janeiro perante os fortes aplausos da multidão brasileira, sendo inventada uma expressão local para situações de elevada euforia: «sacadurismo».

É verdade que se perderam durante a viagem, um erro que os tinha levado ao Penedo de São Pedro, num arquipélago pertencente ao estado de Pernambuco, mas, num oceano com as dimensões do Atlântico, a margem de erro era insignificante. Em termos humanos, contudo, o referido erro podia ter sido fatal, uma vez que aterraram ao acaso, correndo o risco de afogamento.

Sacadura Cabral comentará mais tarde a sua reação perante o perigo de morrerem afogados ou devorados por tubarões: «A mim o que me está a ralar mais é não ter cigarros!» Fanfarronice posterior frente aos amigos e jornalistas quando já não havia perigo? Ou momento de humor para acalmar os nervos e reduzir o medo?

A travessia do oceano pela dupla Cabral-Coutinho teve importância mundial para a aviação, já que demonstrou a precisão do sextante aperfeiçoado, o qual tinha sido essencial para o sucesso da viagem.

É duvidoso que as descobertas, invenções e experiências de Cabral e Coutinho não tivessem influenciado, e ajudado, aviadores posteriores, como o famoso americano Charles Lindbergh, o primeiro homem a atravessar o Atlântico, sozinho e sem escalas, e herói nacional americano (a sua simpatia por Hitler e as revelações da sua vida privada demonstraram pela enésima vez que a coragem e a persistência podem não ser acompanhadas por outras virtudes...).

Contudo, foi preciso esperar até 1960, para ser estabelecida uma carreira aérea Lisboa-Rio de Janeiro assegurada pela TAP a partir de 1966), mostrando que as ambições da dupla estavam 38 anos avançadas para a altura em que a viagem foi realizada.

Sacadura Cabral morre a 15 de novembro de 1924, num acidente de avião, um fim tão trágico quanto adequado.

Sem falsa modéstia nem falsa gabarolice, Gago Coutinho admitirá, mais tarde, que o companheiro era a cabeça pensante do duo, e afirmará ainda: «Nós não fomos heróis. Usámos manhas de geógrafos, que se orientam pelo Sol e pelas estrelas...»

⚉ 1926 ⚉

INSTITUIÇÃO DA DITADURA NACIONAL

Início do Estado Novo. Salazar irá tornar-se ditador do país
por mais de 30 anos.

A república foi uma desilusão para boa parte da população portuguesa. A ideia de uma ditadura tem vários apoiantes, até por parte de Fernando Pessoa, um dos maiores escritores e poetas do século XX. Desde 1910 até 1926, isto é, em 16 anos, houve oito presidentes da República, 45 governos, cinco dissoluções do Governo e pouco menos de 300 atentados. O público queria um Estado forte e estável.

Em Braga, no dia 28 de maio de 1926, ocorre outra revolta militar, liderada pelo marechal Gomes da Costa, que toma o poder sem derramamento de sangue, perante o aplauso ou indiferença gerais. É fundada a Ditadura Militar, mais conhecida como Ditadura Nacional.

O presidente deposto Bernardino Machado, considerado «um machado para a monarquia e um achado para a república», resiste ao regime militar tal como resistiu ao regime monárquico, uma luta destinada, desta vez, ao fracasso.

De 3 a 9 de fevereiro de 1927, registam-se revoltas armadas em Lisboa e no Porto que levam a combates violentos, sem sucesso, contudo, nos esforços de depor o Governo militar. A falta de coordenação (a revolta de Lisboa ocorre depois da supressão da do Porto), as questiúnculas partidárias, como a partilha do poder após a vitória, apesar de ainda não ter sido obtida, deu à rebelião uma liderança de qualidade inferior à das autoridades. O preço do fracasso é elevado: são efetuadas centenas de prisões.

Os militares e os grupos ultranacionalistas, como a Milícia Lusitana e a Cruzada de Nuno Álvares, não se entendem, havendo também divergências entre oficiais: Gomes da Costa e o general Mendes Cabeçadas são afastados do poder por ordem de Óscar Carmona, um general que nunca passou pelo teatro de guerra (a sua alcunha era *General da Espada Virgem*, por nunca lhe ter dado uso).

Por outro lado, apercebe-se de que é mais fácil tomar o poder do que utilizá-lo com eficiência. Um exemplo é o do general Sidel de Cordes, cujo desempenho como ministro das Finanças era considerado lastimável, já que só aumentou as despesas militares numa época de crise. Além de conceder elevados empréstimos, a juros reduzidos, às mesmas duas companhias a que vendeu o exclusivo do comércio de tabaco... Naturalmente, o défice orçamental cresce a olhos vistos depois do golpe de 1928, devido a tanta incompetência, inexperiência, corrupção e preocupação dos militares em fazerem mais despesas com o Exército.

Sidel de Cordes é afastado do Ministério das Finanças, para dar lugar a um economista civil, antigo reitor da Faculdade de Direito de Coimbra e antigo seminarista que percebeu que não tinha vocação para o sacerdócio: António de Oliveira de Salazar.

O exercício do cargo causa boa impressão e Salazar consegue um orçamento estatal anual com saldo (ligeiramente) positivo, o primeiro obtido havia muito, ganhando assim respeito e adeptos. Os alunos que teve quando foi reitor universitário – eram oficiais do Exército ou tinham boas relações com os militares – tinham pressionado para que conseguisse a direção do Ministério das Finanças, e acabaram por colaborar nas suas políticas e manobras, recebendo cargos importantes como recompensa. Cunhas são vulgares em política, e num regime autoritário são passos importantes para a subida ao poder.

As revoltas armadas continuam, tendo ocorrido várias em 1931, na Madeira, nos Açores e Guiné-Bissau, apoiadas pelos republicanos, como Machado e Afonso Costa, crentes nas promessas de ajuda por parte da República Espanhola, enquanto decorrem protestos estudantis em Lisboa, Porto e Coimbra. O movimento que visa depor a ditadura é conhecido por «reviralhismo», retirado do nome depreciativo «reviralho» (reviravolta), dado aos opositores ao governo militar e adotado sarcasticamente por estes últimos. Tanto as revoltas como as manifestações são reprimidas brutalmente pelas autoridades.

O fracasso da revolta lisboeta de 26 de agosto de 1931 simboliza o fim das tentativas armadas para pôr fim à ditadura militar. O tenente-coronel Utra Machado, um dos rebeldes, ordena o bombardeamento do Castelo de São Jorge, quase vazio, quando a revolta se revela perdida. Resposta às perguntas relativas à ordem tomada: «É nisso que me equiparei com Salazar. Ele enterrou a monarquia com salvas de artilharia – e eu acabo de enterrar o Reviralho.»

O Reviralho e a sua repressão custaram ao país cerca de 400 mortos e 1250 feridos, no mínimo, 2000 deportações de prisioneiros políticos para as colónias africanas e asiáticas, além da Madeira e Açores.

Os militares devolvem o poder aos civis, civis defensores de interesses semelhantes aos do Exército, sendo o dirigente do Estado Salazar, naturalmente. 1933 é o ano em que a Ditadura Nacional se torna no Estado Novo. Assim, a União Nacional é o único partido permitido, as greves são proibidas e também os sindicatos independentes do controlo estatal, bem como todas as críticas às autoridades e valores defendidos por estas. O regime defende e glorifica o autoritarismo sob uma capa de virilidade: «Não há um estado forte, sem um governo forte.» O regime defende valores tradicionais, resumidos por meio do *slogan* «Deus, Pátria e Família», um tanto irónico, sabendo que Salazar foi um solteirão e, foi revelado recentemente, mulherengo durante toda a sua vida.

Para manter a estabilidade financeira e orçamentos aceitáveis, isto é, para manter os feitos que o levaram ao poder, António de Oliveira de Salazar pouco investe na modernização do país e no desenvolvimento industrial. De resto, a proliferação de fábricas levaria ao aumento do número de operários sensíveis às ideias comunistas e anarquistas (o atentado falhado contra o ditador, em 1937, foi obra de anarquistas – embora o regime tivesse culpado os «vermelhos»). A justificação oficial do regime é a glorificação da pobreza: «pobres mas dignos» e Salazar «deve à Providência a graça de ter nascido pobre»...

Um dos pilares do regime é a propaganda, exercida pelo Secretariado da Propaganda Nacional, dirigida pelo escritor e jornalista António Ferro. Os jovens são integrados em organizações controladas pelo regime, nas quais são educados nos valores defendidos pelo Estado Novo, incluindo a obediência às autoridades e nacionalismo, logicamente, como foi o caso da Mocidade Portuguesa.

A polícia secreta é outro pilar do Estado Novo, assim como de todas as ditaduras: a PIDE é encarregada da vigilância da sociedade e da repressão da oposição. Recorrendo a prisões arbitrárias, a torturas, como a famosa «tortura da estátua», e mais raramente a assassínios políticos (não havia pena de morte em Portugal na altura, como agora).

Pouco antes de morrer, Fernando Pessoa manifesta a sua desilusão para com a ditadura que esperava que beneficiasse a nação (em privado) e diz de Salazar: «A alma campestre sórdida do camponês de Santa Comba se alargou em pequenez pela educação do seminário, por todo o inumanismo livresco de Coimbra, pela especialização rígida do seu destino desejado de professor de Finanças. É um materialista católico (há muitos), um ateu nato que respeita a Virgem.»

⊷ 1940 ⊶

PORTUGUESES PARTICIPAM
NO HOLOCAUSTO NAZI – COMO SALVADORES

Mais vidas judaicas foram salvas nesse ano do que queimadas pela Inquisição Portuguesa em três séculos.

Em 1940, a guerra-relâmpago nazi avançava, imparável, sobre a Europa, conquistando país atrás de país. A queda da Polónia, Holanda, Bélgica e a derrocada do Exército francês geraram grandes massas de refugiados. Alguns só queriam manter-se afastados dos combates e bombardeamentos. Outros eram antinazis, democratas ou comunistas, que não tinham grandes ilusões quanto ao tratamento que a Gestapo e as SS de Hitler lhes haviam reservado caso os capturassem. Uma boa parte dos fugitivos eram perseguidos somente por serem judeus, uma classificação complexa e polémica, pois qualquer ateu convicto ou cristão devoto era considerado judeu se somente um dos pais fosse judeu, mesmo que nunca tivesse acreditado na Tora nem no Talmude.

Na altura, só poucos tinham conhecimento dos planos de Hitler e da sua clique para exterminar todos os judeus da Europa. «Genocídio» era uma palavra por inventar e «holocausto» ainda era um ritual judeu. Mas não havia falta de massacres e pilhagens em grande escala que estes sofriam às mãos dos nazis e dos seus cúmplices, os quais englobavam boa parte da elite dirigente francesa, que se aliou aos alemães depois de estes terem ocupado boa parte da França.

Salazar não sentia grande vontade de dar abrigo a tão considerável massa de refugiados, ele que proibiu aos seus diplomatas a distribuição de vistos sem autorização prévia, a qual era difícil de obter, como é fácil de deduzir.

Aristides de Sousa Mendes, cônsul português de Lyon, cidade francesa, estava num dilema. Por um lado, sabia que Salazar odiava que desobedecessem às suas ordens (um traço psicológico essencial para todo aquele que tenha a profissão de ditador) e era vingativo para quem se atrevesse a tal coisa. Por outro lado, negar vistos aos refugiados era condená-los à morte, e/ou a outros tormentos.

Sousa Mendes, à primeira vista, não parecia uma personagem humanitária, pois era um católico tradicionalista e monárquico que detestava a I República. Mas era considerado muito bondoso para todos aqueles com quem se dava, fossem membros da sua enorme família, amigos, empregados ou até necessitados. Mas uma pessoa revela a sua verdadeira face em tempos de crise, e o dilema que enfrentou foi um desses testes, ao qual passou com distinção. Decidiu conceder vistos a todos os que conseguisse, havendo vistos que se aplicavam a uma família inteira e/ou vistos que eram, na realidade, simples documentos de identificação. A difícil decisão foi tomada após muita reflexão, tendo sido anunciada a 17 de junho de 1940.

Sousa Mendes dedicou-se sinceramente a essa decisão, e beneficiou da ajuda de colegas e da família, incluindo o genro belga, Jules, e a mulher, Angelina, que fazia tarefas domésticas como preparar refeições e lavar as roupas dos refugiados, em especial os que conseguiam abrigo no lar dos Sousa Mendes. De notar que Aristides de Sousa Mendes deve o seu primeiro nome ao facto de o pai admirar um famoso político e general da Grécia antiga, o ateniense Aristides, vulgo o *Justo*.

Um dos colaboradores era um rabino polaco, Chaim Kruger, um refugiado convertido em amigo, que contribuiu para a sua difícil decisão, tal como Angelina. Kruger inicialmente pensou que o cônsul pudesse descender de judeus, mas a família deste era cristã havia várias gerações e não se conhecia antepassados judaicos. O que não quer dizer que não os tivesse, pois muitos portugueses descendem de cristãos-novos, que ainda por cima abundaram, no passado, na Beira Alta, terra natal dos Sousa Mendes. Mas considerar um indivíduo como hebreu, mesmo que parcialmente, só por causa de supostos antepassados distantes não faz grande sentido. Poucos chamariam de «francês» a uma mulher cuja trisavó era francesa, ou de «negro» um indivíduo com uma avó mulata. O diplomata afirmou que queria «redimir» a nação portuguesa do passado vergonhoso, quando os judeus eram perseguidos. Aliás, alguns dos judeus que ajudou provinham de terras para onde tinham emigrado muitos judeus portugueses, sendo o caso mais óbvio o do casal holandês Montezinos.

E não se deve ignorar que Sousa Mendes era um católico devoto, que rezou o terço todas as tardes até ao fim da sua vida. O catolicismo defendido pelo ditador espanhol, Francisco Franco, não o seduziu (pelo contrário: «Como é que ele pensa que pode servir Cristo matando?»). Terá justificado a ajuda prestada em desobediência às ordens de Salazar afirmando: «O meu desejo é mais estar com Deus contra o Homem do que com o Homem contra Deus.» (A frase soa um tanto teatral, mas o que mais se pode esperar de um diplomata de longa carreira?)

Entre os gentios que os Sousa Mendes ajudaram a fugir encontraram-se o príncipe Otto de Habsburgo, herdeiro do extinto trono imperial austríaco, antinazi e futuro alto membro da comunidade europeia, diplomatas e políticos de toda a Europa, incluindo o ex-presidente da I República Bernardino Machado.

O afluxo de refugiados foi recebido pelo Estado Novo de má vontade, tendo alterado a mentalidade provinciana portuguesa. Afinal, judeus ou gentios, inúmeros refugiados possuíam mentalidades mais cosmopolitas e diversificadas, sendo de destacar o fascínio (e até escândalo) pelos costumes mais livres das mulheres. Para ter uma ideia dessa liberdade, os portugueses espantavam-se perante as mulheres que passeavam sozinhas pela rua, fumavam, entravam sozinhas nos cafés e chegavam a usar calças. Naturalmente, nem todos os refugiados eram assim tão «modernos», fossem gentios ou judaicos, como é o caso dos judeus ultraortodoxos/hassídicos.

Chamado a Portugal, Aristides de Sousa Mendes é sujeito a um processo judicial. O conde de Tovar, furioso com a falta de remorsos de Sousa Mendes, afirma que enlouqueceu. Resposta: «É necessário ser louco para fazer o que está certo?» (na Segunda Guerra Mundial, a resposta foi «sim» em incontáveis situações). Sousa Mendes recorre a argumentos humanitários para se justificar, e não a argumentos legais (como relembrar que a lei portuguesa proibia a discriminação com base em termos de religião e de nacionalidade). Perdeu o processo, sendo suspenso durante um ano e recebendo só metade do vencimento durante esse período e passando a ter, posteriormente, uma reforma de apenas um quarto do vencimento, desprovida de quaisquer regalias. Assim terminou uma carreira diplomática com mais de três décadas!

Dos refugiados que salvou, só uma minoria sabia quem era o homem a quem deviam a vida e poucos ofereceram ajuda aos Sousa Mendes, incluindo o rabino Kruger. A numerosa família Sousa Mendes sujeitou-se a várias humilhações para sobreviver, como recorrer à sopa dos pobres. O estado de saúde de Angelina agrava-se, sofrendo amnésias ocasionais, enquanto o marido fica parcialmente paralisado por uma hemorragia cerebral.

Não só as tentativas de rever o processo falham, como os filhos do casal têm dificuldades em arranjar emprego, na qualidade de filhos de um «proscrito». Durante décadas, Aristides e Angelina contactaram com vários diplomatas e respetivas famílias, e tendo em conta que o irmão gémeo de Aristides também viu a carreira terminada por ser irmão de quem era, os filhos do diplomata emigram para vários países e recomeçam a sua vida.

Angelina morre amargurada em 1948. O marido casa-se, um ano depois, com Andrée Cibial, uma francesa que conheceu em Bordéus e que o amava intensamente. O problema era que também possuía intensos problemas psicológicos (esteve internada num hospício, já viúva, e acabou por viver e morrer na miséria), sendo instável, egoísta e insolente: mas amava-o, fazia-lhe companhia e servia-lhe de enfermeira.

Somente em 1954, é que ganha estatuto de herói e é celebrizado mundialmente. Graças a Hollywood, recebe a alcunha de *Schindler português*, mas é bem mais adequada outra alcunha, a *de Raoul Wallenberg português*, pois era alusiva a um sueco, também diplomata, igualmente responsável pela salvação de milhares de vidas. Houve ainda outros diplomatas que ajudaram a salvar judeus e gentios da hecatombe nazi, destacando-se o suíço Paul Grunninger e o japonês Sempo Sugihara (que também era agente secreto da pró-nazi ditadura militar japonesa!). Todos eles viram a carreira arruinada por terem salvado fugitivos do fascismo europeu, sendo Wallenberg o mais desafortunado: foi preso pela polícia política de Estaline e nunca mais foi visto.

Aristides de Sousa Mendes e todos os que salvaram judeus do Holocausto receberam o título, alguns postumamente, de *Justos entre as Nações*, sendo citada em sua homenagem a seguinte frase do Talmude: «Quem salva uma vida, salva o Universo inteiro.»

❦ 1943 ❦

AGOSTINHO DA SILVA É PRESO PELA PIDE

O filho abandonará e regressará à mãe-pátria pródiga.

Agostinho da Silva nasce a 13 de fevereiro de 1906 no Porto, tendo crescido na aldeia de Barca de Alva, onde a mãe deu aulas às crianças, devido à pobreza da região, extrema ao ponto de não haver escolas.

Entra na universidade, mais precisamente na Faculdade de Letras da Universidade do Porto, que recordará saudosista, por ser um oásis de liberdade de pensamento e de opinião, onde se revela um aluno aplicado, tendo tirado o curso de Filologia Clássica, com uma classificação de 20 valores, além de ter concluído com o «maior louvor» *(summa cum laude)* o doutoramento, intitulado *O Sentido Histórico das Civilizações Clássicas*. Irá estudar na prestigiada Sorbonne, em Paris (ao receber uma bolsa de estudo), e ali conhece um camarada que o acompanhará por décadas, Jaime Cortesão.

Agostinho nunca deixará os estabelecimentos escolares, pois tornar-se-á docente, começando por dar aulas na Escola Secundária de José Estêvão, em Aveiro. Mas cedo entrará em conflito com as autoridades, pois o Estado Novo cria a Lei Cabral, a qual obrigava todos os funcionários públicos a não pertencerem a sociedades secretas. Como as sociedades secretas eram instituições desprezadas pelas ditaduras, como é o ainda atual caso da Maçonaria, ou organizações subversivas que se opunham ao Estado, como o já famoso exemplo dos carbonários, a lei visava purgar a função pública de todo o elemento considerado suspeito ou perigoso pelas autoridades. Agostinho da Silva discorda de tal maneira da lei que recusa assinar o documento em que era obrigatório jurar não pertencer a organizações secretas, apesar de não pertencer a nenhuma.

Expulso do ensino público, para fugir ao desemprego torna-se docente do ensino privado e explicador particular, encontrando-se entre os seus alunos Mário Soares. As aulas que lecionava eram de Filosofia, Cultura Portuguesa e Direito, além de falar 15 línguas e dois dialetos africanos, o que explica porque o consideraram «um homem perfeitamente pluridimensional».

Estudou no Centro de Estudos Históricos de Madrid, mas teve de regressar devido a conflitos com colegas e ao conflito entre republicanos e franquistas – a célebre Guerra Civil espanhola, 1936--1939 – que terminou com a vitória do lado que fuzilou milhares de pessoas com ideias como as dele (García Lorca era um filósofo muito mais famoso, o que não evitou o seu assassínio pelos franquistas).

Agostinho da Silva ganha fama suficiente para dar diversas palestras públicas, cujos temas não eram menos diversos, sendo tão díspares ao ponto de incluírem religião e arquitetura. Agostinho não negava nem atacava o cristianismo, pelo contrário, defendia--o e fazia a sua apologia. O problema é que era o cristianismo primitivo, ou seja, o dos primeiros séculos depois de Cristo, e não o posterior catolicismo, cujos malefícios critica, o que chama a atenção da PIDE... Numa carta ousará dizer que o «catolicismo nada tem que ver com cristianismo, é-lhe mesmo antagónico» e noutra dirá «para mim, os católicos não são adeptos de Cristo, são adeptos da Igreja; aquilo a que chamam cristianismo não é nada o cristianismo dos Evangelhos». Como resultado dessas afirmações, incluindo as dos cadernos *O Cristianismo,* editados em 1943, é previsivelmente atacado por críticos ainda não saídos das épocas da luta contra as «heresias», incluindo por padres que não gostaram de frases como «todos podemos ser sacerdotes, porque todos temos capacidades de Inteligência e de Amor», que ameaçavam o seu emprego. Como se estava no Estado Novo, fica preso na cadeia do Aljube.

Rapidamente libertado, abandona o país natal e emigra para a América do Sul, onde se instala no Brasil. Longe do estereótipo local do *portuga* inculto e pouco inteligente, torna--se docente universitário, além de fundador de universidades, como a Universidade de Brasília, o Centro de Estudos Africanos e Orientais da Universidade Federal da Baía, e ganha o afeto das populações de classes ditas baixas, como os pescadores, com os quais afirmava aprender tanto como com os maiores filósofos. Também afirmou que o Estado Novo lhe fez um favor ao levá-lo a abandonar Portugal, pois isso permitiu-lhe divulgar a língua e cultura portuguesa na América Latina.

Segundo o escritor Fernando Dacosta: «É o grande subversor da cultura instituída: usa uma linguagem que todos compreendem, desde o grande erudito ao total analfabeto», apesar de uma simples leitura da sua obra e as entrevistas que fez parecerem mostrar o típico discurso complexo elitista, tanto na forma como no conteúdo...

É defensor acérrimo do conceito de cada pessoa pensar por si mesma, uma ideia muito divulgada no século XX: «Nunca pense por mim, pense sempre por você; fique certo de que mais valem todos os erros se forem cometidos segundo o que pensou e decidiu do que todos os acertos, se eles forem meus, não seus. Se o Criador o tivesse querido juntar a mim não teríamos talvez dois corpos ou duas cabeças também distintas. Os meus conselhos devem servir para que você se lhes oponha», escreveu numa das suas obras.

Era defensor do Quinto Império, ideia formulada pelo padre jesuíta António Vieira, ainda que à sua muito particular maneira. Vieira encarava o Quinto Império como um império universal português, onde os gentios, pagãos e protestantes seriam todos conversos ao catolicismo. «Quinto» Império porque na Bíblia, o profeta Daniel tem uma visão em que lhe são revelados quatro grandes impérios (assírios, persas, greco-macedónios e romanos), sendo Portugal seu digno sucessor. Agostinho via o Quinto Império, ou Império do Espírito Santo, como chamava, como uma união fraternal de todos os povos de língua portuguesa, sem capitalismo nem comunismo, cujos habitantes não seriam corrompidos pelos sistemas de ensino e manteriam a pureza infantil («é a instalação de uma criança como imperador do mundo», afirma alegoricamente).

A «Primavera Marcelista» permite o seu regresso a Portugal em 1969, e a desilusão em que esta se converte não o faz mudar de ideias, pois o filósofo portuense sentia-se aborrecido com a rotina universitária no Brasil, além de ter sido imposta a ditadura dos coronéis em 1964, cuja polícia adquiriu legalmente rédea livre para a sua famosa ferocidade, precisamente em 1969. Era, portanto, mais seguro ficar numa terra natal orgulhosa do seu prestígio internacional, o qual equivalia a um salvo-conduto que o protegia da PIDE e afins.

Como era lógico, passou a escrever, ensinar e a ocupar altos cargos em universidades portuguesas, como o Centro de Estudos Latino-Americanos da Universidade Técnica de Lisboa e o atual Instituto Camões, defendendo o seu conceito de liberdade, de ação e de pensamento.

Ganhará fama entre o grande público português devido ao programa televisivo *Conversas Vadias* da RTP1, onde foi entrevistado por jornalistas como Maria Elisa ou Baptista-Bastos.

Antes de morrer, com 88 anos, Agostinho da Silva afirma, durante uma entrevista, que era raro ler jornais, sendo o jornal *Público* uma exceção, sendo o motivo as popularíssimas tiras diárias de banda desenhada de Calvin e Hobbes.

❧ 1949 ❧

EGAS MONIZ, PRÉMIO NOBEL DA MEDICINA E FISIOLOGIA

Orgulho nacional em Portugal, condenado no estrangeiro.

O primeiro português a receber um Prémio Nobel gerou tanto orgulho nacional que ainda hoje o seu nome perdura através da toponímia de muitas cidades e vilas portuguesas, bem como na de hospitais, escolas e outras instituições.

Trata-se de António Caetano de Abreu Freire Egas Moniz, Prémio Nobel da Medicina e Fisiologia de 1949, que não se limitou a ser um médico e investigador notável das doenças e segredos do cérebro, foi também um apaixonado pelas artes e literatura. Disso são prova os trabalhos sobre Silva Porto e José Malhoa, na pintura, e Júlio Dinis, Guerra Junqueiro e Júlio Dantas, nas letras. O nome de batismo era mais popular: António Caetano de Abreu Freire, porém, o seu tio e padrinho, o padre Caetano de Pina Resende Abreu Sá Freire, propôs que a este nome se acrescentasse o apelido Egas Moniz, uma vez que a aristocrática família descendia em linha direta do aio de D. Afonso Henriques, do mesmo nome (assim está explicada a semelhança de nomes que levou muitos jovens a confundir os dois, a julgar por inúmeros trabalhos escolares).

A vida e obra de Egas Moniz estão atualmente bastante esquecidas do público português, no entanto, alguns episódios pitorescos da sua existência são úteis para reavivar as memórias sobre esse homem tão famoso na época, a nível nacional e internacional. No Hospital de Santa Maria, onde ocupou a cátedra de Neurologia, pode visitar-se o Museu Egas Moniz, onde está patente uma reconstituição do seu gabinete de trabalho com peças e manuscritos originais. O Prémio Nobel foi-lhe concedido em 1949, após ter sido proposto cinco vezes, desde 1928. A última proposta de candidatura saiu de uma delegação de colegas brasileiros à I Conferência Internacional de Psicocirurgia, realizada em Lisboa, em 1948, e na qual teve o apoio da comunidade científica presente. Por motivos de saúde, não lhe foi possível deslocar-se à Suécia, pelo que, excecionalmente, a cerimónia de entrega do galardão decorreu em sua casa. Durante a I República, foi deputado no Parlamento, embaixador de Portugal em Espanha, ministro dos Negócios Estrangeiros e ainda presidente da Delegação Portuguesa para a Conferência de Paz, realizada em Paris em 1918.

Existem pelo menos dois aspetos curiosos na vida de Egas Moniz: um deles está relacionado com os sermões do padre António Vieira e o outro com a própria investigação sobre as doenças cerebrais e que lhe valeu o Prémio Nobel aos 75 anos. Na realidade, são dois em um.

Três anos depois de receber o prémio, Egas Moniz proferiu uma conferência na Academia de Ciências de Lisboa acerca do padre António Vieira, uma das suas figuras preferidas, não só pela postura ética, como pela coragem com que dizia abertamente verdades sobre reis e nobres, sem temer consequências. Foi um dos seus sermões, pregado em 1651 às freiras do Convento de Odivelas, que serviu de mote a essa conferência. Resumindo, encontrou nesse sermão do século XVII uma frase que torna Vieira «um precursor das doutrinas organicistas que dão ao cérebro o valor da estação central das funções mentais. O padre António Vieira definiu a sua posição ao lado dos organicistas num passo de grande nitidez e clareza». A frase do sermão chama a atenção para a tentação diabólica e o perigo que representam os espelhos, focos de vaidade que não têm cabimento num convento de virgens dedicadas a Deus e que só devem ter como espelho as figuras de Cristo e de sua Mãe:

«Dentro da nossa fantasia, ou potência imaginativa, que reside no cérebro, estão gravadas, como em tesouro secreto, as imagens de todas as coisas que nos entram pelos sentidos, a que os filósofos chamam espécies. Assim como as letras do alfabeto são meios para combinarmos todas as palavras, assim o cérebro, com as infinitas combinações de todas as imagens que ele guarda, nos proporciona a variadíssima imaginação que nos conduz a todos os apetites» («Sermão do Diabo Mudo», *Sermões*, III, 331).

Ao adotar a postura aristotélica, mas não menos cartesiana, de que «as imagens de todas as coisas que nos entram pelos sentidos» residem na mente humana, podendo desencadear tanto ações meritórias como reprováveis, Vieira teve, 300 anos antes do século XX, na opinião de Egas Moniz, uma intuição da vida cerebral tal como era então conhecida. Essa conferência do Prémio Nobel na Academia das Ciências terminou com as seguintes palavras: «Se algum dia se criar em Portugal um instituto para estudar o cérebro humano, peço aos vindouros que no átrio de entrada fique em lugar de grande realce a frase que serviu de tema a esta comunicação e que se ouviu há três séculos na igreja do Mosteiro de Odivelas.»

Outro episódio relaciona-se com o próprio tema de investigação que levou à atribuição do prémio. Egas Moniz implementou uma técnica para estudar as doenças cerebrais, principalmente casos de esquizofrenia, depressão severa, violência ou suicídio, e psicoses em geral, denominada lobotomia, ou, mais propriamente, leucotomia pré-frontal, já que são duas técnicas diferentes. Enquanto na leucotomia pré-frontal se corta parte da substância branca localizada nessa região do cérebro (através de pequeno instrumento desenvolvido pelo próprio autor, designado por leucótomo), na lobotomia frontal, já bastante utilizada nos EUA por dois médicos americanos, aproximadamente na mesma época, faz-se o corte do lobo frontal, com uma espécie de picador de gelo. Ora os efeitos secundários resultantes destas intervenções, ao desligar as emoções de pessoas demasiado agitadas, e gerar sérias mudanças na sua personalidade, eram de tal modo severos e prejudiciais, que os familiares dos operados chegaram a solicitar, ou mesmo a exigir, a anulação do Prémio Nobel concedido ao neurocirurgião. Foi criado há poucos anos um *site* na Internet, por uma médica, Christine Johnson, com o objetivo de estabelecer uma rede de apoio aos pacientes lobotomizados. No entanto não existe qualquer cláusula na Carta Nobel que contemple a revogação do Prémio. Egas Moniz aplicava a técnica apenas como último recurso, porém, a sua rápida aplicação de maneira maciça nos manicómios e até em crianças agitadas e adolescentes rebeldes fez que os pacientes se transformassem em seres apáticos, sem emoções, vivendo como vegetais. Estima-se que de 1945 a 1956, mais de 50 000 pessoas tenham sido sujeitas a lobotomia, no mundo inteiro. De facto, dada a grande controvérsia que gerou, a lobotomia, feita através de trepanação, foi considerada uma técnica bárbara, e foi abandonada.

No entanto, continua a usar-se a trepanação, ou seja, a abertura de um ou mais orifícios no crânio por meio de uma broca cirúrgica, a fim de drenar um hematoma ou inserir um cateter cerebral. Esta técnica existia já no Mesolítico (há muitos ossos cranianos com buracos de trepanação no Museu Geológico de Lisboa) e foi muito utilizada pelos médicos egípcios da Antiguidade. Na maioria das vezes, tratava-se de um procedimento cirúrgico, cujo objetivo era eliminar os maus espíritos e demónios do paciente, mas sem nenhum significado terapêutico. Por outro lado, também servia para remover ossos fragmentados resultantes de golpes violentos na cabeça, o que já possuía um valor terapêutico vital, numa época em que a medicina era primitiva, e eram raros e limitados os conhecimentos corretos capazes de salvar vidas. Em muitas épocas da história, os ditos loucos eram queimados vivos na fogueira, acusados de relações com o Diabo (afinal nem todas as confissões de «bruxas» e «lobisomens» eram fruto da tortura, ou seja, também eram delírios de mentes perturbadas). Durante séculos, os doentes mentais foram metidos em masmorras insalubres de onde só saíam em dias de festa para serem expostos à curiosidade e recreio do povo. A história da «loucura» está cheia de insanidades dos médicos.

Egas Moniz foi ainda o inventor de uma técnica essencial para a visualização de vasos e artérias sanguíneos, a angiografia cerebral, que permite, além de muitas outras aplicações, detetar aneurismas. Por este trabalho recebeu, entre muitos prémios e condecorações a nível nacional e internacional, o prémio da Faculdade de Medicina de Oslo.

Uma homenagem nacional para celebrar a atribuição do Prémio Nobel foi tentada por centenas de milhares de portugueses empenhados em fazê-la, em 1950. Mas essa muito ansiada homenagem nunca chegou a realizar-se.

O facto de Egas Moniz ter sido alvejado a tiro por um dos seus antigos pacientes, que tinha descrito como «perigoso», levou alguns a acreditar, ainda hoje, que foi morto e acabou por ser feita «justiça poética». Na realidade, ficou paralítico e sujeito a uma cadeira de rodas até à morte, ocorrida em 1955.

❧ 1958 ❧

CANDIDATURA DO *GENERAL SEM MEDO*
ÀS ELEIÇÕES

Nunca se deve acreditar em promessas de ditadores quanto a eleições honestas!

No dia 10 de maio havia pouco entusiasmo e muito ceticismo no Café Chave d'Ouro, onde se desenrolava uma conferência de imprensa cujo protagonista era Humberto Delgado, que iria anunciar oficialmente a sua candidatura à Presidência da República. Não havia motivos para haver idealismo ou esperanças ingénuas. Delgado foi um apoiante do golpe de Estado que impôs a Ditadura Nacional, tendo sido ferido quando resistiu às fracassadas tentativas de contragolpe de 1927. No seu livro *Da Pulhice do Homo Sapiens*, publicado em 1934, exprimia as suas ideias favoráveis ao Estado Novo, tendo sido uma figura importante na Legião Portuguesa e na Mocidade Portuguesa, o que deve ter contribuído para ser nomeado general, o mais jovem das Forças Armadas Portuguesas, as quais eram um dos maiores sustentáculos do regime.

Tinha a seu favor as visitas frequentes a Henrique Galvão, um direitista preso por se ter desiludido com o regime.

Os comunistas alcunharam-no pejorativamente de *General Coca-Cola*, pois era anglófilo, ao ponto de ter sido um dos negociadores do Estado Novo que concordariam em permitir a construção de bases militares da Grã-Bretanha nos Açores, além de ter sido adido militar da Embaixada portuguesa nos Estados Unidos, onde teve o privilégio de assistir a testes nucleares em 1955.

Os discursos e respostas de Delgado eram vagos e tinham os habituais chavões, e só mesmo um repórter de um país politicamente e civicamente mais livre faria uma pergunta difícil e embaraçosa.

O repórter trabalhava para a France-Presse e a pergunta era que atitude teria o general para com Salazar se fosse eleito. Resposta: «Obviamente, demitia-o!» A enorme ousadia da frase dá ânimo ao povo, que adere em grande escala à campanha de Humberto Delgado, cuja língua afiada e frontal não irá desiludir aqueles que almejam ouvir algo de novo. Tal como muitas frases históricas, a que celebrizou Humberto Delgado foi distorcida, de maneira a tornar-se mais interessante para as massas, e até para as elites: «Obviamente, demito-o.» O *General Coca-Cola* passa a ser o *General sem Medo.*

Humberto Delgado parecia ser o candidato capaz de atrair votos da direita desapontada com o Estado Novo, especialmente monárquicos e os chamados católicos progressistas. E passou a ser o favorito de toda a oposição, tendo até recebido o apoio dos comunistas. Aliás, o candidato do PCP, Arlindo Vicente, renuncia a favor do *General sem Medo*, no que foi conhecido como o «Pacto de Cacilhas».

O antigo *General Coca-Cola* faz campanha política ao estilo dos Estados Unidos, isto é, entra em contacto com o povo, faz comícios ao ar livre, desfila em automóveis descapotáveis, discursa com fervor e sem «papas na língua», quando critica o regime. No Porto, mais de 100 000 pessoas reúnem-se para o verem discursar.

Claro que o Governo de Salazar não reage passivamente à maior ameaça ao seu poder desde 1947. Quando a Segunda Guerra Mundial tinha chegado ao seu tão desejado termo, boa parte da sociedade estava entusiasmada, pois Portugal e Espanha eram os únicos regimes fascistas ainda existentes na Europa e acreditava-se que iriam abandonar o poder ou ser expulsos. Mas permaneceram neutros durante o conflito mundial, e eram úteis à NATO contra o comunismo internacional (a Guerra Fria acabara de começar), logo mantiveram-se no poder. No caso de Salazar, foram prometidas eleições, mas a vida dos candidatos do MUD (Movimento de Unidade Democrática, oposição) é infernizada pela PIDE e outros partidários do Estado Novo. Detenções, repressão violenta de manifestações e desfiles, proibições (de distribuir panfletos a favor da oposição, por exemplo), todos esses métodos foram utilizados para converter as eleições «livres» numa farsa. Naturalmente foram repetidos na campanha eleitoral de 1958, mas a oposição não desiste.

O *General sem Medo* era muito popular, mas, como disse Estaline, um colega de profissão de Salazar, malgrado as suas ideologias (não tão) diferentes, o que importa não é quem recebe mais votos, mas quem conta os votos. A oposição é proibida de inspecionar os boletins eleitorais, de acordo com um decreto anunciado no próprio dia das eleições, 8 de junho, e Humberto Delgado «perde» oficialmente, com cerca de 24 por cento dos votos.

O *General sem Medo* faz jus ao seu epíteto, protestando contra a fraude eleitoral e incitando à continuação da luta pacífica contra o regime. A indiferença das autoridades civis, militares e religiosas perante as cartas que enviou, a brutalidade da polícia, que reprime com espancamentos e detenções uma romagem em homenagem aos heróis da república, realizada tradicionalmente no feriado de 5 de outubro, mostram quão ingénuos eram tais métodos.

Delgado refugia-se no Brasil, onde é recebido como um herói pelos imigrantes portugueses e pelos brasileiros, que consideram Portugal como «pátria-irmã.

Fracassados os métodos pacifistas, o general recorre aos métodos armados, destacando-se o famoso assalto ao paquete *Santa Maria*, pelo referido, e evadido, Henrique Galvão. Também ocorre um ataque fracassado ao Quartel Militar de Beja, na noite de Ano Novo de 1961/1962. Embora Humberto Delgado tenha percebido que Portugal não estava preparado para uma revolta armada, ao menos pôde entrar disfarçado no país, participar numa ação arriscada e regressar ao Brasil, onde revelou, de maneira pública e humilhante (não para ele), a maneira como enganou a PIDE.

Como boa parte da oposição ao Estado Novo era contra ações armadas, a que chamava «aventureirismo», o *General sem Medo* entra em conflito com esta. Tendo em conta que foram os Capitães de Abril que derrubaram o regime, recorrendo à ameaça de armas, e não infindáveis discursos orais e escritos, parece que os métodos Humberto de Delgado não eram assim tão irresponsáveis.

Mas eram arriscados, uma vez que entrou em contacto com outros resistentes, com os quais marca encontro em Badajoz (Espanha), em fevereiro de 1965. Não voltou a ser visto, nem a sua secretária brasileira, Arajaryr Moreira, até serem desenterrados meses depois, num bosque de eucaliptos de nome agoirento (Malos Pasos, ou «maus passos»).

Tanto Franco como Salazar juram e garantem a sua inocência quanto aos assassínios, acusando a oposição portuguesa de os ter eliminado devido a lutas de poder.

Depois da Revolução de Abril, é confirmado o que todos sabiam, as mortes foram obra da PIDE. Com a autorização de Silva Pais, diretor-geral da célebre polícia secreta, uma equipa de quatro agentes, dirigida por Rosa Casaco, enganou o general fazendo-se passar por dissidentes antissalazaristas, tendo-os abatido a tiro.

Todos os autores do crime são condenados pelo tribunal do julgamento de 1981, mas como algumas condenações foram feitas à revelia, ou eram leves, ou ambas, não foi feita justiça, havendo acusações de ter ocorrido uma «segunda morte» do destemido e imprudente general.

Rosa Casaco causa até escândalo, entrando ilegalmente no país em 1998 (estava exilado em Espanha) para ser entrevistado pelo jornal *Expresso*, tendo defendido a sua inocência, naturalmente.

ഏൟ 1961 ஒൟ

ANNUS HORRIBILIS PARA SALAZAR
E O ESTADO NOVO

Perda das colónias da Índia, desvio do paquete Santa Maria e início da Guerra Colonial.

Na Venezuela havia muitos refugiados antifascistas portugueses e espanhóis, alguns dos quais queriam continuar a luta. Um deles era o capitão Henrique Galvão. Curiosamente, foi propagandista do Estado Novo que glorificava os feitos de Portugal nas colónias, e na juventude apoiou o golpe que criou a Ditadura Nacional. Quando fez um relatório onde era criticada impiedosamente a corrupção e incompetência das autoridades coloniais em África (nem todos podem viver eternamente num mundo de ilusões, ao que parece), caiu em desgraça perante o regime e o seu feitio combativo contribuiu para a sua prisão – e para a sua fuga.

Galvão era anticomunista, uma defesa contra a propaganda salazarista, logo foi nomeado um dos líderes da operação, com um total de 24 membros, portugueses e espanhóis. Como tinham a esperança quixotesca de atracar em África e causar uma revolta dos colonos contra o regime, era adequado que o nome da operação tivesse o nome da amada de D. Quixote, «Dulcineia». Os espanhóis eram sobretudo galegos, tal como o general Franco, que pôs fim à República Espanhola e discriminou a cultura galega – imagine-se o rancor deles.

O grupo a que ele pertencia decidiu apoderar-se do paquete de luxo *Santa Maria*, que possuía a vantagem de ser português (não havia pena de morte em Portugal, pelo que se fossem apanhados havia menos riscos de irem para o *paredón* ou de sofrerem o garrote).

O assalto ao *Santa Maria* custou um morto e três feridos à tripulação e o ato foi considerado pirataria. Mas quando o grupo declarou que eram insurgentes contra o Estado Novo e favoráveis ao *General sem Medo,* a acusação perde credibilidade e o regime de Salazar ficou isolado internacionalmente: agora sabia-se que havia oposição não comunista ao Estado Novo e os EUA escoltam o paquete, que os resistentes denominaram de *Santa Liberdade,* para assegurar o bem-estar dos seus compatriotas presentes entre os passageiros, o que impediu que este fosse recapturado à força pelas autoridades portuguesas. E o Brasil deu asilo político aos revolucionários em troca da libertação de todos os reféns. Galvão não conseguiu fazer surgir «o dia que amanheceria à luz do sol da liberdade» (palavras suas), mas fez um belo golpe propagandístico contra o ditador!

Entretanto, como sabemos «Portugal é um país de brandos costumes». Frase celebrizada por Salazar, que a utilizava para mostrar como o país era pacífico, com poucos crimes e miséria, amizade, como nos filmes com o célebre Vasco Santana, e harmonia inter-racial. É um hábito da propaganda das ditaduras descrever os respetivos países como lugares felizes. E para isso exageram ou inventam os seus feitos positivos, enquanto o reverso da medalha é ignorado (censurado) ou negado publicamente.

As colónias africanas eram o melhor exemplo. Os negros «assimilados», com a cultura e língua dos colonos portugueses, eram alvos frequentes de insultos, como «escarumba». A esmagadora maioria dos negros era analfabeta, sem embargo de os haver entre os colonos, mas em proporção menor. Era frequente os trabalhadores humildes serem requisitados para trabalhados forçados temporários que não lhes davam tempo para trabalharem para o seu próprio sustento, como o cultivo de algodão para a empresa Cotonang, em Angola, e o das obras públicas, como a construção de estradas. E a disciplina incluía o uso do chicote!

Um exemplo da verdadeira face do sistema ocorreu em 1953, quando o governador Carlos Gorgulho massacra cerca de mil pessoas em São Tomé (e diz para se livrarem dos cadáveres: «Deita essa **** ao mar para evitar chatices»). Ele foi glorificado por ter reprimido uma conspiração comunista – até a PIDE descobrir que inventara a «teoria da conspiração» para poder saquear as terras e outros bens da população! Salazar esconde o escândalo e só se punem levemente sabujos menores. Gorgulho perde, somente, o seu cargo e o sonho de ser governador de Angola. Outro caso é o da revolta de trabalhadores negros na Guiné-Bissau em 1959: a repressão mata dezenas de africanos.

Em 15 de março de 1961, a União das Populações de Angola (UPA) desencadeia a revolta, preparada ao longo de meses. É o Terror Negro: foram massacrados de 800 a 1200 colonos, incluindo crianças e mulheres. Grávidas foram esventradas, mulheres foram violadas e até os mortos foram mutilados. E cerca de 8000 africanos foram mortos por colaborarem com os colonos, e para isso bastava ser assimilado ou não querer participar na revolta e/ou nas suas brutalidades...

Muitos mortos foram mutilados porque os assassinos acreditavam que assim as suas almas não os iriam assombrar, segundo uma crença local. Outra razão mais material para tantos horrores foram os *quimbombos*, drogas locais consumidas por muitos dos rebeldes e que os tornou mais sedentos de sangue e sem medo de morrer. Era esse o resultado de gerações de abusos e brutalidade: «Preto que leva porrada de português nunca mais esquece como português bate», disse um rebelde.

Responde-se com o Terror Branco: uma milícia de colonos e o exército colonial massacram milhares de negros, principalmente civis sem armas. Mulheres e crianças incluídas, naturalmente. E o mundo condena Portugal quando são exibidas várias fotografias com cabeças de negros decepadas, obra dos portugueses, que se afirmavam «civilizados a lutar contra selvagens e comunistas»!

O regime fica tão abalado que ocorre a Abrilada: em abril desse ano o ministro da Defesa, general Botelho Moniz, e vários oficiais de alta patente planeiam demitir Salazar. Mas a conspiração é descoberta e os seus responsáveis são afastados do Governo.

Salazar recusa-se a negociar e a perceber que chegou o fim de uma época e ordena o envio de soldados para reprimir a revolta: «A explicação é Angola, andar rapidamente e em força é o objectivo que vai pôr à prova a nossa capacidade de decisão.» Ele mostra o valor que dá à vida humana ao afirmar: «Só devemos chorar os mortos se os vivos não o merecerem...» Aliás, ele autoriza a prisão ou morte de mais de cem padres (negros e brancos, incluindo estrangeiros de países como a Holanda), muitos deles católicos, sendo na sua maioria metodistas.

A resposta de Salazar ao seu crescente isolamento é bem descrita num discurso de 1965: «Combatemos sem espectáculo e sem alianças, orgulhosamente sós.»

Desde que a Índia recuperou a sua independência que Goa, Damão e Diu eram ali o último vestígio do domínio colonial europeu. O Governo indiano tentou que Portugal abandonasse essas cidades. Sem sucesso. Como disse o professor Inocêncio Galvão Teles: a União Indiana, «não tendo de seu lado a força do direito, fez-se valer do direito da força».

O brigadeiro Leitão, comandante das tropas portuguesas na Índia, pediu armamento, viaturas, munições e mais efetivos à Metrópole: não havia ali Força Aérea, e a Marinha e Artilharia eram medíocres. A resposta foi que não haveria guerra.

Quatro meses depois, a 17 de dezembro, 3200 soldados portugueses mal armados são atacados por 50 000 soldados indianos com armamento superior. E as ordens vindas de Lisboa eram para lutar até ao fim, sem rendições. Salazar disse: «É horrível pensar que isso pode significar o sacrifício total, mas recomendo e espero esse sacrifício como única forma de nos mantermos à altura das nossas tradições e prestarmos o maior serviço ao futuro da Nação!» Há quem acredite que Salazar queria um massacre das tropas portuguesas para assim apresentar a nação como vítima de um agressor cruel.

Mas as tropas não acreditavam em suicídios inúteis e a sua rendição é rápida. Aliás, o Exército indiano esforçou-se por causar o menor número possível de mortes, para preservar a reputação pacifista de Nehru.

No campo de prisioneiros de Pondá, os portugueses «passavam fome três vezes por dia» (as refeições diárias era medíocres) e sofriam de falta de assistência médica. No entanto, muitos indianos davam comida aos prisioneiros, proibidas depois pelo Governo indiano, e os guardas costumavam ser brandos (especialmente os *sikhs*). Exceto quando o major que comandava o campo ameaçou fuzilar os prisioneiros, por estes quererem punir um delator, algo que foi evitado pelo persuasivo padre Joaquim Ferreira da Silva.

Nota humorística: o exército colonial pediu à Metrópole «chouriços» (nome de código para munições) e receberam chouriços autênticos! Como os hindus desencorajam o consumo de carne (e aos *sikhs* e muçulmanos é proibido comer porco), estes foram fornecidos aos prisioneiros, que garantiram a sua excelente qualidade!

Assim acabou o domínio português na Índia, e a humilhação foi agravada pela obsessão do Estado Novo de glorificar 450 anos do passado guerreiro dos portugueses na defesa e construção do seu império. Com frequência e injustiça, os antigos prisioneiros eram acusados de covardia e traição. Muitos sofreram processos judiciais, com demissões e outras sanções.

Era o início de muitos rancores dos militares contra o regime, cujo desfecho ocorreria em 1974.

A falta de apoios que Salazar teve de muitos antigos aliados e subordinados nesse ano tornou muito adequada alcunha do velho ditador: *Eremita de São Bento*.

ᴥ 1968 ᴥ

O FIM DE UMA ERA:
A QUEDA LITERAL DE SALAZAR

*Cedo se descobre que os males de um sistema e de um país
não podem ser imputados a um único homem...*

O Estado Novo estava tão podre que não conseguia ocultar o seu
fedor. Um belo exemplo foi a admirável ousadia do jornal clan-
destino *Portugal Socialista,* que, a 1 de janeiro, denunciou um escândalo com o título «Ballet Rose», em referência aos holofotes de luz
rosa que iluminaram muitas festas com prostitutas fornecidas pela
«modista» Genoveva. O facto de as «meninas» serem literalmente
meninas, desde os nove até aos 17 anos, provenientes de famílias
miseráveis, e de uma rapariga ter sido estrangulada deve ter contribuído muito para a corajosa denúncia do advogado Dr. Fernando
Pires de Lima. Como sempre, Salazar jurou que era tudo mentira,
apesar de o escândalo ter sido exposto pela imprensa internacional,
e não houve nenhum processo judicial contra os envolvidos. No
dia 3 de agosto, o ditador senta-se numa cadeira de lona, que não
aguenta o seu peso e se desfaz, levando à sua queda, literalmente
falando. Essa versão é contrariada pelo barbeiro Manuel Marques, que defende que Salazar era «muito cabeça no ar» e se sen-
tou distraidamente no lugar onde julgava estar a cadeira e, como
não estava, caiu... O estadista ordenou que guardassem segredo,
porém, duas semanas depois, sentiu-se mal, tendo sido enviado
ao hospital: salvou-se a sua vida, mas não a sua carreira política,
pois estava demasiado ferido (hematoma cerebral) para governar.
Salazar esteve no Governo 40 anos e 28 dias. Morreu em 1970.
Repare-se num pormenor cómico: o Governo dizia a Salazar
que este ainda governava, através de entrevistas e conversas sobre

política e economia. E, há quem diga que o antigo tirano fingia deixar-se enganar pelos seus antigos subordinados. Assim, todos enganam e mentem a todos, até ao antigo governante. Muito revelador sobre o Estado Novo!

O sucessor foi Marcelo Caetano, que ganhou popularidade ao demitir-se do cargo de reitor da Universidade de Lisboa aquando da repressão às manifestações estudantis. Enveredou por promessas de reformas conhecidas como «Primavera Marcelista», nome imerecido, já que os objetivos eram liberalizar a ditadura para melhor a preservar: «evolução na continuidade» era o lema de Caetano. De resto, cedo se revelou que mudanças como o abrandamento da censura e repressão, além de modestas, eram curtas. A prova que acabou com todas as ilusões foi a fraude eleitoral de 1969, ao demonstrar o óbvio, uma vez mais: nunca confiar em promessas de ditadores, sobre reformas radicais e eleições livres.

A oposição ao regime intensifica-se: forma-se a já referida ARA, surgem manifestações contra a Guerra Colonial e o colonialismo, o número de desertores e objetores de consciência sobe em flecha; um grupo de católicos progressistas ocupa a Capela do Rato, em 1972, para protestar contra o apoio da Igreja ao Estado e contra a guerra (cerca de 70 foram detidos). O movimento estudantil torna-se mais ativo e as manifestações de 1969 (versão nacional do Maio de 68, em França) levam à demissão do ministro da Educação, o célebre historiador José Hermano Saraiva.

É preciso notar que Marcelo Caetano não era um típico «Grande Irmão», que tudo controla: o seu poder era subordinado ao Estado. Um bom exemplo disso está no «aviso» do presidente da República, o almirante Américo Tomás, de que o Exército tomaria o poder caso Caetano pensasse renunciar à preservação do Ultramar.

৯ 1969 ৯

CRIAÇÃO DA FUNDAÇÃO CALOUSTE GULBENKIAN

Uma das mais importantes do país embora a responsabilidade seja de um estrangeiro.

Acredita-se que a família arménia de apelido Gulbenkian seja descendente dos príncipes da Rechdouni, já existentes no século IV d. C. Se for verdade e não bajulação, ascendência adequada a uma família cujas riquezas e mecenato eram dignas e até superiores à de muitas casas reais.

Calouste Sarkis Gulbenkian, nascido em 1869, obteve a licenciatura em Engenharia no King's College, em Londres. Cidadão do Império Otomano, naturalizado britânico, passou a vida a viajar, estabelecendo residências em diversas nações europeias e do Médio Oriente. Serviu, inicialmente, a Sublime Porta (Governo otomano) como súbdito nascido em Constantinopla. Mas os massacres do sultão Abdul Hamid II, *o Sultão Vermelho* (não era comunista, mas era sanguinário) e o genocídio de 1915, pelo partido dos Jovens Turcos, mostram que negociar com os governantes otomanos era uma atividade de risco, dependente dos caprichos da Sublime Porta. Gulbenkian talvez não tenha sido incomodado graças à sua elevada importância como homem de negócios, e à sua dupla nacionalidade turco-britânica.

A Alemanha faz investimentos económicos importantes na Turquia, relacionados com recursos mineiros e construção de caminhos de ferro, que culminam na formação da companhia petrolífera Turkish Petroleum Company (TPC), bem como na aliança militar turco-germânica, durante a Primeira Guerra Mundial. Como ambos os impérios foram desmantelados com a derrota militar sofrida, a TPC sofre o mesmo destino. Em 1928, as ações da extinta companhia alemã são partilhadas pela Anglo-Persian Oil Co., Royal Dutch Shell Group, Compagnie Française des Pétroles e Near East Development Corportion. Gulbenkian desempenha um papel importante em tais atividades económicas e financeiras, sendo astuto e visionário o suficiente para perceber o enorme papel que o Médio Oriente viria a ter para as referidas empresas. Uma vez que a quota-parte que detém em todas essas companhias petrolíferas é sempre de cinco por cento do respetivo capital, acabou por receber a alcunha de *Senhor Cinco por Cento*.

Os quatro gigantes petrolíferos partilham o ouro negro da região que se estende desde a parte asiática da Turquia até à Península Arábica, sendo o emirado do Koweit deixado de fora, por um acordo conhecido como «Linha Vermelha», devido a uma linha desenhada a vermelho num mapa que, verdade ou não, muitos acreditam que foi desenhada pelo próprio Calouste Gulbenkian com um lápis.

Em 1942, Gulbenkian é convidado a passar uma semana em Portugal, uma das raras nações europeias que se mantiveram afastadas da Segunda Guerra Mundial, semana que se estendeu por 13 anos, até à morte do magnata arménio, que se afeiçoou ao país e às vantagens que este lhe oferecia.

Calouste Gulbenkian adorava tudo o que se encaixasse no seu ideal de beleza, fossem obras de arte ou literárias, jardins, natureza, paisagens e animais. Não hesitava em adquiri-las a preços elevados, não importava quais fossem. Um exemplo do nível da sua «modéstia» e «simplicidade» é o lema que adotou: «Só o melhor é que é suficientemente bom para mim.» Outro exemplo paradigmático dos gostos exigentes de Gulbenkian foi a propriedade rural onde passou os seus verões vários anos, denominada Los Enclos, onde foi criado um jardim de considerável beleza e harmonia. Além do prazer estético, Los Enclos servia de refúgio dos assédios da imprensa.

Gulbenkian colecionava arte desde a juventude, tendo sido a numismática a primeira coleção a despertar-lhe paixão. O que não é de espantar, pois a Arménia já era um reino independente que cunhava as suas próprias moedas no século I a. C., o que significa que é a nação mais antiga da Europa, mesmo sabendo que foi ocupada por invasores estrangeiros durante vários séculos.

Tapetes, porcelanas, brocados de seda, coches, relógios, candelabros, moedas, faqueiros, manuscritos, pinturas, nada escapou à atenção de Calouste Gulbenkian. Além de livros cujos temas versavam artes, como a ourivesaria, mobílias, pintura, e ciências, como a arqueologia, colecionando também livros antigos com iluminuras. Predominavam as obras provenientes do Médio Oriente.

As pinturas europeias colecionadas incluem muitas obras produzidas ao longo de séculos, desde a Idade Média até ao século XX, de que são exemplo os grandes mestres holandeses (Van Dyck, Rembrandt, Rubens), franceses (Delacroix, Degas, Renoir, Monet, Lépine, só para mencionar uns poucos de uma enorme lista) e vários autores italianos, incluindo os da Renascença, como é lógico.

O afeto de Gulbenkian pela sua gigantesca coleção, espalhada por todo o mundo, era tal que só a mostrava a parentes e amigos íntimos. Como disse uma vez esse magnata que viveu durante o reinado de sultões turcos: «Iria eu mostrar as mulheres do meu harém a um estranho?»

Quaisquer que tenham sido os defeitos pessoais e a ética dos negócios, o *Senhor Cinco por Cento* nunca se esqueceu da sua cultura e origem arménias, pelo que financiou escolas, bibliotecas e outras instituições da comunidade arménia, mundialmente dispersa, graças aos horrores perpetrados pelos turcos. Sendo a Arménia a primeira nação a tornar-se cristã (século IV), é natural que ele tenha financiado inúmeras igrejas arménias e adicionado obras religiosas criadas pelo seu povo à sua coleção particular.

Gulbenkian trouxe a maior parte da sua coleção para Portugal, a fim de a reunir sob o mesmo teto, para o que planeou a criação de um museu. Das obras arménias, só uma pequena parte ficará em Portugal, uma vez que prefere oferecê-las a instituições arménias e, não menos importante, ao Patriarcado de Jerusalém.

Quando morre, em 1955, o testamento deixado ordena a criação de uma instituição dedicada à caridade, à arte, às ciências e à educação – a Fundação Calouste Gulbenkian, que possui um coro e uma orquestra, uma biblioteca, uma editora e contribui para modernizar a medicina portuguesa, além de ramificações no Reino Unido.

O Museu Calouste Gulbenkian é inaugurado em 1969, 14 anos após a morte do *Senhor Cinco por Cento*, e o Centro de Arte Moderna em 1983.

A importância da Fundação Calouste Gulbenkian para a sociedade portuguesa, em termos de artes e de investigações científicas, é incomensurável e garantiu que o seu fundador não fosse esquecido, além de o tornar mais famoso depois de morto do que em vida.

৩৪ 1970 ৪৩

MORRE ALMADA NEGREIROS, O ÚLTIMO EXEMPLAR DE UMA ERA

Ao contrário da sua obra, que marcou a introdução das artes vanguardistas em Portugal.

Não é possível falar da pintura portuguesa no século XX sem falar de Almada Negreiros. Originário de São Tomé, descendente de mulatos, foi um autodidata que ajudou a revolucionar as artes em Portugal, sem precisar de ter tirado um curso superior.

De notar que os professores da «escola da vida» onde Almada Negreiros estudou eram os membros da chamada vanguarda artística, ou a primeira geração de artistas modernistas, com os quais conviveu e trabalhou. Entre eles contavam-se tanto os artistas e autores modernos de Portugal como Fernando Pessoa, Mário de Sá Carneiro, como os das capitais estrangeiras que visitou, especialmente Madrid e Paris. Foi em Paris, onde tomou conhecimento da obra de Picasso, que este se converteu numa das suas influências, tanto artística como no gorro basco que ambos usavam. Outra influência fulcral foi Marinetti, fundador do futurismo, desdenhando o passado, procurando inspiração no futuro. Repare-se que, na infância, estudou numa escola jesuíta, onde os castigos incluíam vergastadas (como a maioria das escolas de então, incluindo universidades e instituições seculares), mas sabiam reconhecer talento: os jesuítas concederam-lhe uma sala onde podia fazer os seus desenhos. Era uma vez o estereótipo do artista oprimido por professores ignorantes!

Se Almada era crente, não era praticante, mas apreciava arte ao ponto de aceitar o desafio de fazer vitrais para igrejas, sendo a primeira encomenda os da Igreja de Nossa Senhora de Fátima. Se os jesuítas não adicionaram outra alma ao rebanho de Cristo, conseguiram, pelo menos, um ótimo colaborador na arte eclesiástica.

Almada, como era comummente chamado, era um artista multifacetado, pintor, desenhador, caricaturista, romancista, dramaturgo, ator, coreógrafo, ilustrador, gráfico, entre outras atividades. É bastante compreensível, e adequado, que Almada Negreiros, tivesse como alvo de admiração Leonardo da Vinci, um artista renascentista de múltiplas facetas e *Hommo universalis* (ainda que as suas outras atividades incluíssem medicina, arquitetura, engenharia, culinária, literatura, etc.).

Gostava de provocar a sociedade com ousadia e insultos ferozes, que ainda hoje causariam escândalo (e nalguns casos, com boa razão!). O seu *Manifesto Anti-Dantas e por Extenso* foi alvo de polémica na altura, cuja frase mais famosa é «Morra o Dantas, pim, morra o Dantas, pum!», e outras mais ousadas (como «uma geração com Dantas a cavalo é um burro impotente»).

Mas o que dizer *do Ultimatum Futurista às Gerações Portuguesas do Século XX*, onde ataca a república, democracia, lendas literárias como Dante, Camões e Vítor Hugo, ao passo que elogia a guerra, em pleno ano de 1917, isto é, durante a Primeira Guerra Mundial, a força e a agressividade, como sinais de virilidade (enquanto as mulheres têm a «missão de fêmea para fazer homens»)? O *Ultimatum* pode ter sido uma mera brincadeira de mau gosto, mas, dada a abundância de partidários de tais ideias e o facto de Negreiros não ter sido um opositor à Ditadura Nacional e ao Estado Novo, é difícil ignorar e não levar a sério tal texto. Por outro lado, declarou-se apolítico e rapidamente abandona o Secretariado de Propaganda Nacional do Estado Novo, para o qual trabalhou cerca de dois anos.

Nas críticas dirigidas ao povo e à sociedade portuguesa, que acusa de responsáveis pela decadência nacional, também é feroz, e com humor: «O povo completo será aquele que tiver reunido no seu máximo todas as virtudes e todos os defeitos. Coragem, portugueses, só vos faltam as qualidades!»

O casamento com Sara Santos, outra artista, parece ter arrefecido os seus impulsos excêntricos, tendo esta afirmado que foi uma âncora para o instável marido (tal como a lua de mel, passada na Vila Praia de Âncora), embora a esposa tenha renunciado amargamente à pintura, devido aos filhos e à sua falta de autoconfiança. Um sinal de afeto é o facto de Sara Santos ter sido a pessoa que mais retratou – depois dele próprio.

O talento de Almada como desenhador produziu uma enorme variedade de desenhos: cartazes, como os do filme *Canção de Lisboa*, com Vasco Santana e Beatriz Costa («o primeiro filme português feito por portugueses», de Cottinelli Telmo), caricaturas de revistas e jornais, publicidade comercial (como os chocolates da Fábrica Suíça), vitrais do Ministério das Finanças, desenhos gravados nas paredes da Faculdade de Direito de Lisboa e, sendo um admirador da *commedia dell'arte*, inclui nos seus desenhos muitos *pierrots*, arlequins e columbinas.

O fim de uma carreira rica e variada ocorre em 15 de junho de 1970, quando Almada Negreiros morre no Hospital de São Luís dos Franceses, no mesmo quarto onde tinha falecido décadas antes um amigo íntimo, cujo retrato mais célebre, atualmente no Centro da Arte Moderna da Fundação da Gulbenkian, tinha sido pintado pelo próprio Almada, Fernando Pessoa.

✥ 1974 ✥

25 DE ABRIL: REVOLUÇÃO DOS CRAVOS

O Exército devolve ao povo a liberdade que lhe tinha tirado.

Em 1974, o Estado Novo estava numa situação difícil devido à acumulação de desaires e derrotas diplomáticas e militares, como a incapacidade de pôr termo à Guerra Colonial, à sua crescente impopularidade, bem como a de proceder a reformas importantes, necessárias para uma sociedade em crise. Um dos principais grupos insatisfeitos com o regime era o Exército, algo bastante irónico, considerando que sempre foi um pilar do regime, além do seu criador. Os generais e outros oficiais superiores eram apoiantes tradicionais do salazarismo, mas a situação tinha-se alterado consideravelmente com os majores e capitães. Estes últimos arriscavam a vida na Guerra Colonial, a vários era desagradável ou escândalo tomar conhecimento dos horrores da guerra, e tinham um forte espírito de camaradagem favorecido pelos anos de combate.

No entanto, não eram recompensados pelos mesmos governantes que exigiam luta e sacrifícios, chegando a ser prejudicados em termos de privilégios e direitos. Provavelmente, era a maneira de o Estado Novo «puni-los» pela incapacidade de vencer a Guerra Colonial. Vários oficiais organizam-se e formam um grupo, o Movimento das Forças Armadas (MFA), decidido a pôr fim à crise, também conhecido como «Movimento dos Capitães» devido à abundância destes nas suas hostes, havendo uma minoria de oficiais mais graduados. Alguns esperavam dialogar com os governantes e convencê-los a ceder, um sonho pouco realista com a maioria das ditaduras, e ridicularizada pelos colegas mais belicosos, que os designaram «paninhos quentes». O número de «paninhos quentes» diminuiu quando alguns tentaram reunir-se com o general Américo Tomás, e este se recusou a recebê-los.

A crise de valores no Exército era elevada o suficiente para que um grupo de generais e coronéis garanta a sua lealdade numa cerimónia exibida pela televisão, tendo sido expresso o respeito dos restantes militares por eles e pela sua idade por meio da alcunha «brigada do reumático».

O general Spínola, cuja imagem de marca era o monóculo que costumava usar, era um veterano na luta contra o PAIGC na Guiné-
-Bissau, tendo ganho respeito por via das suas vitória militares. Era considerado justo, não tolerava o autoritarismo dos outros (embora adorasse exercer o seu) e criticava os erros e absurdos do regime. Sugeriram-lhe que ocupasse o lugar de comandante-
-chefe do Exército em Moçambique, deixado vago pelo general Kaulza de Arriaga, o mesmo que se gabou de vitórias que nem sequer enfraqueceram a rebelião e que tinha um triste cadastro no respeitante a crimes de guerra, sendo a sarcástica resposta: «O quê? Querem que eu vá para Moçambique perder uma guerra que o Kaulza já ganhou?» Deve ser referido que Kaulza, um direitista radical, também estava insatisfeito com o curso da guerra e da cega teimosia dos governantes, pelo que planeava tomar o poder. Mas é descrito por Spínola como ambicioso, mais precisamente, como desgostoso por Portugal não ser uma monarquia para poder ser rei.

É planeada a «Kaulzada»: Kaulza de Arriaga, o mesmo general que expôs os planos da Abrilada de 1961, regressa de Moçambique e contacta o Movimento dos Capitães, para que apoiem o golpe em gestação, o qual incluía a possível eliminação de Spínola e do seu aliado, o general Costa Gomes. O capitão Carlos Fabião denuncia o projeto, pelo que o embaraçado general abandona os seus planos e diz ao Governo que era tudo uma confusão e um mal-entendido.

Spínola adere aos jovens oficiais, um importante ganho para as suas fileiras, dado o prestígio e cargo do veterano de guerra. Há oficiais que desconfiam do general, dado o feitio autoritário e feitos realizados pelo regime. Ele responde às desconfianças com elogios temperados de ironia: afirmou-se satisfeito com tais desconfianças, pois seria um sinal de amadurecimento político e prova de almejarem democracia. Quando publica o livro *Portugal e o Futuro*, o mesmo general que tinha alcançado sucessos militares contra as guerrilhas africanas descreve como a Guerra Colonial não podia ter solução militar, só política, o que confirmava as ideias dos capitães. Apesar de o general de monóculo ainda ser contra a independência das colónias, propondo uma irrealista solução federal... Marcelo Caetano deve ter-se arrependido de ter aprovado o livro sem o ler. Os oficiais rebeldes pareciam considerá-lo como um sinal dos céus: «É pá, já leste a "bíblia" hoje?», perguntavam uns aos outros.

Planeia-se a tomada do poder na capital. As operações teriam início no dia 25 de abril de 1974, quando a rádio emitisse uma mensagem codificada, a qual era uma canção do músico José (Zeca) Afonso, famoso opositor ao regime. Era a segunda senha que confirmava o bom andamento das operações. A primeira senha, tocada às 22 horas e 55 minutos do dia 24 de abril, foi a música «E depois do adeus», cantada por Paulo de Carvalho.

Com rapidez e eficiência, os golpistas são bem-sucedidos e o regime de 48 anos cai com uma facilidade surpreendente, especialmente porque no anterior dia de 16 de março um golpe militar em Caldas da Rainha tinha falhado. Talvez os governantes não esperassem que a oposição fosse audaz ao ponto de tentar novo golpe cerca de um mês depois, mas os conspiradores acreditavam que a sua insistência ou iria depor o Governo ou pôr fim à guerra: «Se formos presos às centenas, como é que o governador vai continuar a guerra?»

Um acontecimento famoso, determinante para o desenrolar do golpe, ocorre quando uma coluna militar é enviada para reprimir os golpistas. Salgueiro Maia tenta dialogar com o brigadeiro Junqueira Reis, que comandava a dita coluna, mas este recusa e ordena aos seus homens que o abatam. O alferes Sottomayor recusa obedecer, um exemplo imitado pelos atiradores. Junqueira dos Reis grita e dispara para o ar, mas ninguém lhe dá ouvidos (a população apupa-o inclusivamente). Estava revelado um dos segredos do regime: já quase ninguém queria matar nem morrer por ele.

A PIDE/DGS foi a única instituição que resistiu, tendo disparado contra a multidão hostil junto à sua sede, daí resultando quatro mortes (as únicas da revolta). Contudo, o facto de a polícia secreta só se ter rendido aos militares, como garantia de que não seriam linchados pelo povo, insinua que estavam mais interessados em ganhar tempo para tentarem salvar a pele. Algo confirmado pelos documentos queimados pelos pides durante as longas horas de cerco. Curiosamente, a queima de papéis potencialmente prejudiciais parece ter começado a 19 de abril, o que indica que já sabiam, ou suspeitavam, da iminência do golpe. Em qualquer dos casos, não tiveram grande fé na vitória nem vontade de lutar!

De resto, segundo Salgueiro Maia, ao qual Marcelo Caetano se rendeu, os dois ministros que o acompanhavam não tiveram a mesma dignidade do recém-deposto governante perante a derrota: choravam copiosamente. E um deles era Moreira Baptista, o dirigente da PIDE...

A queda do Estado Novo levou à abertura de muitas prisões: por todo o país alastram greves de trabalhadores; a exigir melhores salários e melhores condições de trabalho, são saneados chefes, subchefes e administradores ligados ao regime ou simplesmente impopulares e surge a reforma agrária nos campos (cujo desfecho será um fracasso, infelizmente). Vários opositores à defunta ditadura saem dos esconderijos ou regressam do exílio, incluindo alguns de longa data, dos quais se destacam duas personagens de elevada importância para a nova república, Álvaro Cunhal, comunista e líder do PCP, e o socialista Mário Soares, que será posteriormente primeiro-ministro e presidente da República.

Já tinha ocorrido nos anos 1960 uma mudança radical nos costumes, mas o fim da velha ordem acelerou tais mudanças, pelo que inúmeros livros, filmes e programas televisivos censurados ou proibidos já eram aceites sem restrições, e aumentam as suas vendas, bilheteiras ou audiências. Os filmes eróticos e pornográficos já não eram vistos às escondidas: enormes filas eram vistas junto às salas de cinema. Como atualmente são vistos às escondidas na privacidade dos quartos, graças aos computadores, apesar de serem legais, e de a sociedade estar bastante secularizada, é mais difícil culpar Salazar e a Igreja de tais envergonhadas discrições (embora haja quem o faça, por uma questão de hábito). Mas isso tudo é uma longa história cujo resumo já exigiria espessos livros.

Uma história que explica porque os acontecimentos desse dia de 25 de abril são merecidamente designados de «Revolução de Abril» e porque ainda hoje é utilizado um *slogan* chileno adotado em Portugal na altura: o povo unido jamais será vencido.

Quanto à famosa vendedora de flores que pôs cravos nas armas dos soldados rebeldes, simbolizando o caráter pacífico das suas ações e a sua aceitação pelo povo, fez com que a revolução recebesse o nome alternativo de Revolução dos Cravos. Curiosamente, a sua identidade é um mistério (pelo menos, para a maior parte do público).

A importância do golpe de 25 de Abril pode ser considerada internacional, pois mostrou aos espanhóis que um regime autoritário podia ser deposto sem violência. A Revolução de Abril não ter conduzido nem à guerra civil nem à receada revolução comunista arruinou um dos principais argumentos de apoio do regime franquista: o fim deste levaria à guerra civil e ao comunismo. Em Espanha, introduziu-se um novo *slogan* nas manifestações: «Hoy Portugal, mañana España.» Quando o ditador morre, o Governo aceita fazer uma transição pacífica, com um enorme sucesso, ao qual a amnistia geral não deve ter estado alheia.

Repare-se num importante pormenor que ainda hoje é invulgar e insólito, que é o facto de um golpe de Estado feito por militares ter imposto um sistema político com eleições livres. Afinal, tais golpes costumam impor novas ditaduras, e as exceções à regra são mais exceções que confirmam a regra. A lamentável popularidade de alguns golpistas convertidos em ditadores militares, em nome do ódio ao «imperialismo ianque» ou à «ameaça vermelha», só reforça a singularidade dos capitães de Abril, bem como a sua recusa em tomar o poder para si mesmos.

ᘓᘓᓂ 1975 ᓂᘓᘓ

FIM DO «VERÃO QUENTE»
E DO IMPÉRIO ULTRAMARINO

Vislumbra-se a democracia.

Para preservar o domínio português, recorreu-se a métodos mais pacíficos: abolição dos trabalhos forçados, aumento da escolaridade entre os negros, proclamação da igualdade de direitos entre negros e brancos, incentivo de uma maior emigração para África, etc.

Naturalmente, essas mudanças eram insuficientes para acabar com a discriminação e ressentimento dos indígenas, pelo que os resistentes continuam a luta e o conflito agrava-se: depois de Angola, surgem cada vez mais movimentos armados no Ultramar, MPLA (Movimento Popular de Libertação de Angola) em Angola e o PAIGC (Partido Africano para a Independência da Guiné e Cabo Verde) na Guiné-Bissau, ambos em 1963, e a Frelimo (Frente de Libertação de Moçambique) em Moçambique, em 1964.

A reação inicial dos portugueses foi o patriotismo. O horror do «Terror Negro» e os relatos desonestos e tendenciosos sobre o «Terror Branco» ajudaram muito: o próprio secretário-geral do Partido Socialista apela para a preservação das colónias ultramarinas. O Partido Comunista Português condenou os crimes da UPA (União dos Povos de Angola) e só tinha aceitado o direito dos africanos a organizarem os seus próprios movimentos de independência em 1957. Aos soldados recebidos em Angola, cantava-se: «Angola é nossa – gritarei/É carne, é sangue da nossa grei/Sem hesitar para defender/É pelejar até vencer!»

O Estado Novo patrocina manifestações contra os EUA por estes apoiarem o desejo dos africanos à independência, ouvindo-se *slogans* lastimáveis como «Kennedy igual a Kruschev», sendo o exemplo mais lastimável: «Racistas! Traidores! Fora dos Açores» (por apoiarem os negros!). Um exemplo, entre muitos, de como o ódio aos EUA resulta, muitas vezes, de interesses egoístas e não de uma inexistente preocupação com os oprimidos (e que a conceção de «opressão» dos antiamericanos é questionável).

Todos os esforços diplomáticos para ganhar adeptos ao «direito» de Portugal manter o seu império fracassam. A maioria do mundo capitalista e comunista condena as políticas portuguesas. Por exemplo, a China de Mao apoia a UNITA (União Nacional para a Independência Total de Angola), de Jonas Savimbi, os EUA apoiam a FNLA (Frente Nacional de Libertação de Angola). Todas as colónias europeias em África adquirem a independência, o que eleva o número de países que apoiam os revoltosos. O papa Paulo VI recebe os líderes do PAIGC, Frelimo e MPLA, em 1970. Imagine-se a reação daqueles que garantem que o Estado Novo está a defender a cristandade de comunistas e pagãos!

O público português acaba por perceber que trava uma guerra cruel, que além disso empobrece progressivamente o país e o isola internacionalmente. Assim, a esquerda, muitos católicos progressistas (incluindo sacerdotes menores) e independentes passam a exigir paz e o direito à independência. A oposição é pacífica, exceto a exercida por grupos minoritários, como as Brigadas Revolucionárias e a ARA, que se dedicam à sabotagem e destruição de equipamentos e materiais do Estado, especialmente os de natureza militar.

As atrocidades portuguesas são inúmeras: tortura e assassínio de inúmeros prisioneiros; campos de concentração e prisões infernais como o lendário Tarrafal (Cabo Verde), São Nicolau (Angola), Machava (Moçambique); massacres de populações, como na operação «Viriato» em 1961, como represália aos massacres da UPA proclamou-se vitória, mas a desilusão não demora, e o comandante do Exército colonial angolano, general Silva Freire, morre num acidente de avião, juntamente com vários oficiais, o que foi um golpe ao moral português) e a operação «Nó Górdio», em que houve massacres como o de Wiriyamu; violar negras não era algo excecional; assassínio de líderes rebeldes, como Amílcar Cabral, por parte de membros do próprio partido, aliados à PIDE,

num golpe de Estado fracassado, ou o de Mondlane, líder da Frelimo, que um dia abriu um livro explosivo!

Muitos desses horrores foram denunciados por clérigos cristãos. A Igreja glorificava o patriotismo católico português, mas a
maioria dos padres não colaborantes era negra e/ou protestante
ou, no caso dos brancos, estrangeiros vindos de países como Holanda e Suíça. Claro que também houve clérigos nacionais contra
tais crimes, porém, estes eram geralmente padres (altas figuras
como D. António Ferreira Gomes, bispo do Porto, foram a exceção à regra). Naturalmente, a PIDE perseguiu-os, especialmente
os negros.

O autor da operação «Górdio», general Kaulza de Arriaga, des-
creveu-a como um sucesso e foi considerado como um dos maiores estrategistas militares vivos – por ele próprio. Mas os rebeldes
regressam, e a situação tinha-se degradado tanto em 1973, que os
colonos se sentiam inseguros nas cidades.

Arriaga, vulgo o *General sem Vitórias*, passou 16 meses na prisão, após o 25 de Abril e processou o Estado por se considerar
vítima de «injustiça». Óscar Cardoso, alto oficial da PIDE, torna-
-se membro da polícia secreta do *apartheid* sul-africano depois de
1974, e em Portugal beneficiou de uma pensão por serviços à pátria. A justiça nacional parece odiar mais o castigo de criminosos
importantes do que a pena capital….

Houve várias razões para o Exército Português ter aguentado
13 anos: teve o apoio dos regimes racistas brancos da África do
Sul e da Rodésia, bem como da França e da Alemanha Federal.
E explorou bem as guerras internas entre os resistentes (com a
FNLA, o MPLA e a UNITA a matar-se entre si, havendo até tréguas
e apoios temporários do Estado Novo à UNITA e a outros grupos).

Mas o Exército colonial era incapaz de lutar eternamente: a
resistência permanecia intensa e 40 por cento do Orçamento do
Estado foi gasto no conflito. A população e os próprios soldados
estavam desmoralizados («desertar, se possível, com armas» era o
lema dos soldados).

Porque é que o Estado Novo recusou até ao fim dar a independência ao Ultramar? Além dos motivos económicos, houve outros,
como os patrióticos. Um mapa da Europa representava as colónias
ultramarinas sobrepostas à Europa, mostrando que o Império Português era quase tão grande como esta, com a legenda «Portugal
não é um país pequeno» (mapa esse inspirado num discurso de

Afonso Costa). Perder as colónias por meio de uma guerra era humilhante para o orgulho nacional, sempre estimulado pela glorificação do passado guerreiro do país pela propaganda estatal.

Para Portugal, o preço da cegueira belicista foi de 6340 mortos, cerca de 15 000 deficientes físicos, mais de 100 000 ex-combatentes traumatizados. Imagine-se quão piores terão sido tais números entre os africanos...

Mais de um milhão de colonos são forçados a abandonar o Ultramar e regressam ao país onde eles, ou os seus pais, nasceram, o que lhes vale o apodo de *retornados*. Embora inicialmente isso tenha contribuído para o desemprego, os retornados integraram-se bem na sociedade.

No dia 11 de março desse ano, ocorreu uma tentativa fracassada de golpe de Estado, chefiada pelo general Spínola (que, posteriormente, fugiu para o Brasil e anunciou dirigir o Exército Libertação Português – ELP), resultante da instabilidade política que levou a que se sucedessem seis governos provisórios num só ano. O boato de que o PCP planeava um massacre dos oponentes de direita deu uma preciosa ajuda (embora nunca tenha passado do nível de «boato»...). No entanto, o único efeito que os autores conseguiram foi a radicalização da esquerda, levando à nacionalização de muitas empresas (bancos, seguros, transportes, etc.).

Em julho, inicia-se uma onda de vandalismo e saques contra sedes de partidos, especialmente as do PCP e de outras organizações de extrema-esquerda. Manifestantes enfurecidos por o ditador Franco ter mandado garrotar cinco membros da ETA invadem e vandalizam a Embaixada de Espanha. No Parque Eduardo VII, em Lisboa, numa manifestação de feministas, são atirados ao chão diversos símbolos machistas: sutiãs, tachos e panelas. Há greves e manifestações por todo o país, que chegam a terminar com violência, incluindo confrontos entre socialistas e comunistas. Vários manifestantes exigem a «dissolução da Constituinte» e o «controlo operário», e um «governo popular» (estes dois últimos, *slogans* marxistas). Há grupos comunistas tão radicais que chamam aos apoiantes do PCP «sociais-fascistas»! Tanto a Rádio Renascença, pertencente à Igreja Católica, como o jornal socialista *República*, dirigido por Raul Rego, antifascista de longa data, caem nas mãos de radicais de esquerda, os quais expulsam os diretores.

Ocorrem atentados no país até meados de 1976: só na Região Militar do Norte foram entre 60 e 70, causando quatro mortes.

No Exército, multiplicam-se os casos de insubordinação e falta de disciplina. É natural que se receie o eclodir da guerra civil. Não admira que esse período seja conhecido como «verão quente»!

Assim, o Exército receia uma guerra civil contra os marxistas e uma provável ditadura do PCP (apesar de Álvaro Cunhal o ter negado num debate com Mário Soares, ficando famosa a frase: «Olhe que não, Sr. Dr., olhe que não!»), pelo que resolve reagir, por meio de um golpe de Estado em 25 de novembro. Com pouco sangue derramado (três mortos), o golpe é um sucesso e o Grupo dos Nove controla a situação. O general Otelo Saraiva de Carvalho, esquerdista radical, é afastado do poder. Aliás, mais tarde dirá que nunca quis «montar o cavalo do poder», descrevendo as várias oportunidades que recusou. Ramalho Eanes torna-se chefe do Estado-Maior, embora o verdadeiro cabecilha do golpe tenha sido o general Costa Gomes.

Graças aos acontecimentos do 25 de Novembro, a crescente anarquia desapareceu e o país pôde converter-se num Estado politicamente estável e sem excessos revolucionários, apesar de muita gente lamentar a degradação da classe política e lamentar a perda de oportunidade perdida de terem sido feitas mudanças radicais. Feliz ou infelizmente, a história está cheia de casos em que revoluções bem-sucedidas levam a banhos de sangue e a governos brutais, pelo que a crença de que o 25 de Novembro foi uma «benesse» para o país não é nada absurda.

✷ 1986 ✷

ENTRADA DE PORTUGAL NA CEE

Do Estado-Nação para uma comunidade multinacional.

Se, por um lado, os portugueses têm razão em sentir-se agrade-cidos a Salazar por os ter protegido dos horrores da Segunda Guerra Mundial, por outro, foi certo que essa neutralidade isolou o país e impediu-o de se desenvolver e de expandir a sua economia e de competir com os que nela participaram. Ainda que Portugal tenha estado sempre presente nas conversações dos movimentos que se geraram no sentido de se criarem organizações de coopera-ção económica, o facto de manter as suas possessões coloniais em três continentes, com tudo o que isso implicava, aliado ao regime ditatorial que o governava, dificilmente poderia inserir-se nelas, criando assim obstáculos ao seu desenvolvimento, numa fase em que o mundo ocidental se expandia economicamente. No final do conflito, Portugal era um dos países mais pobres da Europa. Sa-lazar reconhecia-o e, surpreendentemente, foi um dos primeiros portugueses a pedir a adesão de Portugal à CEE, pedido que re-monta a 1962, quando o estadista solicita o estatuto de associado, prometendo preparar-se no espaço de 15 anos para essa adesão. Qual a táctica de Salazar para, no prazo de apenas 15 anos, pre-parar o país para aderir a um «clube de países democráticos», mantém-se uma incógnita, pois a questão da democracia, não podia deixar de se colocar. Mas o problema deixou de existir quando o presidente francês, general De Gaulle, veta a adesão da Inglaterra à CEE, já nem se discutindo, pois, a possibilidade da entrada de Portugal, que fica na EFTA com o velho aliado britânico. A política do famoso ditador português marcou de tal modo o país, que se pode dizer que ele ainda vive as consequências da sua permanência de quatro décadas no poder.

A manutenção das colónias exigia um reforço das alianças militares com as grandes potências do mundo ocidental, levando Portugal a participar, em 1949, da fundação da OTAN (NATO; o acrónimo inglês, mais famoso). Seguiu-se a participação na OECE/OCDE, na EFTA nos anos 50, e, finalmente, na CEE, criada por seis países e expandida progressivamente pela entrada de novos. Portugal não podia aderir devido ao facto de o seu regime político ser uma ditadura, ainda que reforçando, no princípio dos anos 70, as suas ligações económicas.

A longa Guerra Colonial tinha absorvido a maior parte dos recursos económicos e humanos, tornando Portugal um dos países mais pobres da Europa. A revolução militar do 25 de Abril de 1974 veio transformar a situação política, económica e social, podendo considerar-se o maior marco da História Contemporânea portuguesa, depois da implantação da República, em 1910. Não só o regime foi derrubado e as colónias receberam a independência, como o gigantesco aparelho burocrático e administrativo a elas ligado desapareceu, levando a uma completa reorganização da economia. O aparelho do Estado, ao ser assaltado por grupos profissionais que pretendiam manter a cultura parasitária do Estado colonial e se apropriaram das suas estruturas para manterem privilégios, entrou em colapso. Milhões de pessoas, tanto portuguese residentes nas ex-colónias, como refugiados das guerras civis que nelas se desencadearam, regressaram a Portugal, tornando a população mais heterogénea e agravando e intensificando os problemas e conflitos sociais já existentes. A inflação atingiu valores superiores a 29 por cento, o escudo desvalorizou-se e as finanças ficaram à beira da bancarrota, obrigando por duas vezes a negociações com o FMI (1977 e 1983). Portugal necessitava com urgência de deixar o isolamento, de consolidar a democracia, e para isso eram imprescindíveis ajudas económicas a fim de executar as necessárias reformas sociais e infraestruturais. Foi com este enquadramento que o país optou definitivamente pela pertença à CEE, mais tarde União Europeia (1992).

A assinatura da Acta Final da adesão aconteceu a 12 de junho de 1985, em cerimónia realizada no Mosteiro dos Jerónimos, pelo então primeiro-ministro Mário Soares, mais tarde presidente da República, e defensor de longa data da adesão à CEE.

Passados 26 anos, os resultados são polémicos. Houve fases de nítido crescimento económico, quando as ajudas externas e a entrada de grandes quantidades de dinheiro levaram ao crédito fácil e ao respetivo endividamento das empresas e das famílias, e outras de franca diminuição do poder de compra e das condições sociais, quando os credores começaram a cobrar as dívidas aos cidadãos. Um dos setores mais penalizados foi o das exportações, onde a adesão se revelou catastrófica, com enormes penalizações, caindo abruptamente as cotas do mercado português nos mercados tradicionais.

No entanto, criaram-se muitos direitos sociais, nomeadamente, na habitação, saúde e educação, etc., e as infraestruturas começaram a renovar-se a bom ritmo, atingindo o crescimento económico valores nunca vistos, impulsionando as obras públicas e o aumento de consumo interno. Com a transformação da CEE em UE, em 1992, e a entrada de Portugal para a moeda única, em 2002, muitos destes aspetos mudaram. O crédito tornou-se ainda mais barato, provocando o aumento do consumo interno, e fazendo subir mais o endividamento das famílias, tendo como consequência uma forte diminuição das poupanças. As importações começaram a crescer mais do que as exportações. A concorrência interna disparou e, a partir de 2002, as consequências da adesão de Portugal a todo este processo revelaram-se devastadoras, instalando-se a crise, tal como noutros países de fragilidade comparável. Os direitos e regalias adquiridos foram sendo retirados.

A subida dos juros dos empréstimos externos obrigou o Estado a cortar nas despesas e, consequentemente, nos apoios sociais; cortes nos salários, nos subsídios, nos apoios às crianças em idade escolar, aos idosos, aos doentes, cortes na educação, na saúde, levando muitos portugueses a questionar-se sobre a utilidade da adesão de Portugal a estas organizações de «apoio». Os próprios países da Zona Euro dividiram-se, aparecendo acusações contra os «perdulários», que se habituaram a viver à custa do dinheiro fácil, e os «empreendedores», menos afetados pela crise e que não percebem (ou não querem aceitar) que são tão bem-sucedidos devido ao endividamento dos países mais pobres, para os quais exportaram maciçamente os produtos, que em condições normais seriam para estes inacessíveis. Neste contexto, relembra-se o escândalo dos submarinos adquiridos por Portugal, pelo qual foram julgados na Alemanha, por corrupção ativa, empresários envolvidos no negócio.

Um importante aspeto negativo, antes menos grave e menos divulgado pela imprensa, foi a expansão da criminalidade comum e do crime organizado, na forma de clandestinidade ilegal, ameaças terroristas, exploração de mão de obra estrangeira mais barata, pornografia ilegal (em especial a infantil), tráfico de droga e de veículos furtados, lavagem e falsificação de dinheiro.

Afirma-se que a globalização mundial fez com que a economia paralela, em grande parte dominada pelo crime organizado, chegue a corresponder a uns 20 por cento da economia mundial, pelo que é natural que também ocupe uma proporção elevada da economia comunitária.

Muitos portugueses são de opinião de que a adesão à UE foi um erro estratégico. Não só reforçou o caráter periférico já existente, como nos tornou reféns das grandes potências económicas, como a Alemanha, que aproveitam para impor a Portugal regras que beneficiam a sua própria economia, mergulhando o país na mais profunda humilhação. A alternativa que os portugueses têm para tentar equilibrar o estado da nação será virarem-se para países menos competitivos, tirar partido da globalização e reforçar os laços históricos com as regiões do mundo outrora portuguesas.

Como conclusão, pode dizer-se que, apesar de tudo, tanto a CEE como a UE tiraram Portugal do atavismo, da ignorância e do isolamento em que vivia, permitindo à sua população igualar--se, em termos culturais e sociais, a muitos outros países ditos «civilizados». Podem considerar-se os aspetos positivos da adesão sob vários ângulos, dos quais se destacam: a escolaridade obrigatória até ao 12.º ano e a possibilidade de intercâmbio a nível universitário, através dos programas Erasmus; alfabetização das populações; a mudança das condições de vida dos portugueses, nomeadamente no interior, que passaram a ter acesso a aspetos básicos da vida quotidiana que antes nunca tinham tido; controlo de polícia no âmbito da luta contra a criminalidade e a droga; a moeda única facilitando o intercâmbio comercial; a livre circulação entre os países; acesso a cuidados de saúde gratuito ou de custo reduzido em caso de acidente ou doença repentina num país da União Europeia, em estada temporária. A balança pende, pois, para o lado positivo.

֍ 1991 ֍

AMÁLIA RODRIGUES RECEBE A LEGIÃO DE HONRA FRANCESA

Será pioneira do seu género em muitas outras honras.

A palavra «fado» provém do latim *fatum*, cujo significado é destino, equivalente à vontade dos deuses na cultura romana. A sua origem como forma de música folclórica portuguesa, caraterizada pela amargura, fatalismo e saudade, é consideravelmente mais recente, fruto do século XIX.

Há uma teoria que defende que o fado evoluiu a partir dos lunduns, canções e danças africanas cantadas por escravos negros do Brasil, saudosos do continente natal, e outra que sustenta que a sua origem reside nas canções dos marinheiros dos Descobrimentos, naturalmente tristes e cheios de saudades das famílias, amores e amigos que deixaram para trás. Os que ficavam também elaboravam canções da mesma natureza em relação aos que partiam para longe, só regressando muito tempo depois, frequentemente na pobreza, ou que nunca regressavam. As esperas ansiosas nos cais e portos traziam muitas desilusões, o que terá originado a expressão «ficar a ver navios».

Além do «fado dos marinheiros», também havia o «fado dos degredados», cantado por condenados ao degredo em locais longínquos, com lastimáveis condições de vida.

De resto, o mesmo século XIX do fado, como é hoje conhecido, foi também o século do fim das monarquias tradicionais, do fim do poder e supremacia da nobreza como classe social e da crise de valores e decadência sofridos, pelo que não espantam as histórias de «marialvas», aristocratas boémios que frequentam os bares dos bairros pobres e de «má fama», fazendo aquilo que o seu estatuto social lhes proibia: ouvir fados e até ter relações amorosas com as respetivas cantoras. O caso mais famoso é o do conde de Vimioso, admirador da fadista Maria Severa Onofriana, que «batia» (cantava) o fado no Bairro da Mouraria. A Severa era filha de uma taberneira e suposta ex-prostituta, cuja alcunha já bastava para a celebrizar (*Barbuda*, por, supostamente, se barbear todos os dias!). O romance do conde com Severa escandaliza boa parte da sociedade, pelo que não devem ter sido somente saudades da vida antiga que a levam a regressar à Mouraria, de vez em quando. O consumo de álcool e a gula matam a fadista, com apenas 26 anos. «Lá nesse reino celeste/com a tua banza na mão/farás dos anjos fadistas/porás tudo em confusão», cantava-se em sua homenagem.

Houve casos de mulheres de famílias aristocratas que se tornaram fadistas e morreram na miséria, como D. Carlota Scarnichia, mais conhecida como Escarniche (pronúncia popular), o que inspira canções («quem tiver filhas no mundo/não fale das desgraçadas/porque as filhas da desgraça/também nascem honradas»). Naturalmente que a maioria das fadistas são mulheres de origem humilde, incluindo as celebridades da época, como Cesária de Alcântara e Custódia.

Não raro, as dramáticas letras dos fados descrevem infidelidades e infelicidades, pelo que a essa forma de fado foram atribuídos nomes pejorativos, como «fado do desgraçado», «fado da desgraçadinha» ou «fado choradinho». Tendo em conta as vidas das fadistas, das famílias, das companheiras e das amigas, vividas em bairros miseráveis, e com males universais como crimes passionais, crianças abandonadas e paixões amorosas condenadas (e condenáveis), o surgimento e a popularidade dessa forma de fado eram inevitáveis.

O fado também aborda outros temas, como a política, o que é bastante adequado, pois esta é causa de muitas tragédias e saudades, especialmente no século do nascimento do fado, pois foi a época das lutas liberais, inspirando canções com versos como «destruir a monarquia e lutar pela igualdade/são duas causas sublimes da humanidade».

Na década de 1930, surgem em cena fadistas de elevado talento, como Alfredo Duarte, mais conhecido como Alfredo Marceneiro, devido a uma ocupação profissional cuja menção é desnecessária, e Berta Cardoso. Mas a mais famosa será uma lisboeta cujos pais eram originários da Beira Baixa, Amália Rodrigues.

Amália ganhava a vida a cantar em batizados e casamentos, mas a sua carreira profissional dá um grande salto ao atuar nas Marchas de Lisboa, como representante do Bairro de Alcântara. A tentativa fracassada de vencer o concurso Fadista do Ano (1938) deve-se à inveja demonstrada pelas concorrentes nas eliminató-rias, que se recusam a concorrer com uma mulher originária de meios pobres e incultos. Mas, no ano seguinte, Amália terá a sua «vingança», ao adquirir fama e popularidade à escala nacional, com uma rapidez e duração inigualáveis. E que, como se não bas-tasse, atingem uma escala internacional: em 1943, a sua interpre-tação de músicas espanholas faz furor em Madrid; é um êxito no Brasil, em 1944, tendo a alegria daí resultante sido ampliada por até então o fado ser desprezado pelos brasileiros (antes da estreia, uma orquestra teria cantado «ai, minha mãe», uma cançoneta sa-tírica cantada perante Amália, por uma orquestra sem ideia de que o feitiço do ridículo só afetaria o feiticeiro).

Amália participa no filme francês *Os Amantes do Tejo* (1956), em que canta «Barco negro», um sucesso internacional de uma cantora cujo público rapidamente deixou de se limitar aos luso-descendentes. No México, cantou as *rancheras* com tamanha fluência, que os mexicanos tentam provar que ela descendia de mexicanos!

Graças aos espetáculos, trava conhecimento com celebridades da época, especialmente as musicais, como Edith Piaf e o franco--arménio Charles Aznavour, que escreve para ela a canção «Aie mourir pour toi» e a convence a cantá-la, já que foi inspirada numa canção da sua autoria «Ai Mouraria».

Parece que Amália acreditava que seria mais adequado utili-zar um vestido negro, para que o seu traje não distraísse o público das canções, ou para dar mais dramatismo à atuação. Consequên-cia curiosa da imagem de marca de Amália foi tornar o uso de um vestido preto pela generalidade das fadistas uma «tradição» recente e imagem de marca da profissão.

O apego da cantora à sua privacidade e o respeito do público por ela tornam muito nebuloso o que se sabe sobre a sua vida privada. O primeiro casamento, com Francisco Cruz, operário e guitarrista, terminou em divórcio por iniciativa da cantora, o que não é de admirar, se for verdade o que se afirma sobre a causa do matrimónio: foi seduzida por Francisco, a família exigiu que reparasse a honra casando-se com ela, ele rejeita e informa que, por acaso, tinha namorada, e Amália tenta suicidar-se, levando-o a mudar de ideias. Certo é que o casamento durou uns meros três anos e Amália aos 23 anos era já divorciada!

Os restantes casos amorosos não podem ser confirmados nem desmentidos, mas acredita-se que um dominicano a tentou seduzir e até casar-se com ela. O seu nome era Porfirio Rubirosa, uma lenda da época, que teve incontáveis amantes, o que explica os cinco divórcios, que lhe valeram parte das fortunas das endinheiradas ex-mulheres. A sensatez de Amália em recusar a proposta de Rubirosa foi acentuada pelo facto de este ser um sabujo de Rafael Trujillo, um dos piores ditadores das Américas (depois do assassínio de Trujillo, Rubirosa entrará numa fase descendente, cujo fim será um acidente mortal de viação). Merece ser mencionada esta boca de Amália ao irresistível (mas nem tanto) conquistador, publicitada pela imprensa: «Então você, depois das pescadas americanas, também quer provar uma sardinha portuguesa?»

O casamento com o engenheiro César Seabra, ocorrido no Brasil, em 1961, foi mais bem-sucedido em termos de duração: termina em 1997, juntamente com Seabra, que morre nesse ano.

Entre os inúmeros prémios ganhos, internacionais e nacionais, destaca-se a Legião de Honra francesa, recebida do presidente francês François Mitterrand, em 1991, tendo sido a primeira mulher a recebê-lo, o que não é de admirar dado ter cantado no Olympia, em Paris, onde só atuam as maiores celebridades musicais. Aliás, foi a colaboração do francês Alain Oulman que permitiu a Amália cantar fados cujas letras eram extraídas dos mais importantes textos e poemas portugueses, escritos ao longo de sete séculos de história, incluindo Camões e Dantas, passando pelo trovador medieval Mendinho (século XIII), contribuindo para tornar o fado apreciado pelas elites cultas, e não mais desdenhado (exceto por snobes).

Amália morre em 6 de outubro de 1999, pondo fim a 60 anos de uma carreira de sucesso e de embaixadora da cultura portuguesa em todo o mundo, motivo pelo qual o corpo foi trasladado para o Panteão Nacional, a primeira portuguesa a ser aí sepultada. É famosa a sua afirmação: «Desde que existe a morte, imediatamente a vida se torna absurda. Sempre pensei assim», mas isso não a impediu de levar uma vida repleta de feitos, além de muitas ambições.

ᔰᔰ 1999 ᔰᔰ

MACAU DEIXA O DOMÍNIO PORTUGUÊS

Fim simbólico da era dos Descobrimentos.

20 de Dezembro de 1999. Terminam as festividades iniciadas no dia 17, que comemoravam a transição de Macau, do domínio português para o retorno à administração chinesa. O último território ultramarino adquirido pelos portugueses durante os Descobrimentos volta a pertencer politicamente ao Estado chinês. As festividades tiveram a participação de várias personalidades locais e do exterior, como Ziang Jemin, líder da China na altura, e Jorge Sampaio, presidente da República Portuguesa.

E tão importante decisão foi feita pacificamente, por meio de negociações entre o Estado chinês e o Estado português, tendo sido anunciada em 26 de Maio de 1987, por meio de uma declaração com o título quilométrico de «A Declaração Conjunta Sino-Portuguesa sobre a Questão de Macau».

Escolheu-se o ano de 1999 como aquele em que Macau voltaria a pertencer oficialmente à China, em parte por ser o 50.º aniversário da proclamação da República Popular da China, ocorrida em 1949. Os portugueses nunca tiveram grande vontade de devolver o enclave que possuíam na China a uma ditadura comunista repressiva, mas as reformas de Deng Xiaoping demonstraram que a economia socialista tinha fracassado na China e que o Partido Comunista Chinês iria convertê-la numa economia capitalista, cujo elevado sucesso ainda hoje parece não ter terminado. O fim do «perigo vermelho» e a diplomacia menos belicosa adotada por

Pequim contribuíram para que as negociações fossem concluídas com sucesso, pelo menos para Pequim.

Portugal consegue algumas compensações, expressas pelo princípio «um país, dois sistemas», de acordo com o qual os sistemas económico, financeiro, fiscal, social de Macau iriam manter-se distintos dos da China, sendo o exemplo mais notado o da moeda macaense, a pataca (um euro vale entre 12 e 13 patacas). O sistema político também manteria várias das diferenças em relação ao da China, como a separação dos poderes executivo, judicial e legislativo. As alterações democráticas estabelecidas pelos portugueses também se mantêm oficialmente, mas na China o poder está nas mãos do partido, que não se distingue do Estado. O sistema dual terá a duração de 50 anos, tendo sido igualmente instituído em Hong Kong, também devolvido à China pelo Reino Unido.

Houve muitos feitos bem-sucedidos que a colaboração sino-portuguesa atingiu, mas é preciso ter em conta que as últimas décadas de Macau sob o domínio português tiveram os seus problemas sérios, mais tarde oficialmente ignorados em nome da amizade entre ambas as nações, além da manutenção de um ambiente alegre no período de transição.

Desde que a comercialização do ouro foi internacionalmente liberalizada em 1974, pondo fim ao estatuto privilegiado de Macau no comércio e contrabando do «vil metal», que o jogo se tornou a atividade económica mais importante da cidade, ao ponto de o mais destacado proprietário de casinos da cidade, Stanley Ho, ter designado o jogo como uma «indústria». Em 1998 o jogo correspondia a mais de 60 por cento das receitas governamentais macaenses, e o turismo, consideravelmente estimulado pela atração do jogo, correspondeu a 45 por cento do PIB. No Casino Legend Club, as apostas, no mínimo, são de 50 mil patacas! Não é motivo de espanto que o poder e riqueza de Ho tenham originado as alcunhas de «governador-sombra» e «rei do jogo», havendo suspeitas da origem duvidosa de fortuna e das ligações ao submundo. Naturalmente que a legalização do jogo em Hong Kong e no resto da China não agradou muito nem aos empresários e nem à população de Macau.

As razões que levaram à proibição do jogo na China durante gerações só seriam «moralistas», no sentido pejorativo do termo, para mentes obtusas: as tríades sempre prosperaram devido a tal atividade, um pilar do crime organizado; agiotagem; chantagem; prostituição, etc.

No entanto, sem o jogo, a economia e os serviços sociais de Macau estariam num estado desastroso. Antes da legalização deste, a miséria e a pobreza dos serviços públicos eram lastimáveis. Quando foi efetuada a devolução, Macau ocupava o 26.º lugar do índice de desenvolvimento humano, ao passo que a China ocupava o 106.º (nesse aspeto, os portugueses parecem ter feito um bom trabalho, para variar). Um visitante português fica admirado com o que vê em Macau, pois julgava erradamente que «Macau era jogo e prostituição, mais prostituição e jogo», num exemplo de como muitas reputações são exageradas e não revelam tudo. Claro que a crise económica internacional e o crescimento da população tiveram consequências previsíveis: aumento da delinquência juvenil, consumo de drogas, da pobreza e da desigualdade na distribuição de riquezas, etc.

As tríades sempre se deram bem em Macau, especialmente desde que o triunfo do comunismo as levou a mudar de área, para fugir à repressão. No entanto, não ocorriam guerras de quadrilhas sangrentas com frequência (o cinema de Hong Kong não é menos sensacionalista do que o de Hollywood). Contudo, atentados contra gângsteres e membros das autoridades aumentaram em número nos últimos anos de domínio português em Macau, algo inédito. O polícia reformado Artur Ribeiro é gravemente ferido, tendo o filho sido vítima de um atentado falhado, sem dúvida relacionado com a sua participação na inspeção dos jogos.

Dado que os portugueses iriam abandonar Macau em breve, seriam os atentados contra membros dessa comunidade ajustes de contas permitidas por um ambiente de impunidade? Quanto à violência entre gângsteres, pode ter sido uma luta de poder desencadeada antes que as muito mais brutais e eficientes autoridades comunistas recebessem o controlo da cidade. Durante as negociações com Portugal, claro que o Estado chinês aceitou não impor a pena de morte nem a prisão perpétua em Macau, mas havia subterfúgios legais, como executar macaenses fora da cidade por crimes concretizados fora da cidade. Foi o caso da vizinha Zuhan, onde em 1999, três gângsteres pertencentes ao brutal Grande Círculo, incluindo um líder, Lin, *o Malvado*, foram condenados à morte. Além do mais, a transição da cidade levou à entrada de tríades de Hong Kong e Taiwan, reforçando a concorrência. Em

1999 houve mais de 37 homicídios na cidade, em 1998 houve 27 e 29 em 1998.

Assim, um *Cabeça de Dragão* (chefe) da secção local da tríade 14 Quilates, conhecido como *Dente Partido*, é condenado a 14 anos de prisão por causa da recente onda de homicídios (subiu a uma cadeira e gritou obscenidades depois de o tribunal ordenar a confiscação dos seus bens).

Macau não é o Brasil: casamentos e miscigenação eram pouco frequentes, devido às desconfianças e crenças racistas que ambas as comunidades nutriam entre si (tanto os ocidentais como os chineses acreditam ser as civilizações «superiores»). Só na década de 1890 é que foram registados os primeiros casamentos oficiais entre portugueses e chinesas. Relações não matrimoniais houve, mas como o casamento era mais respeitado do que tais casos amorosos, isso diz muito da respeitabilidade que os casais mistos recebiam da sociedade. Quanto ao casamento de portuguesas com chineses, o fenómeno era ainda mais raro, e mais recente, tendo surgido nas últimas décadas do século xx.

A afeição lusa a Macau não levou muitos casos de portugueses a desejar viver durante longas décadas no enclave. Um caso raro era o de Monsenhor Manuel Teixeira, padre e historiador de Macau, com uma longa barba branca como imagem de marca, 87 anos, e que viveu em Macau durante 75 anos, sendo o português que viveu mais tempo na cidade.

Outro fenómeno social desencorajador era a pouca importância dada ao ensino das línguas chinesas nas escolas portuguesas, e vice-versa (a maioria das escolas onde os alunos chineses aprendiam português surgiu tardiamente, nos anos 1980). Junte-se a emigração de boa parte dos portugueses durante o período de transição, e conclui-se quão reduzidas eram as ligações dos portugueses com os chineses, bem como o seu vínculo ao enclave luso-chinês. A ligação de Portugal ao seu último território só se estreitou mais quando se tornou indiscutível que iria ser entregue à soberania chinesa. Curiosamente, os conflitos violentos entre as duas comunidades foram raros ao longo dos séculos, confirmando que, se não há bela sem senão, por outro lado, também não há senão sem bela.

Em 1902, foi descoberta na Biblioteca da Ajuda uma carta do célebre Fernão Mendes Pinto em que é referida pela primeira vez a povoação de Macau. O autor pede desculpa por, de tudo aquilo que observou na China e Japão, só ter descrito uma pequena porção («de cem partes uma»). À boa maneira chinesa, Mendes Pinto faz uma afirmação, também adequada a esta breve descrição da história e sociedade macaenses, e a todas as datas até agora tratadas: «Para escrever tudo era necessário que o mar fosse tinta e o céu fosse papel.»

❧ 2001 ❧

EURO ENTRA OFICIALMENTE EM VIGOR E O ESCUDO TORNA-SE UMA CURIOSIDADE HISTÓRICA

A publicidade sobre as vantagens da nova moeda, e receios «sem fundamento», foi um tanto enganosa.

Já Victor Hugo tinha imaginado uns «Estados Unidos da Europa» pacíficos e inspirados num ideal humanístico. No entanto, os trágicos conflitos das duas guerras mundiais que avassalaram o continente na primeira metade do século XX desfizeram esse romântico sonho (e que sonho romântico não foi cruelmente desfeito?). A chamada moeda única ou euro, cuja sigla é EUR, foi o culminar dos objetivos traçados no Tratado de Maastricht, dando concretização ao processo de construção da União Económica e Monetária Europeia (UEM) à qual aderiram, numa primeira fase, em 1999, 11 países pioneiros, entre os quais Portugal. A este juntou-se a Grécia, em 2001, a Eslovénia em 2007, Chipre e Malta, em 2008, Eslováquia, em 2009 e, por último, a Estónia, em 2011. De todos eles, apenas a Dinamarca teve a originalidade de pedir a opinião do povo que o elegeu sobre uma medida que o afetaria profundamente, por meio de um referendo ao Tratado de Maastricht, em 1992, tendo como resultado uma clara recusa. Como a vontade popular não agradou aos dirigentes da UE, foram impostos sucessivamente dois novos referendos até a opinião pública dinamarquesa mudar de ideias. Foi preciso um novo Governo eleito negociar, em 2011, a anulação de quatro cláusulas derrogativas do Tratado, tendo, finalmente, sido aprovada pela maioria dos dinamarqueses a adesão à moeda única. Como diz um ditado português «casarás com quem quiseres, desde que seja com o primo Manuel»...

Também a Grã-Bretanha e a Suécia não aderiram ao euro, mantendo as suas moedas, aliás, sempre suficientemente fortes para tornar dispendiosos quaisquer produtos adquiridos no país. Outros países pequenos, como Andorra, Mónaco, São Marino, e Vaticano, Montenegro e até o não reconhecido internacionalmente Kosovo, adotaram também o euro. A substituição das moedas dos vários países aderentes, frequentemente de grande antiguidade, por apenas uma comum não foi bem aceite pelas populações da maioria dos respetivos Estados, como seria de esperar. O alargamento da Zona Euro é um processo contínuo, porém, para que isso possa acontecer, é necessário que um país candidato cumpra certas condições, como manter a taxa de inflação dentro dos padrões estabelecidos. Este processo foi elaborado em várias fases, na terceira das quais foram adotadas as taxas de conversão às quais as moedas ficaram irrevogavelmente ligadas, bem como as taxas entre as moedas que o euro substituiu. A partir dessa data, nenhum Estado membro é autorizado a emitir notas bancárias, sendo o Banco Central Europeu e os bancos centrais as únicas entidades habilitadas a fazê-lo. Uma vez que apenas esta moeda possui legalidade nos países da União, todos os cidadãos foram obrigados a aceitá-la, mesmo se a contragosto, assim como a trocar as antigas notas e moedas, gerando uma espécie de saudosismo que levou muitos portugueses (e certamente também cidadãos de outros países) a guardar em casa notas e moedas, estimando-se o seu valor em mais de 163 milhões de euros, dos quais 99 por cento correspondem a moedas que não foram entregues até à data-limite, e 183 mil euros em notas que podem ainda ser trocadas no prazo de 20 anos, ou seja, até 2022. Portugal teve a sua entrada no euro a 1 de janeiro de 2001, no entanto, entre essa data e o último dia de fevereiro de 2002 circularam, simultaneamente, a nova e a antiga moeda. É útil saber, já que, embora muito importante o seu contributo, o autor «não fez nome», que as esteticamente belas moedas de euro portuguesas, com uma face comum a todos os países e uma face nacional, são da autoria do escultor Vítor Santos, licenciado em Escultura e mestre em Desenho pela Faculdade de Belas Artes de Lisboa, repetidamente premiado na área da medalhística e representado no Museu Britânico.

As repercussões que essa medida teve na economia portuguesa foram gigantescas. Esta entrada parece ter sido «mal interiorizada», no dizer de um ministro, já que Portugal não tinha condições de produtividade competitivas com os outros Estados membros, tendo, à data em que este texto é escrito, de ganhar credibilidade a todo o custo, a fim de enfrentar o resgate financeiro, que «podia ter sido evitado», e realizar uma verdadeira integração na Europa. Enquanto países como a Irlanda beneficiaram com a nova moeda, Portugal foi extremamente penalizado, pois, com uma taxa de inflação altíssima, a taxa de câmbio real (valor da moeda descontada a inflação) retirou grave competitividade às exportações.

Em finais de 2011, circulou a notícia de que vários parlamentos europeus, como o de França e Europeu, propunham o fim da moeda única. Logo se levantaram vozes pró e contra, destacando-se a de François Fillon, primeiro-ministro francês, que considerou essa possibilidade catastrófica para o continente europeu.

Logo após a adesão de Portugal ao euro, com as autênticas marés cheias de subsídios entrados para todos os fins, principalmente, ao nível da agricultura, aliado a descidas sucessivas das taxas de juros e do aumento e facilidades do crédito, o país experimentou um período de forte crescimento económico, com grande aumento do consumo. A partir desses primeiros anos, em que as condições para um desenvolvimento real e competitivo estavam criadas, vários e sérios erros de política impediram que esses objetivos fossem atingidos, penalizando a economia e tendo como consequência a situação penosa e miserável em que o país se encontra em 2012. Foi logo no primeiro ano, em que se definiu que a taxa de conversão seria de 1 euro = 200,482 escudos, que o preço de alguns bens duplicou e triplicou, sem que a maioria dos portugueses disso se apercebesse. Nos últimos anos, devido às consequências dos pedidos de «ajuda» externa, o preço dos bens essenciais aumentou tão desmedidamente, em paralelo com o dos impostos, que a situação dos portugueses se tornou insustentável.

Os aumentos acentuaram-se, sobretudo, nos transportes públicos, automóveis e combustíveis. Portugal, face a França e Espanha, tem preços mais elevados em todos estes bens de consumo (não em termos absolutos mas quando postos em comparação com o rendimento disponível), prevendo-se um continuar do agravamento da situação para os tempos mais próximos, principalmente para Portugal que possui a nona taxa de IRS mais alta da União Europeia

À medida que o ano de 2012 avança, verifica-se uma cada vez maior contestação de cidadãos e políticos que questionam as cláusulas do Tratado de Lisboa, as quais obrigam os Estados a financiar-se apenas através dos bancos comerciais e impossibilitam a obtenção de financiamentos diretamente através do Banco Central Europeu. Esta situação levou à cobrança de juros altíssimos por parte dos bancos, que por sua vez obtêm as verbas através do BCE ao preço da chuva. Estas práticas são muito questionáveis, já que os juros pagos se baseiam em notas de avaliação de agências de notação internacionais, que não são de todo isentas de interesses, porque as mesmas instituições estão ligadas, direta ou indiretamente, aos bancos que financiam os orçamentos de Estado. O que ainda é mais grave quando consideramos que muitos bancos tiveram de ser resgatados da falência, nos últimos anos, através de pagamentos de muitos milhares de milhões de euros dos contribuintes dos respetivos Estados. Para muita gente, tornou-se cada vez mais claro que a criação do euro, na realidade, significou a entrega da soberania nacional a grupos económicos internacionais, que se regem apenas pela lei do mais forte e não têm em linha de conta quaisquer valores de fraternidade ou sociais, pressupostos numa unidade de povos como seria um projeto como a Comunidade Europeia. Como o euro está a fazer concorrência ao dólar americano, como moeda de reserva internacional, existem algumas dúvidas sobre até que ponto a crise atual do euro não será também, em parte, provocada artificialmente para eliminar uma concorrência indesejada ao dólar americano e também para desviar a atenção do estado lastimoso das finanças do Governo federal dos EUA, que se encontra numa situação de endividamento insustentável. Estas observações tornam-se mais pertinentes sobretudo se considerarmos a hipótese de o dólar perder a sua posição-chave como moeda de reserva, o que parece bem provável, já que se constatam cada vez mais transações internacionais realizadas por ajuste direto, ou noutras moedas, sobretudo na Ásia.

Atualmente, não há sinais de resolução destes impasses, e está mais do que patente que uma unidade de povos ou monetária como a UE é impossível num meio onde o capitalismo selvagem, e o seu sacrossanto lema «sucesso a todo o custo», bem como de muitas outras sociedades, está a regressar a uma Europa onde o Estado-Providência está em decadência, e as vantagens e direitos a ele associados correm o risco de serem perdidos. Se até os quadros comunistas da China, incluindo os veteranos da guerra que os levou ao poder, adotaram o capitalismo selvagem, contribuindo para a crise europeia, graças a uma competição desleal (transferência de empresas para a China e importação de produtos baratos, ambos devido a uma mão de obra barata e desprovida de direitos laborais), é previsível que este fenómeno afete a generalidade do globo, incluindo as nações subdesenvolvidas, cujas elites adoram vilipendiar o «imperialismo-capitalismo ocidental», tanto quanto adoram enriquecer com este.

BIBLIOGRAFIA

AFONSO, Rui, *Um Homem Bom, Aristides de Sousa Mendes, o Wallenberg português*, Lisboa, Caminho, 1995.

ALBUQUERQUE, Luís de, LEITE, Jerónimo Dias, *Descobrimento da Ilha da Madeira*, Funchal, Alfa, 1989.

AMARAL, Diogo Freitas do, *D. Afonso Henriques, biografia*, Lisboa, Bertrand Editora, 2000.

ALMEIDA, A. Duarte de, *As Invasões Francesas*, Lisboa, Edições Romano Torres, 1983.

ALMEIDA, A. Duarte de, *Liberais e Miguelistas*, Lisboa, Edições Romano Torres.

ALVES, Adalberto, *Portugal e o Islão Iniciático,* Lisboa, Edições Ésquilo, 2007.

ALVES, Adalberto, HADJADJI, Hamdane, *Ibn Ammar Al-Andalusi – o Drama de Um Poeta*, Lisboa, Assírio & Alvim, 2000.

AZEVEDO, J. Lúcio de, *O Marquês de Pombal e a Sua Época*, Lisboa, Clássica Editora, 1990.

BAÊNA, Miguel Sanches de, *Mouzinho de Albuquerque – A Última Batalha*, Lisboa, Publicações Alfa, 1990.

BORGA, Cesário, RODRIGUES, Avelino, CARDOSO, Mário, *O Movimento dos Capitães e o* 25 de Abril, Lisboa, Publicações D. Quixote, 2001.

BOUCHON, Geneviève, Afonso de Albuquerque, *O Leão dos Mares da Ásia*, Lisboa, Quetzal Editores, 2000.

BOUCHON, Geneviève, *Vasco da Gama*, Lisboa, Terramar, 1997.

BOXER, C. R., *O Império Marítimo Português, 1415-1825*, Lisboa, Edições 70, 2012.

BUESCU, Helena Carvalhão, CORDEIRO, Gonçalo (coord.), *O Grande Terramoto de Lisboa – Ficar Diferente*, Lisboa, Gradiva, 2005.

CABRITA, Felícia, *Massacres em África*, Lisboa, Esfera dos Livros, 2008.

CAMÕES, Luís de, ALMEIDA, Prof. Dr. Lopes de Almeida (introd.), *Os Lusíadas*, Porto, Lello Editores, 2000.

CASTANHEIRA, José Pedro, *Macau: Os Últimos Cem Dias do Império*, Lisboa, Dom Quixote, Macau, Livros do Oriente, 2000.

COELHO, António Borges, *História de Portugal, Vol. I, Donde Viemos*, Lisboa, Editorial Caminho, 2010.

COELHO, R. Beltrão, *Macau/Retalhos*, Lisboa, Livros do Oriente, 1990.

CORTESÃO, Jaime, *Os Descobrimentos Portugueses – III*, Lisboa, Imprensa Nacional – Casa da Moeda, 1990.

COSTA, Fernando Dores, *A Guerra da Restauração, 1641-1668*, Lisboa, Livros Horizonte, 2003.

COSTA, João Paulo Oliveira e, *Portugal and the Japan – the Namban Century*, Lisboa, Graphic Products, 1993.

COUTINHO, Valdemar, *O Fim da Presença Portuguesa no Japão*, Lisboa, Sociedade Histórica da Independência de Portugal, 1999.

COUTO, Francisco Cabral, *O Fim do Estado Português na Índia – 1961*, Tribuna da História, 2007.

DEMURGER, Alain, *A Grande Aventura dos Templários da Origem Até ao Fim*, Lisboa, Esfera dos Livros, 2006.

DOMINGUES, Mário, *D. João II, o Homem e o Monarca*, Lisboa, Prefácio, 2005.

ESPÍRITO SANTO, Gabriel do, *Guerras e Campanhas Militares – Restauração 1640-1668*, Lisboa, QuidNovi, 2008.

FARIA, Cristina, *Amália Rodrigues*, Lisboa, Círculo de Leitores, 2008.

FERNANDES, António Teixeira, *O Confronto de Ideologias na Segunda Década do Século XX. À volta de Fátima*, Porto, Edições Afrontamento, 1999.

FERREIRA, João, *Histórias Rocambolescas da História de Portugal*, Lisboa, Esfera dos Livros, 2010.

FERREIRA, João, FERNANDES, Ferreira, *Frases Que Fizeram a História de Portugal*, Lisboa, Esfera dos Livros.

FONSECA, Luís Adão da, *O Essencial Sobre o Tratado de Windsor*, Lisboa, Filográfica – Impressão e Artes Gráficas, 1986.

GOMES, Flávio dos Santos, REIS, João José (org.), *Liberdade Por Um Fio – História dos Quilombos do Brasil*, São Paulo, Companhia das Letras, 1996.

GOMES, Rita Costa, *Reis de Portugal – D. Fernando*, Lisboa, Temas e Debates, 2009.

GUEDES, João, *As Seitas – História do Crime e da Política em Macau*, Lisboa, Livros do Oriente, 1991.

HENRIQUES, Mendo Castro, LEITÃO, António Risa, *La Lys, 1918 – Os Soldados Desconhecidos*, Lisboa, Prefácio, 2001.

HERCULANO, Alexandre, *História de Portugal, Livro II, 1128-1185*, Lisboa, Ulmeiro, 1983.

HERCULANO, Alexandre, *História de Portugal, Livro III, 1128-1185*, Lisboa, Ulmeiro, 1983.

MAGALHÃES, Joaquim Romero, *Vem Aí a República! 1906-1910*, Lisboa, Almedina, 2009.

MANSO, Artur, *Agostinho da Silva – Aspectos da sua Obra e Pensamento*, Vila Nova de Gaia, Estratégias Criativas, 2000.

MATEUS, Dalila e Álvaro MATEUS, *Angola 61 – Guerra Colonial: Causas e Consequências*, Lisboa, Texto Editores, 2011.

MARTINS, Jorge, *Breve História dos Judeus em Portugal*, Lisboa, Nova Vega, 2009.

MATTOSO, José (dir.), *História de Portugal*, Lisboa, Editorial Estampa, 1993.

MAXWELL, Kenneth, *O Marquês de Pombal*, Lisboa, Editorial Presença, 2001.

MELO, João de, *Os Anos da Guerra*, Lisboa, Círculo de Leitores, 1988.

MELLO, Fernando Ribeiro de, *O processo das Virgens*, Lisboa, Edições Afrodite, 1975.

MÓNICA, Maria Filomena, *Reis de Portugal – D. Pedro V*, Lisboa, Círculo de Leitores, 2010.

MONTOITO, Eugénio, *Henrique Galvão – ou a Dissidência de Um Cadete do 28 de Maio (1927-1952)*, Lisboa, Centro de História da Universidade de Lisboa.

MORAIS, Heitor, *História dos Papas, Luzes e Sombras*, Braga, Editorial A.O., 2005.

MOREAU, Mário *Luísa Todi: 1753-1833*, Lisboa, Hugin, 2002.

MULLER, Adolfo Simões, *Através do Continente Misterioso – A Vida e as Viagens de Serpa Pinto e Outros Exploradores*, Porto, Livraria Tavares Martins, 1970.

NEKROUF, Younés, *A Batalha dos Três Reis*, Mem Martins, Editorial Inquérito, 1988.

NUNES, António Pires, *Mouzinho de Albuquerque*, Lisboa, Prefácio, 2003.

OLAZABAL, Maria Luísa de Almeida de, PEREIRA, Gaspar Martins, *Dona Antónia*, Alfragide, Casa das Letras, 2011.

OLIVEIRA, José Augusto de (trad.), ALVES, José da Felicidade (apr.), *Conquista de Lisboa aos Mouros em 1147 – Cartas de Um Cruzado Inglês*, Lisboa, Livros Horizonte, 1989.

PIMENTA, Cristina, *Reis de Portugal – D. Pedro*, Lisboa, Temas e Debates, 2007.

PIMENTA, Maria Cristina, SANTOS (dir.) Maria José Azevedo, *Batalhas da História de Portugal – Guerras no Tempo da Reconquista, 1128-1249*, Lisboa, QuidNovi, 2006.

PINTO, Jaime Nogueira, *Nuno Álvares Pereira*, Lisboa, Esfera dos Livros, 2009.

PINTO, Serpa, *Como Eu Atravessei a África*, Lisboa, Publicações Europa América, 1990.

RAIMUNDO, Ricardo, *Vidas Surpreendentes, Mortes Insólitas da História de Portugal*, Lisboa, Esfera dos Livros, 2011.

RIBEIRO, Ângelo, SARAIVA, José Hermano (coord.), *História de Portugal, A afirmação do País – Volume II. Da Reconquista do Algarve à Regência de Leonor Teles*, Lisboa, QuidNovi, 2004.

RODRIGUES, Ernesto, *5 de Outubro, Uma Reconstituição*, Lisboa, Gradiva, 2010.

SANTOS, Vítor Pavão dos, *Amália – Uma Biografia*, Barcarena, Presença, 2005.

SARAIVA, José Hermano, *História de Portugal*, Lisboa, Publicações Alfa, 1983.

SILVA, José Manuel Azevedo, *A Madeira e a Construção do Mundo Atlântico (séculos XV-XVII), Volume I*, Lisboa, Centro de Estudos de História do Atlântico, Secretaria Regional do Turismo e Cultura, 1995.

SOUTOMAIOR, Jorge, *Eu Roubei o Santa Maria*, Lisboa, Labirinto de Letras, 2010.

TAVARES, Célia da Silva, *Jesuítas e Inquisidores em Goa*, Lisboa, Roma Editora, 2004.

TAVARES, Rui, *O Pequeno Livro do Grande Terramoto*, Tinta-da-China, 2009.

TORRES, António Maria M. Pinheiro, *Nun`Álvares Pereira, Herói e Monge – Catolicidade e Portugalidade*, Lisboa, Prefácio, 2009.

VALENTE, Vasco Pulido, *Ir Pró Maneta – A Revolta Contra os Franceses (1808)*, Lisboa, Alethêia, 2007.

VAZ, João Pedro, SALGADO, Augusto, *Invencível Armada – A Participação Portuguesa*, Lisboa, Prefácio, 2002.

VENTURA, António, *Guerras Liberais: 1820-1834: Vilafrancada, Abrilada e Cerco do Porto*, Lisboa, QuidNovi, 2006.

VIEIRA, Joaquim (dir.), *Fotobiografias do Século XX – Almada Negreiros*, Lisboa, Círculo de Leitores, 2001.

VIEIRA, Joaquim (dir.), *Fotobiografias do Século XX – Sidónio Pais*, Lisboa, Círculo de Leitores, 2002.

VIEIRA, Joaquim, *Portugal, Século XX, Crónica em Imagens, 1900-1910*, Lisboa, Círculo de Leitores, 2010.

WHITE, Michael, *O Grande Livro das Coisas Horríveis*, Alfragide, Texto Editores, 2011.

ZENITH, Richard *Fotobiografias do Século XX – Fernando Pessoa*, Lisboa, Círculo de Leitores, 2008.

VV. AA., *Actas da Conferência: O Caso de Goa – 40 Anos Depois (1961-2001), Recordando a História*, Lisboa, Núcleo de Estudos de Ciência Política e Relações Internacionais, 2001.

VV. AA., *Ao Encontro Com o Passado*, Lisboa, Selecções do Reader`s Digest, 1985.

VV. AA., *Calouste Sarkis Gulbenkian – O Homem e a Sua Obra, 1869-1999*, Lisboa, Fundação Calouste Gulbenkian, 1999.

VV. AA., *Dicionário Enciclopédico da História de Portugal*, Lisboa, Selecções do Reader`s Digest, 1990.

VV. AA., *Eça e os Maias*, Porto, Asa, 1990.

VV. AA., *Gigantes da Literatura Universal – Gil Vicente*, Lisboa, Verbo, 1972.

VV. AA., *IN MEMORIAM – Camilo, Centenário da Morte*, Porto, Comissão Nacional das Comemorações Camilianas, 1992.

VV. AA., *Os Grandes Exploradores de Todos os Tempos*, Lisboa, Selecções do Reader`s Digest, 1980.

SITES CONSULTADOS:

http://cvc.instituto-camoes.pt
http://www.citi.pt
http://www.cm-guimaraes.pt

AGRADECIMENTOS DO AUTOR

À Teresa, cujo apoio foi essencial. Ao Christian e à sua elevada paciência. Aos historiadores que souberam tornar a história interessante, como Tácito, Fernão Lopes e Antony Beevor. Ao artista José Garçês, que me inspirou o amor às rimas populares do passado e modernas.